新时代高校思想政治理论课教学研究

王旭东　著

U0284613

哈尔滨工程大学出版社
Harbin Engineering University Press

内 容 简 介

本书以党和国家关于加强和改进高校思想政治理论课的最新指示精神为指导,立足新时代党和国家对高校思想政治理论课提出的新任务、新要求,以高校思想政治理论课作为研究对象,明确阐述了高校思想政治理论课的课程性质、地位和任务,系统探讨了高校思想政治理论课的教学设计、教学过程、教学方法、教学素质、教学仪态、教学调控、教学方法体系改革、"互联网+"时代下的教学策略、教学考核及教学评价,力求深入探索高校思想政治理论课的特点与规律,为进一步加强思想政治理论课课程建设,更好地发挥思想政治理论课的主渠道作用,提供有益的思考与借鉴。

图书在版编目(CIP)数据

新时代高校思想政治理论课教学研究／王旭东著
. — 哈尔滨 : 哈尔滨工程大学出版社, 2023.3
ISBN 978-7-5661-3471-4

Ⅰ. ①新… Ⅱ. ①王… Ⅲ. ①高等学校-思想政治教育-教学研究-中国 Ⅳ. ①G641

中国版本图书馆 CIP 数据核字(2022)第 060221 号

新时代高校思想政治理论课教学研究
XINSHIDAI GAOXIAO SIXIANG ZHENGZHI LILUNKE JIAOXUE YANJIU

选题策划	石 岭
责任编辑	王丽华
封面设计	李海波

出版发行	哈尔滨工程大学出版社
社　　址	哈尔滨市南岗区南通大街 145 号
邮政编码	150001
发行电话	0451-82519328
传　　真	0451-82519699
经　　销	新华书店
印　　刷	黑龙江天宇印务有限公司
开　　本	787 mm×1 092 mm　1/16
印　　张	11.75
字　　数	268 千字
版　　次	2023 年 3 月第 1 版
印　　次	2023 年 3 月第 1 次印刷
定　　价	59.80 元

http://www.hrbeupress.com
E-mail:heupress@hrbeu.edu.cn

前　　言

思想政治理论课承担着对大学生进行系统的马克思主义理论教育的任务,是巩固马克思主义在高校意识形态领域的指导地位、坚持社会主义办学方向的重要阵地,是全面贯彻党的教育方针、落实立德树人根本任务的主渠道和核心课程。党的十八大以来,以习近平同志为核心的党中央高度重视思想政治理论课建设,作出一系列重大决策部署,思想政治理论课建设在改进中不断加强,课堂教学状况显著改善,大学生学习思想政治理论课的获得感明显增强。

中国特色社会主义进入新时代,对高校思想政治理论课发挥育人主渠道作用提出了新的更高要求。加强和改进思想政治理论课教育教学研究,用习近平新时代中国特色社会主义思想铸魂育人,引导学生增强中国特色社会主义道路自信、理论自信、制度自信、文化自信,在全面建设社会主义现代化国家新征程中勇当开路先锋、争当事业闯将。为全面推动习近平新时代中国特色社会主义思想进教材、进课堂、进学生头脑,充分发挥思想政治理论课作为立德树人根本任务的关键课程作用,需要较为全面地总结和分析新时代高校思想政治理论课定位,从课程标准、教学计划、教案撰写、课件制作方面加强新时代高校思想政治理论课的教学设计,教学方法要体系化,这是实现高校思想政治理论课教学过程的重要内容和关键环节。由于课程的特殊性,对思想政治理论课教师的教学素质、教学仪态、教学调控等应然条件和基本要求更严格,要按照"八个相统一"的原则,从内容出发进行教学改革。在"互联网+"时代,思想政治理论课教学改革要在守正创新中主动应对。可以引入绩效技术对高校思想政治理论课教学考核进行系统分析,科学评价高校思想政治理论课的教学成效,提升高校思想政治理论课的教学品质,进一步增强思想政治理论课的教学针对性、实效性。

《新时代高校思想政治理论课教学研究》是对新时代高校思想政治理论课科学定位、教学设计、教学过程、教学方法、教学素质、教学仪态、教学调控、教学方法体系改革、"互联网+"时代下的教学策略、教学考核和教学评价进行系统研究的重要成果。本书有两个显著特点。一是主题鲜明。全书始终围绕新时代思想政治理论课教学这一主题,始终坚持正确的政治导向和思想引领。二是内容丰富。全书对新时代思想政治理论课的目标原则、基本内容、主要方法等基本理论和实践问题进行全方位探讨,同时又重点抓住新时代思想政治理论课的一系列重点、难点和热点问题进行深入研究,实现了系统性与重点性的有机统一。

新时代思想政治理论课教学是一项系统工程,本书对相关问题的研究仍有待进一步深化。衷心希望广大思想政治理论课教师进一步密切合作,协同攻关,深化研究,开拓创新,努力把新时代思想政治理论课教学推向一个新的更高阶段。

王旭东

2022 年 8 月

目　　录

第一章　新时代高校思想政治理论课的科学定位

中国特色社会主义进入新时代,对于高校思想政治理论课的科学定位提出新要求,站在新的历史起点,高校思想政治理论课要承担新使命、展现新作为。因此,关于课程自身的定位必须科学、准确。

第一节　新时代高校思想政治理论课的性质

2019 年 3 月 18 日,中共中央总书记、国家主席、中央军委主席习近平在北京主持召开学校思想政治理论课教师座谈会并发表重要讲话。习近平指出,推动思想政治理论课改革创新,要不断增强课程的思想性、理论性和亲和力、针对性,要坚持"八个统一"。"八个统一"是习近平总书记对思想政治理论课建设的改革创新方法论,深刻总结了思想政治理论课建设长期以来形成的规律性认识和成功经验,构成一个紧密联系、有机统一的整体。其中政治性和学理性相统一集中论述了新时代高校思想政治理论课的性质。

一、政治性与学理性的内涵

高校思想政治理论课的政治性和学理性存在本质上的差异,两者统一的基本前提是要对政治性和学理性有清晰的认识和理解。

政治性是高校思想政治理论课最重要的课程性质,直接源自思想政治理论课设立的意识形态要求。人们普遍感觉政治性这个概念或多或少有些空泛和模糊,但政治性从来就不是抽象的,而是具体的。在高校思想政治理论课中,政治性应立足于坚持马克思主义的指导地位,与任何违背马克思主义的思想作斗争。但在经济全球化和信息化的当今世界,在物质主义和自由主义冲击下,当代大学生容易认为思想政治理论课教学内容是教条和形式主义的,认为其距离自己很遥远;相比之下,追求欲望的满足更会引起大学生的共鸣,这必然影响教学效果,进而影响思想政治理论课政治性的实现。因此,思想政治理论课教学应该切实坚持历史唯物主义的方法,以历史分析的眼光看待大学生的多元价值取向,并进行适当的引导。在马克思看来,分析和解决问题应该"始终站在现实历史的基础上,不是从观念出发来解释实践,而是从物质实践出发来解释观念的东西"。高校思想政治理论课的政治性表达并不是生硬地传递一种价值判断,也不是简单的说教,而是在信息量爆炸的现代生活中对现实社会生活现象进行剖析,引导大学生不断自我纠正和形成正确的价值观,进而使高校思想政治理论课愈发具有生命力。

学理性是指高校思想政治理论课教学内容的逻辑性,是思想政治理论课生命力与活力的源泉。在思想政治理论课中,学理性主要体现为马克思主义理论体系的真理性和科学性。马克思说:"理论只要能说服人,就能掌握群众;而理论只要彻底,就能说服人。所谓彻底,就是抓住事物的根本。"①马克思指出"彻底"就是"抓住事物的根本",实现的方式就是依托于科学性,科学性的依据在于其理论是否与客观真理一致、是否符合社会历史发展的必然要求。列宁称马克思主义为"科学的意识形态",虽然马克思本人并不将马克思主义归类于意识形态,但不可否认,马克思主义在实践的基础上,科学地揭示了自然界到人类社会的各种客观规律。马克思主义中国化正是马克思主义基本原理与中国特色社会主义建设实践相结合的过程,这一过程与时俱进,不断产生新的成果,使马克思主义在我国国情下焕发出全新的生命力。高校思想政治理论课的学理性应该充分发挥马克思主义中国化的时代性、实践性,从而更有活力与生命力。

二、政治性与学理性的相互关系

高校思想政治理论课既具有政治性,也具有学理性,厘清政治性与学理性的相互关系是在教学中正确处理二者关系的基础。

(一)政治性是学理性的原则,学理性服务于政治性

大致而言,马克思主义理论体系的教学要达到如下政治性目标:

1.确立坚定的政治方向

设置这门课程的目的就是在更好地向学生传达政治思想、在讲清楚马克思主义及其中国化理论体系的同时,在习近平新时代中国特色社会主义思想的指引下,引领当代青年正确认识自己在新时代背景下的努力方向和角色定位,从而确立为实现中华民族伟大复兴作贡献的志向。

2.确定坚定的政治立场

马克思主义是我们立党立国的根本指导思想,而全心全意为人民服务是中国共产党的根本宗旨。高校思想政治理论课需要系统地讲述中国共产党的诞生与发展、党与群众之间的关系和中国共产党的执政理念,从而使大学生站在群众和党员的不同立场上时,能够对中国特色社会主义有更深的理解和思考。

---

① 马克思,恩格斯:《马克思恩格斯选集》(第1卷),人民出版社,1995,第5页。

3. 树立坚定的政治信仰

习近平总书记曾提道:人民有信仰,民族有希望,国家有力量;共产党人的根本,就是对马克思主义的信仰。高校思想政治理论课教学面对大学生时,在引导其树立自己的理想信念的过程中,要讲清树立正确理想信念的重要性,解释马克思主义的信仰,继而使其理解中国共产党为何选择了马克思主义,理解是什么样的信仰使中国人民走到现在,从而使当代大学生树立正确的价值观、世界观和人生观,拥有坚定的政治信仰。

4. 培养正确的政治品格

"严"和"实"是中国共产党与生俱来的鲜明政治品格,即坚守"三严三实":严以修身、严以用权、严以律己,谋事要实、创业要实、做人要实。实事求是是践行"三严三实"的根本方法。习近平总书记指出:"实事求是,是马克思主义的根本观点,是中国共产党人认识世界、改造世界的根本要求,是我们党的基本思想方法、工作方法、领导方法。"同样,在高校思想政治理论课教学的过程中,实事求是是大学生在学习过程中应当牢记的方法。大学生要学会结合现实情况,认清国内外的形势,从而掌握认识、理解和分析现实问题的正确方法。

高校思想政治理论课的学理性就是为政治性服务的,其课程设置、课程内容的选择、教材的编写均以实现政治性目标为指导。同样,在思想政治理论课的教学过程中,政治性贯穿始终,其是阐述马克思主义理论体系的脉络。思想政治理论课的所有内容所呈现的学理性,必然围绕和有助于其政治性的实现。

(二)学理性是政治性的载体

政治性离不开学理性这个载体,否则就无法达到思想政治理论课的目标。学理性的载体作用如下。

1. 通过学理性表达政治性

马克思主义理论体系具有坚实的理论基础,用简洁有力的方式表达理论体系中的政治属性教学过程中,应立足中国国情阐述中国特色社会主义理论体系,展现马克思主义的真理性与实践性。

2. 学理性运用

学理性需要彻底运用在教学当中,从"是什么"到"为什么",全面诠释马克思主义理论知识,以客观性、科学性和彻底性说明理论的政治性。

3. 学理性需要强调思想政治理论课教学的逻辑性

高校思想政治理论课教学需要表达出理论知识的逻辑性,应当充分考虑大学生自我意识的判断,结合社会环境的变化,使得大学生通过紧密的逻辑,更好地学习理论知识,实现马克思主义基本原理、中国社会现实和中国历史三方面教育的结合,助力理论知识在未来现实生活中的运用。

4. 学理性需要创新性和时代性

马克思指出"任何真正的哲学都是自己时代精神的精华"。思想政治理论课教学只有与时俱进,才能回答大学生在学习和生活中的各种疑问,才会有说服力,学生也会发自内心喜爱思想政治理论课,感受到思想政治理论课真正的价值。

总而言之,学理性用以表达政治性,政治性是支撑学理性研究的基础;两者是无法割裂和相互脱离的,否则思想政治理论课的教学将走向极端。假如在探讨学理性的时候忽略政治性,教学过程中大学生就容易将马克思主义当作纯粹的理论知识,无法将理论知识联系到处于信息爆炸的现代社会生活中,更无法在各种复杂的信息中辨明道路,树立正确的政治信仰。同样,假如在探讨政治性的时候忽略学理性,思想政治理论课就容易变成宣传政策的传话筒,走向枯燥和标签的极端,必然导致思想政治理论课遭遇学生的排斥和抵触,无法实现其既定的教学目标。

三、实现政治性与学理性的统一

中华人民共和国成立以来,高校思想政治理论课在各个历史时期都发挥了凝聚共识的重要作用。十九大以来我国进入了新时代,新时代存在更多的机遇与挑战,信息量的不断膨胀、多元文化价值观的多次碰撞、媒体舆论信息的多重表达等都带来了新的问题和处理方式,意识形态领域的交锋也更加多元和频繁。因此,当代的高校思想政治理论课比历史上其他时期更为重要,任务也更加艰巨,要求高校思想政治理论课教学结合理论与现实,探讨实现政治性与学理性统一的路径。

(一)高校思想政治理论课教师应当以科学严谨的理论知识把握政治

思想政治理论课教师肩负着向学生教授马克思主义及其中国化的理论体系的重任,肩负着培养学生正确的政治立场、方向和使命的重任。思想政治理论课对教师提出了高标准,教师必须具有精深的马克思主义理论素养,还要满足懂政治、讲情怀、广视野、严纪律、高品格的要求,用唯物史观的眼光多思路、多角度启发学生,讲清、讲懂"思想政治",杜绝将客观的真理讲成口号,把政治语言学理化;带领学生读马克思主义经典著作,以著作中严谨的逻辑、辩证唯物的理论征服学生,教会学生将马克思主义理论运用于生活实践中,从而使学生一生受益;坚持政治性和学理性相统一,引导学生为建成社会主义现代化强国、为中华民族伟大复兴而奋斗,成为德智体美劳全面发展的社会主义建设者和接班人。

(二)高校思想政治理论课教师应当与高校乃至社会合力,实现政治性和学理性的统一

建设思想政治理论课不只需要高校思想政治理论课教师的努力,在社会层面上,各级党委组织应坚决贯彻习近平总书记在全国高校思想政治理论课教师座谈会的重要谈话精神,主动对高校思想政治理论课建设遇到的困难与问题展开调查研究。同时,教育部等有关部门需主动深入高校思想政治理论课建设当中,了解教学过程中需要解决的问题,组织有关研讨会商量措施。最重要的是加强与高校思想政治理论课教师的交流

与沟通,了解他们所在高校目前思想政治理论课建设的状态与情况,尤其应该多鼓励对高校思想政治理论课建设作出突出贡献的教师,将其作为模范代表,调动其他思想政治理论课教师的积极性。高校校级、院级领导要对校内思想政治理论课建设心里有谱,深入课堂了解高校思想政治理论课建设所处的水平,组建高校思想政治理论课建设小组,组织思想政治理论课教师定期分享和探讨教学内容,及时将教师的教学成果纳入考评体系中并加以鼓励,吸引大量优秀教师到高校思想政治理论课建设的队伍中。

(三)高校思想政治理论课教师应当不断提升自我

正如习近平总书记指出的,"办好思想政治理论课关键在教师,关键在发挥教师的积极性、主动性、创造性"。思想政治理论课教师应牢记"打铁还需自身硬",要加强政治性和学理性的学习,成为具备政治素养和理论运用的新时代思想政治理论课教师,而且要始终把自己放在学习者和践行者的位置,不断思考自己对马克思主义理论的政治性和理论性的认识是否有提高。同时,高校思想政治理论课教师要加强与学生的交流与沟通,做到课前了解学生对理论知识的掌握程度,课上注重与学生互动,课后掌握学生对教学内容的吸收程度,充分发挥教学期间学生与教师的双向促进作用。高校思想政治理论课教师应有教书育人的使命感和责任感,以爱国主义为核心的民族精神和以改革创新为核心的时代精神,通过思想政治理论课教学开展相关实践课题研究,实现思想政治理论课教学的新突破,实现政治性与学理性的统一。

第二节　新时代高校思想政治理论课的地位

高校思想政治理论课的地位是由其性质所决定的,体现为它在整个高等教育和社会生活中的位置和作用。具体来说,主要有以下几个方面:

一、高校思想政治理论课是大学生思想政治教育的主渠道

我国高校对大学生的思想政治教育贯穿于学校教育教学的各个环节,体现为全员育人、全程育人和全方位育人。就其教育主渠道或途径、形式来说,主要包括:思想政治理论课教学,学生日常教育、管理,形势政策教育,心理健康教育与咨询,党、团组织工作,辅导员、班主任工作,校园文化和社会实践活动,以及通过网络和各门课程教学工作开展思想政治教育等。而这里所谓的"主渠道",是指思想政治理论课作为国家统一设置和实施的、所有大学生必修的专门性和直接性的思想政治教育课程,在诸多思想政治教育渠道或途径、形式中起着主导或引导性的作用。

一方面,加强和改进大学生思想政治教育工作的主要任务决定了思想政治理论课的主渠道地位。21世纪初,《中共中央、国务院颁布的关于进一步加强和改进大学生思

想政治教育的意见》指出，大学生是十分宝贵的人才资源，是民族的希望，是祖国的未来。加强和改进大学生思想政治教育，提高他们的思想政治素质，把他们培养成中国特色社会主义事业的建设者和接班人，对于全面实施科教兴国和人才强国战略，确保我国在激烈的国际竞争中始终立于不败之地，确保实现全面建设小康社会、加快推进社会主义现代化的宏伟目标，确保中国特色社会主义事业兴旺发达、后继有人，具有重大而深远的战略意义①。加强和改进大学生思想政治教育的主要任务，就是坚持以马克思主义、毛泽东思想和中国特色社会主义理论体系为指导，全面落实党的教育方针，紧密结合中国特色社会主义现代化建设的实际情况，对大学生系统灌输马克思主义科学理论，进行正确的世界观、人生观、价值观、道德观和法制观教育，努力提高思想政治教育的针对性、实效性、吸引力和感染力。全国高校思想政治工作会议强调，我们的高校是党领导下的高校，是中国特色社会主义高校。办好我们的高校，必须坚持以马克思主义为指导，全面贯彻党的教育方针。要坚持不懈传播马克思主义科学理论，抓好马克思主义理论教育，为学生一生成长奠定科学的思想基础。要坚持不懈培育和弘扬社会主义核心价值观，引导广大师生做社会主义核心价值观的坚定信仰者、积极传播者、模范践行者②。高校思想政治理论课的目标和内容正是适应了上述任务和要求。同时，在高校各种教育活动中，课堂教学活动是最基本、最核心、最稳定的教育环节。它集中反映了人类文明的思维成果，是人类认识世界、改造世界智慧的结晶，具有强大的理性感召力和影响力，对人素质的形成与发展起着奠基作用。思想政治理论课是直接为培养和提高学生的思想政治素质而设计的课程，作为理论化、系统化、科学化程度最高的"马克思主义理论"学科课程形态之一，它概括和浓缩了我国社会主义社会所积累和倡导的思想政治观念、道德规范、价值观念和行为模式，充分体现了马克思主义的基本原理及其中国化的最新成果，反映了社会主义意识形态教育的主导性要求，因而理应成为高校对大学生开展思想政治教育的主渠道和核心课程。

另一方面，高校思想政治理论课的不断改革与建设使其能够胜任大学生思想政治教育主渠道的重任。中华人民共和国成立以来，高校思想政治理论课从初步确立到调整、巩固，再到改革、发展，其间虽然经历了一段曲折的历程，但其课程设置和教学内容仍然适应了当时形势和中心任务的需要；面对新的变化和新的情况，思想政治理论课还存在着不尽适应和亟待解决的问题，但其主流和趋势仍得以不断改进和加强。

1978 年我国实行改革开放以来，高校思想政治理论课建设大体经历了五个发展阶段：

第一个发展阶段："1978 年方案"（1978—1984）

1978 年 4 月 22 日，中共中央召开全国教育工作会议，邓小平在会议上充分肯定了

---

① 教育部社会科学司：《普通高校思想政治理论课文献选编》，中国人民大学出版社，2006，第 202 页。

② 习近平：《把思想政治工作贯穿教育教学全过程 开创我国高等教育事业发展新局面》，《人民日报》2016 年 12 月 9 日第 1 版。

粉碎"四人帮"以来教育战线所取得的成绩,并对今后的工作提出指导建议,他提出:"学校应该永远把坚定正确的政治方向放在第一位"[①],指导了教育工作向更深、更广开展。同时,此次会议发布了《关于加强高等学校马列主义理论教育的意见》,对高校在转变学生思想、帮助学生树立无产阶级世界观等方面的重要作用,以及在高等教育中的重要地位,予以肯定,要求重新开设"中国共产党党史""政治经济学""辩证唯物主义与历史唯物主义"和"国际共产主义运动史"四门课,并要求按此顺序依次开设,根据该《意见》的规定,形成了思想政治教学的"1978 年方案"[②]。1980 年 7 月,教育部制定了《改进和加强高等学校马列主义课的试行办法》,提出必须明确马克思主义理论教育课在各类专业中都是必修课的地位,确定在全国高校本科开设"中共党史""政治经济学""哲学"三门课程,文科专业加开"国际共产主义运动史"或"科学社会主义"。

第二个发展阶段:"1985 年方案"(1985—1997)

1984 年 9 月,中宣部、教育部印发了《关于加强和改进高等院校马列主义理论教育的若干规定》,标志着将高校思想政治理论课的改革真正提到日程上来。该文件指出,为了适应教育要面向现代化、面向世界、面向未来的需要,现行的课程设置和教材必须进行改革。1985 年 8 月,中共中央颁发了《关于改革学校思想品德和政治理论课程教学的通知》,这个文件标志着高校思想政治理论课的改革全面实施,由此也标志着高校思想政治理论课"1985 年方案"的正式出台。这个方案将高校思想政治理论课确定为四门课程,即"中国革命史""中国社会主义建设""马克思主义原理""世界政治经济与国际关系"。为了贯彻中央文件精神,国家教委在 1987 年 3 月印发了《关于进一步改革高等学校马克思主义理论课(公共课)教学的意见》,对教学中的具体工作进行了部署。按照这个方案,研究生阶段的思想政治理论课统一开设"科学社会主义的理论与实践"。另外,面向文科和理工农医各专业的硕士研究生分别开设"马克思主义经典著作选读""自然辩证法概论";面向文科和理工农医各专业的博士生分别开设"马克思主义与当代社会思潮""现代科学技术革命与马克思主义"。在实施"1985 年方案"期间,国家教委总结之前试点开设的几门思想品德课的经验,1992 年将这类课程整合为三门课程:"思想道德修养""法律基础""形势与政策"。1993 年开始将"马克思主义理论课"与"思想品德课"两类课程简称为"两课"。"1985 年方案"是改革开放之后提出的第一个成型方案,它突出了中国革命、建设和改革的理论与实践教育。

第三个发展阶段:"1998 年方案"(1998—2004)

党的十五大之后,国家教委在调研基础上提出了《关于普通高等学校"两课"课程设置的若干意见(征求意见稿)》。1998 年 4 月,中央政治局常委会听取了教育部党组的汇报,确定了"两课"课程设置新方案。当年 6 月,中宣部、教育部印发了《关于普通高等

---

① 教育部社会科学司:《普通高校思想政治理论课文献选编(1949-2008)》,中国人民大学出版社,2008,第 66-67 页。

② 同上书,第 70-72 页。

学校"两课"课程设置的规定及其实施工作的意见》,由此标志着高校思想政治理论课又一个新方案提出,史称"1998年方案"。该方案规定,专科都要开设"思想道德修养"和"法律基础"两门思想品德课,同时,三年制专科要开设"马克思主义哲学原理""毛泽东思想概论""邓小平理论概论"三门马克思主义理论课;二年制专科要开设"马克思主义哲学原理"和"邓小平理论概论"两门马克思主义理论课。本科在专科课程的基础上还要开设"马克思主义政治经济学原理";硕士生开设"科学社会主义理论与实践""自然辩证法概论""马克思主义经典著作选读";博士生开设"现代科学技术革命与马克思主义""马克思主义与当代社会思潮"。此外,各层次各科类学生还要开设"形势与政策",文科类专业要开设"当代世界经济与政治"。

第四个发展阶段:"2005年方案"(2005—2019)

进入21世纪以后,思想政治理论课进入了一个新时期。2004年3月,胡锦涛对高校思想政治理论课作出重要批示,要求本着与时俱进的精神,从培养师资队伍、加强教材建设、改革教学方法、改进宏观指导等方面下功夫,力争在几年内使这项工作有明显改善。2005年2月和3月,中共中央宣传部、教育部联合印发的《关于进一步加强和改进高等学校思想政治理论课的意见》和《〈关于进一步加强和改进高等学校思想政治理论课的意见〉实施方案》通知,这两个文件的印发,标志着新一轮思想政治理论课改革开始实施,也标志着"2005年方案"的出台。

随着方案的实施,思想政治理论课改革逐步朝着体系化建设方向,不断加强和完善,逐渐形成了以教材建设为基础、以教师建设为中心、以学科建设为平台、以教学手段为抓手等体系化建设格局,不断推进思想政治理论课改革创新。"2005年方案"不仅重视课程建设,将课程重新调整为适合学生发展需要的四门必修课程,而且非常重视学科建设,在原来二级学科设置的基础上,增设了马克思主义理论一级学科,同时设置六个学科点为思想政治理论课建设提供了学理支撑。此外,党中央和教育部出台了一系列文件,对教材建设、教师队伍建设、马克思主义学院建设等方面进行专门部署。在教材建设方面,2006年4月12日,教育部印发的《进一步加强高等学校思想政治理论课教材编写管理、规范教材使用的通知》和2008年3月12日,教育部办公厅印发的《关于重申高校思想政治理论课教材编写、出版、使用要求的通知》提出要加强教材编写和管理,旨在进一步规范教材的编写、出版和使用;在教师队伍建设方面,2008年9月中央宣传部、教育部印发的《关于进一步加强高等学校思想政治理论课教师队伍建设的意见》和2018年4月教育部印发的《新时代高校思想政治理论课教学工作基本要求》深刻指出,加强思想政治理论课改革,必须要加强教师队伍建设,全面提高的业务素质和思想政治素质,加强对思想政治理论课教师的培养,提高思想政治理论课建设水平等;在马克思主义学院建设方面,2017年9月15日,教育部印发的《高等学校马克思主义学院建设标准(2017年本)》的通知,旨在提供标准化建设标准来规范建设马克思主义学院。建设的目的是为思想政治理论课建设提供了坚强的科研平台,使其成为马克思主义理论教学、研究、宣传和人才培养的坚强阵地。

第五个发展阶段:"2020 年方案"(2020—)

2020 年 12 月,为深入贯彻中共中央办公厅、国务院办公厅《关于深化新时代学校思想政治理论课改革创新的若干意见》精神,中共中央宣传部、教育部印发了《新时代学校思想政治理论课改革创新实施方案》。该方案的制订和实施,就是坚持思想政治理论课建设与党的创新理论武装同步进行,用党的最新理论成果铸魂育人。对推动新时代学校思想政治理论课高质量发展作出了重要部署,标志着学校思想政治理论课建设进入了新阶段,可视为"2020 年方案"(2020—)。《新时代学校思想政治理论课改革创新实施方案》的出台体现了学校思想政治理论课建设始终坚持在改进中加强、在创新中提高的基本要求,课程设置和内容体系不断调整、完善,系统深入推进习近平新时代中国特色社会主义思想进教材、进课堂、进学生头脑是贯穿其中的基本精神,2021 年修订版教材已正式出版并投入使用。

需要指出的是,对于高校思想政治理论课在大学生思想政治教育中的主渠道地位,要注意消除两种认识偏差:一是把思想政治理论课理解为"唯一渠道",期望它在有限的课时内能够解决学生的所有思想困惑和问题,不恰当地抬高其地位和作用;二是认为思想政治理论课既然是主渠道,就应该加大学时比例。实际上,高校思想政治理论课作为大学生思想政治教育的主渠道,主要是从"质"而不是从"量"上来说的。邓小平特别强调"学马列要精,要管用"的原则指出:"毫无疑问,学校应该永远把坚定正确的政治方向放在第一位。但这并不是说要把大量的课时用于思想政治教育,学生把坚定正确的政治方向放在第一位,这不仅不排斥学习科学文化,相反,政治觉悟越是高,为革命学习科学文化就应该越加自觉,越加刻苦。"[①]因此,充分发挥思想政治理论课的主渠道作用,必须保证一定的课程数量和学时比例。在此基础上,更重要的在于提升思想政治理论课课程设置的科学性、合理性和教育教学内容的先进性、时代性,在于增强思想政治理论课的针对性、实效性、说服力和感染力,在于提高思想政治理论课对其他教育渠道或途径的导向性、影响力以及相互之间同向同行的教育合力。

二、高校思想政治理论课是高等学校素质教育的灵魂所在

人的素质是由各种素质要素所构成的有机整体,可概括为思想政治素质、科学文化素质、专业能力素质、身体素质、心理素质、审美素质等。其中,身体素质和心理素质是人的素质的物质载体,科学文化素质和专业能力素质是人的素质的基本内容,思想政治素质是人的素质的灵魂所在,审美素质是人的素质的综合体现。

强调对青年学生进行思想政治理论教育,提高他们的思想政治素质,并把它看作"灵魂"和"关键",是党和国家一以贯之的思想。改革开放以来,邓小平多次强调要用

---

① 邓小平:《邓小平文选》(第 2 卷),人民出版社,1994,第 104 页。

理想、纪律教育青年,"要加强各级学校的政治教育、形势教育、思想教育,包括人生观教育、道德教育。"①"青年人不了解历史,我们要用历史教育青年,教育人民。"②要说素质,思想政治素质是最重要的素质。不断增强学生和群众的爱国主义、集体主义、社会主义思想,是素质教育的灵魂。大学生是国家宝贵的人才资源,是民族的希望、祖国的未来。"大学生的思想政治状况、道德品质、科学文化素质和健康素质如何,不仅直接关系现阶段中华民族的素质,而且直接关系未来中华民族的素质。特别是大学生思想政治素质如何,更是直接关系到党和国家的前途命运。要使大学生成长为中国特色社会主义事业的合格建设者和可靠接班人,不仅要大力提高他们的科学文化素质,更要大力提高他们的思想政治素质。"③习近平在全国高校思想政治工作会议上进一步强调,高校思想政治工作关系高校培养什么样的人、如何培养人以及为谁培养人这个根本问题。要用好课堂教学这个主渠道,思想政治理论课要坚持在改进中加强,提升思想政治教育亲和力和针对性,满足学生成长发展需求和期待④。党和国家关于提高学生思想政治素质的指示精神,是高校深入开展思想政治理论课教育教学的重要指针。

教育是培养人和造就人的社会活动。坚持德智体美劳全面发展,培养中国特色社会主义事业的合格建设者和可靠接班人,是社会主义教育的最终目的,也是与社会主义前途和命运息息相关的重大教育命题。高等学校是培养高素质人才的摇篮,也是全面推进素质教育的重要基地。办好高校,首先要解决好培养什么人、如何培养人这个根本问题。胡锦涛指出:"我国高校办得怎么样? 我国高等教育事业发展得怎么样? 首先要看培养出来的大学生是不是合格,特别是思想政治素质是不是合格。全国高校都要始终不渝地全面贯彻党的教育方针,坚持学校教育、育人为本,德智体美、德育为先,充分发挥大学生思想政治教育主阵地、主课堂、主渠道的作用,全方位推进大学生思想政治教育,多方面促进大学生全面发展,为培养造就一代新人作出贡献。"⑤习近平指出,我国高等教育肩负着培养德智体美全面发展的社会主义事业建设者和接班人的重大任务,必须坚持正确政治方向。高校立身之本在于立德树人。办好我们的高校,必须坚持以马克思主义为指导,全面贯彻党的教育方针。要坚持不懈传播马克思主义科学理论,抓好马克思主义理论教育,为学生成长奠定科学的思想基础。要坚持不懈培育和弘扬社会主义核心价值观,引导广大师生做社会主义核心价值观的坚定信仰者、积极传播者、模范践行者。⑥ 因此,"培养什么人""怎样培养人"和"为谁培养人"的问题,是素质教育

---

① 邓小平:《邓小平文选》(第2卷),人民出版社,1994,第369页。
② 邓小平:《邓小平文选》(第3卷),人民出版社,1993,第206页。
③ 中共中央文献研究室:《十六大以来重要文献选编》(中),中央文献出版社,2006年,第633页。
④ 习近平:《把思想政治工作贯穿教育教学全过程 开创我国高等教育事业发展新局面》,《人民日报》2016年12月9日第1版。
⑤ 中共中央文献研究室:《十六大以来重要文献选编》(中),中央文献出版社,2006,第640页。
⑥ 习近平:《把思想政治工作贯穿教育教学全过程 开创我国高等教育事业发展新局面》,《人民日报》2016年12月9日第1版。

的核心问题,也是一切教育工作的出发点和落脚点。思想政治理论课作为对大学生进行思想政治教育的主阵地、主课堂、主渠道,承担的正是这一使命和重任。如果这方面的教育搞不好,其他方面的教育就会偏离正确的方向,就会失去前进的动力。只有摆正思想政治理论课在素质教育中的位置,充分发挥思想政治理论课在素质教育中的灵魂作用,才能真正回答高校立德树人的根本问题,从而保证我国高等教育的社会主义方向,为中国特色社会主义事业培养德智体美劳全面发展的高素质人才。

三、高校思想政治理论课是我国社会主义精神文明建设的重要环节

我们要建设的社会主义国家,不但要有高度的物质文明,而且要有高度的精神文明。所谓精神文明,不但是指教育、科学、文化(这完全是必要的),而且是指共产主义的思想、理想、信念、道德、纪律、革命的立场和原则,人与人的同志式关系,等等①。高校思想政治理论课在社会主义精神文明建设中处于基础性地位,是我国社会主义精神文明建设的重要环节。

(一)思想政治理论课与社会主义精神文明建设的目标相一致

改革开放以来,党和国家十分强调物质文明和精神文明一起抓的战略方针,并多次在党的重要会议上作出关于社会主义精神文明建设的重大决定。20世纪80年代中期,《中共中央关于社会主义精神文明建设指导方针的决议》明确了社会主义精神文明建设的战略地位,指出社会主义精神文明建设的根本任务是适应社会主义现代化建设的需要,培育有理想、有道德、有文化、有纪律的社会主义公民,提高整个中华民族的思想道德素质和科学文化素质②。20世纪90年代中期,党的十四届六中全会通过了《中共中央关于加强社会主义精神文明建设若干重要问题的决议》,进一步明确了社会主义精神文明建设的指导思想和奋斗目标,即以马克思列宁主义、毛泽东思想和邓小平建设中国特色社会主义理论为指导,加强思想道德建设,发展教育科学文化,以科学的理论武装人,以正确的舆论引导人,以高尚的精神塑造人,以优秀的作品鼓舞人,在全民族牢固树立建设中国特色社会主义的共同理想,牢固树立坚持党的基本路线不动摇的坚定信念,培育有理想、有道德、有文化、有纪律的社会主义公民,提高全民族的思想道德素质和科学文化素质,团结和动员各族人民把我国建设成为富强、民主、文明的社会主义现代化国家③。21世纪初,中共中央印发了《公民道德建设实施纲要》,指出在新的历史条件下,从公民道德建设入手,在全民族牢固树立建设中国特色社会主义的共同理想和正确的世界观、人生观、价值观,在全社会大力倡导"爱国守法、明礼诚信、团结友善、勤俭自

---

① 邓小平:《邓小平文选》(第2卷),人民出版社,1994,第326页。
② 中共中央文献研究室:《十二大以来重要文献选编》(下),人民出版社,1988,第1176页。
③ 《中共中央关于加强社会主义精神文明建设若干重要问题的决议》摘录,《思想政治课教学》1996年第11期。

强、敬业奉献"的基本道德规范,努力提高公民道德素质,促进人的全面发展,培养一代又一代有理想、有道德、有文化、有纪律的社会主义公民①。后来在党的十六届六中全会审议通过的《中共中央关于构建社会主义和谐社会若干重大问题的决定》中明确提出,要建设社会主义核心价值体系,形成全民族奋发向上的精神力量和团结和睦的精神纽带。马克思主义指导思想、中国特色社会主义共同理想、以爱国主义为核心的民族精神和以改革创新为核心的时代精神、社会主义荣辱观,构成社会主义核心价值体系的基本内容。要坚持把社会主义核心价值体系融入国民教育和精神文明建设全过程,贯穿现代化建设各方面②。党的十七大报告指出:社会主义核心价值体系是社会主义意识形态的本质体现。要建设社会主义核心价值体系,增强社会主义意识形态的吸引力和凝聚力。党的十八大报告再次强调:社会主义核心价值体系是兴国之魂,决定着中国特色社会主义发展方向。要深入开展社会主义核心价值体系的学习教育,用社会主义核心价值体系引领社会思潮、凝聚社会共识。倡导富强、民主、文明、和谐,倡导自由、平等、公正、法治,倡导爱国、敬业、诚信、友善,积极培育和践行社会主义核心价值观。党的十九大报告提出:社会主义核心价值观是当代中国精神的集中体现,凝结着全体人民共同的价值追求。要以培养担当民族复兴大任的时代新人为着眼点,强化教育引导、实践养成、制度保障,发挥社会主义核心价值观对国民教育、精神文明创建、精神文化产品创作生产传播的引领作用,把社会主义核心价值观融入社会发展各方面,转化为人们的情感认同和行为习惯③。高校思想政治理论课的指导思想和根本任务决定了它与社会主义精神文明建设的实质是一致的,是社会主义精神文明建设的重要途径和有机组成部分。中华人民共和国成立以来尤其是改革开放以来,高校思想政治理论课始终体现和贯彻了社会主义精神文明建设的要求,坚持以马克思主义为指导,以培养"四有"新人、促进大学生全面发展为目标,引导学生树立崇高的理想信念,树立科学的世界观、人生观和价值观,对提高全民族的思想道德素质和形成良好的社会道德风尚,发挥了重要的作用。

(二)思想政治理论课与社会主义精神文明建设的内容相协调

精神文明建设,包括思想道德建设和教育科学文化建设两个方面,渗透在整个物质文明建设之中,体现在经济、政治、文化、社会、生态的各个方面。教育科学文化建设所要解决的是整个民族的科学文化素质和现代化建设的智力支持问题。教育发达、科学昌明、文化繁荣既是物质文明建设的重要条件④,也是提高整个中华民族思想道德水平和科学文化素质的基础。思想道德建设要解决的是整个民族的精神支柱和精神动力问

---

① 金中:《学习〈公民道德建设实施纲要〉讲座第二讲公民道德建设的指导思想和方针原则》,《学习导报》2002年第2期。

② 《中共中央关于构建社会主义和谐社会若干重大问题的决定》,《人民日报》2006年10月19日第1版。

③ 李忠军,钟启东:《"坚持社会主义核心价值体系"基本方略论析》,《思想理论教育导刊》2017年第11期。

④ 鲍岚:《浅谈新时期的精神文明建设》,《中共山西省委党校学报》2000年第3期。

题,因而是精神文明建设的灵魂,决定着精神文明建设的性质和方向,是精神文明建设的根本,对社会的政治经济发展发挥巨大的能动作用。任何社会稳定的国家,在一般情况下就是因为这个国家中的公民在思想道德方面有着较多的共同点。相反,如果一个国家的公民在思想道德上有相当大的差异,那么,这个社会就会发生战争、分裂,或者形成专制独裁的压迫者统治的局面。因此,世界各国都要通过各种各样的途径和方式,对公民进行思想道德的教育和培养,使人们形成大致相同的国家观、民族观、世界观或价值观,以期达到国家的稳定和繁荣发展。社会主义思想道德建设的基本任务是:坚持爱国主义、集体主义、社会主义教育,加强社会公德、职业道德、家庭美德和个人品德建设,引导人们树立中国特色社会主义的共同理想和正确的世界观、人生观、价值观。思想道德建设的基本内容可以归纳为理想建设、道德建设和纪律建设三个方面。其中,理想建设是思想道德建设的核心,道德建设是思想道德建设的主体内容,纪律建设是思想道德建设的保证①。高校思想政治理论课的内容集中反映了社会主义精神文明建设的核心特征。它涵盖了政治、经济、历史、伦理、法律等学科的主要内容,具有完整的教育教学体系,是对大学生进行思想政治教育的主渠道。《中共中央国务院关于进一步加强和改进大学生思想政治教育的意见》指出:高校思想政治理论课以理想信念教育为核心,深入进行马克思主义理论教育、社会主义核心价值观教育;以爱国主义教育为重点,深入进行弘扬和培育民族精神教育;以基本道德规范为基础,深入进行公民道德教育;以大学生全面发展为目标,深入进行民主法治教育、集体主义和团结合作精神教育,以及人文素质和科学精神教育②。由此可以看出,高校思想政治理论课的内容完全与社会主义精神文明建设的任务和内容相协调。

(三)思想政治理论课与社会主义精神文明建设的重点相吻合

社会主义精神文明建设的根本任务是培养有理想、有道德、有文化、有纪律的社会主义公民,提高整个中华民族的思想道德素质和科学文化素质。其对象是全体公民,但重点是青少年。这是因为:青少年一代是民族的希望、国家的未来。他们的思想道德素质如何,直接关系到中华民族的整体素质,关系到国家兴亡的前途和命运。面对国际国内形势的深刻变化,面对新的历史任务,面对中华民族的伟大复兴的重任,需要我们一代代的不懈努力,培养和造就千千万万具有高尚思想品质和良好道德修养的合格建设者和接班人。为此,要帮助青少年树立远大理想,培育优良品德。各级各类学校都要全面贯彻党的教育方针,坚持社会主义办学方向,加强德育工作,努力培养德智体美等方面全面发展的社会主义建设者和接班人。另一方面,青少年时期是一个特定的人生阶段。他们的身心发育、思想品德和价值观念正处于形成发展的过程之中,具有较大的可塑性,是进行思想道德建设的最佳时期。引导和帮助他们树立崇高的理想信念和正确

---

① 张炜:《论国有企业如何开展好精神文明建设工作》,《中外企业家》2016 年第 34 期。
② 中共中央国务院:《关于进一步加强和改进大学生思想政治教育的意见》,新华网,2004 年 10 月 15 日。

的世界观、人生观、价值观,对于他们今后的健康成长有着积极、明显的促进作用。与此同时,随着我国改革开放的不断深入和科学技术的迅速发展,西方文化思潮、价值观念及某些腐朽没落的生活方式对青少年学生的影响和冲击不可低估,社会上一些不良因素不可避免地反映到青少年思想道德建设领域,危害着青少年的身心健康。在这种情况下,加强青少年思想道德建设就显得更加重要和紧迫。而思想政治理论课正是以青年学生为教育对象,以培养"四有"新人为根本目标,把大学生思想道德建设作为一项重大的战略任务和神圣使命。

第三节 新时代高校思想政治理论课的任务

高校思想政治理论课的任务,即高校思想政治理论课所应担负的工作和责任。这是由它的性质、地位和功能所决定的。高校思想政治理论课自设立以来,虽然课程体系及其具体内容在不同的历史时期有所调整,但其基本目标和任务却始终是十分明确的。

20世纪50年代初,教育部《关于高等学校政治课教学方针、组织与方法的几项原则》指出:"高等学校革命的政治思想教育,根据中国人民政治协商会议共同纲领所规定,首先肃清封建的、买办的、法西斯主义的思想,树立正确的观点和方法,发展为人民服务的思想。"[①]20世纪60年代初期,教育部转发的中央教材选编计划会议制定的《改进高等学校共同政治理论课程教学的意见》规定,高等学校共同政治理论课教学的任务,就是"向学生进行理论和实践统一的马克思列宁主义教育,帮助他们理解马克思列宁主义理论、毛泽东著作,了解党的路线、方针、政策;引导他们以马克思列宁主义原则为指导,去观察问题、研究学问和处理工作,不断同修正主义、资产阶级思想和其他反动思想的影响进行斗争"[②]。20世纪60年代中期,《中央宣传部、高教部党组、教育部临时党组关于改进高等学校、中等学校政治理论课的意见》指出:"高等学校、中等学校政治理论课的根本任务,是用马克思列宁主义、毛泽东思想武装青年,向他们进行无产阶级的阶级教育,培养坚强的革命接班人;是配合学校中各项思想政治工作,反对修正主义,同资产阶级争夺青年一代。"[③]

20世纪80年代初,教育部印发《改进和加强高等学校马列主义课的试行办法》,吸取中华人民共和国成立以来正反两个方面的经验,提出了高等学校马列主义课的任务,"是对学生进行马列主义、毛泽东思想的基本理论教育,帮助学生完整地、准确地理解马列主义、毛泽东思想的科学体系,提高社会主义觉悟,逐步树立无产阶级的世界观,掌握

---

① 教育部社会科学司:《普通高校思想政治理论课文献选编(1949—2008)》,中国人民大学出版社,2008,第7页。
② 同上书,第41页。
③ 同上书,第50页。

科学的方法论,初步具有运用马列主义的立场、观点和方法分析实际问题的能力,自觉地为社会主义现代化建设服务,为人民服务"。① 20 世纪 80 年代中期,中央宣传部、教育部印发的《关于加强和改进高等院校马列主义理论教育的若干规定》也指出:"马列主义理论课的主要任务是帮助学生通过系统地学习马列主义、毛泽东思想,确立坚定的政治方向,树立无产阶级世界观。"②为适应我国社会主义现代化建设的需要,适应现代科学技术和现代经济政治的巨大发展变化,适应新时期青少年心理发展的具体情况,以及各方面改革的需要,中共中央印发的《关于改革学校思想品德和政治理论课教学的通知》指出,马克思主义思想理论课教学必须面向现代化,面向未来,面向世界;同时必须紧密联系青少年不同时期的思想、知识、心理发展的特点,引导他们逐步树立正确的人生观和世界观,运用正确的观点和方法去积极地思考并回答自己所面临的重大问题,认清和履行我国青年一代的崇高责任③。

　　20 世纪 90 年代初,针对国内外敌对势力对社会主义国家实施"和平演变"战略,以及在高校同我们争夺青年一代的斗争,为落实党中央关于把德育放在学校工作首位的指示精神,教育委员会印发《关于加强和改进高等学校马克思主义理论教育的若干意见》强调,社会主义教育的根本任务,是用马克思主义育人,培养有社会主义觉悟的、有文化的建设者和接班人,而对青年进行马克思主义理论教育,是全面贯彻党的教育方针,坚持社会主义办学方向、完成高校教育任务的一项根本措施和基本途径。"在高校的全部思想政治工作中,马克思主义理论课在对青年学生系统灌输马克思主义科学理论,进行科学世界观、人生观和价值观的教育,以及党的路线、方针和政策教育方面,担负着特殊重要的责任。它是高校思想政治教育的主要阵地和主要渠道。青年学生对于资产阶级社会政治学说本质的分辨和批判能力的提高,对于科学世界观、正确人生观、坚定的社会主义信念和远大共产主义理想的培养和树立,只有建立在科学的理论基础上,通过全面的和系统的马克思主义科学世界观和方法论的教育才可能实现。"④因此,必须站在反对"和平演变"和争夺接班人的战略高度来认识和加强马克思主义理论教育,这是党和人民赋予的历史责任。20 世纪 90 年代中期,为适应我国深化改革、扩大开放和加快社会主义建设步伐的新形势的要求,进一步加强和改进学校德育工作,中共中央印发《关于进一步加强和改进学校德育工作的若干意见》。为贯彻落实这一意见,进一步推进高校马克思主义理论课和思想品德课(简称"两课")教学改革,教育委员会印发《关于高校马克思主义理论课和思想品德课教学改革的若干意见》指出:"在世界风云变幻,国际竞争日趋激烈,科学技术迅速发展的形势下,在改革深化、开放扩大,尤其是

建立社会主义市场经济体制和以公有制和按劳分配为主体,其他多种经济成分和分配方式并存的社会环境里怎样帮助青年学生认清人类历史的走向和社会主义发展的前景,使他们坚定正确的政治方向,提高贯彻执行党的基本路线的自觉性,树立马克思主义的世界观、人生观、价值观,培养良好的道德品质,成为社会主义事业的建设者和接班人,这是'两课'教学需要研究解决的新情况和新问题。为此,'两课'教学的根本目标,是引导和帮助学生树立马克思主义的世界观、人生观、价值观,确立为建设中国特色社会主义而奋斗的政治方向,增强抵制错误思潮和拜金主义、享乐主义、极端个人主义等腐朽思想侵蚀的能力。"①20世纪90年代末,中宣部、教育部印发《关于普通高等学校"两课"课程设置的规定及其实施工作的意见》指出:"'两课'课程设置必须着眼于引导和帮助学生掌握马克思主义的立场、观点、方法,树立正确的世界观、人生观和价值观,确立建设中国特色社会主义的共同理想,为他们坚持党的基本理论和基本路线不动摇,打下坚实的思想理论基础。"②为适应新的形势和任务要求,提高大学生的思想政治素质,促进大学生的全面发展,中共中央、国务院印发《关于进一步加强和改进大学生思想政治教育的意见》,明确规定了加强和改进大学生思想政治教育的指导思想、基本原则、主要任务、课堂教学、有效途径等一系列问题。

根据中共中央办公厅、国务院办公厅《关于进一步加强和改进新形势下高校宣传思想工作的意见》,中央宣传部、教育部印发《普通高校思想政治理论课建设体系创新计划》,在强调要充分认识办好高校思想政治理论课的重要性的同时,指出:必须清醒地认识到,世界范围内各种思想文化交流交融交锋更加频繁,如何发挥正能量,增强对重大理论和现实问题的阐释力,在多元中确立主导,给思想政治理论课提出新的挑战;必须清醒地认识到,社会思想意识更加多元、多样、多变,面对各种思潮和复杂的社会现象,如何运用马克思主义的立场观点在多样中求得共识,给思想政治理论课提出新的要求。③ 2018年4月,教育部又印发《新时代高校思想政治理论课教学工作基本要求》,同样与《普通高校思想政治理论课建设体系创新计划》贯穿一条主线,即强调新时代办好高校思想政治理论课"事关意识形态工作大局,事关中国特色社会主义事业后继有人,事关实现中华民族伟大复兴的中国梦"。习近平总书记在全国高校思想政治工作会议上强调,要教育引导学生正确认识世界和中国发展大势,从我们党在探索中国特色社会主义历史发展和伟大实践中,认识和把握人类社会发展的历史必然性,认识和把握中国特色社会主义的历史必然性,不断树立为共产主义远大理想和中国特色社会主义共同理想而奋斗的信念和信心;正确认识中国特色和国际比较,全面客观认识当代中国、看

① 教育部社会科学司:《普通高校思想政治理论课文献选编(1949—2008)》,中国人民大学出版社,2008,第158页。

② 同上书,第182页。

③ 中央宣传部 中华人民共和国教育部:《中央宣传部 教育部关于印发〈普通高校思想政治理论课建设体系创新计划〉的通知》(教社科〔2015〕2号文件),2015年7月30日。

待外部世界;正确认识时代责任和历史使命,用中国梦激扬青春梦,为学生点亮理想的灯、照亮前行的路,激励学生自觉把个人的理想追求融入国家和民族的事业中,勇做走在时代前列的奋进者、开拓者;正确认识远大抱负和脚踏实地,珍惜韶华、脚踏实地,把远大抱负落实到实际行动中,让勤奋学习成为青春飞扬的动力,让增长本领成为青春搏击的能量[①]。这是新的历史条件下对高校思想政治理论课教育教学提出的要求与任务。

以上各个不同时期高校思想政治理论课的目标和任务虽然在表述上不尽相同,但归纳起来不外乎两个"服务于",即服务于大学生的健康成长、服务于党和国家的中心工作。这一目标和任务同样体现了思想政治理论课的定位,由此也确立了思想政治理论课的内容,并为思想政治理论课程建设指明了方向。

---

① 习近平:《把思想政治工作贯穿教育教学全过程 开创我国高等教育事业发展新局面》,《人民日报》2016年12月9日第1版。

第二章　新时代高校思想政治理论课的教学设计

高校思想政治理论课承担着对大学生进行系统的马克思主义理论教育的任务,是对大学生进行思想政治教育的主渠道、主阵地。在新的历史条件下,要改善思想政治理论课的教学效果,就要不断地完善思想政治理论课的教学设计。

第一节　新时代高校思想政治理论课课程标准

作为思想政治理论课教师要明确所教授课程的标准,在课堂教学过程中要加强教学设计,不断提高教学的针对性和有效性,以增强学生课堂学习的收获。

一、课程标准的内涵

"课程标准"一词最早见于 1912 年 1 月中华民国教育部公布的《普通教育暂行课程标准》。课程标准是确定一定学习时段的课程水平及课程结构的纲领性文件①。课程标准规定课程的基本信息、性质、目标设计、内容设计、实施建议、考核方案等。课程标准不仅是高校大学生进行思想政治理论课学习的重要指南,也是衡量高校思想政治理论课教学质量的重要依据。

二、课程标准制定要求

(一)明确课程基本信息

高校思想政治理论课主要有《毛泽东思想和中国特色社会主义理论体系概论》《思想道德修养与法律基础》(2021 年秋季学期更名为《思想道德与法治》)、《马克思主义基本原理概论》、《中国近现代史纲要》、《形势与政策》,以及在党的十八大以后全国重点马克思主义学院率先开设的《习近平新时代中国特色社会主义思想概论》等,按照不同

---

① 张焕庭:《教育辞典》,江苏教育出版社,1989,第 726 页。

的课程,明确适用专业、授课时间、总学时、学分、前续课程、后续课程等基本信息。

（二）明确课程概述

根据高校开设的思想政治理论课,描述课程性质、修读条件。

（三）明确课程目标设计

不但要描述思想政治理论课总体目标,而且要从微观上具体描述思想政治理论课的能力目标、知识目标、素质目标。

（四）明确课程内容设计

课程内容设计是制定课程标准的重点也是难点。首先,需要从整体上按照课程教材将课程分为多个模块,相应分配好每个模块所需要的课时;其次,以一次课（2 个课时）为单位,详细描述每一次课的教学内容、教学要求、教学方法。

（五）明确课程实施建议

首先,需从校内实践基地及条件、校外实践基地及条件两个方面描述思想政治理论课的实践条件;其次,需要按照不同课程要求描述师资条件、教材与教学资源。

（六）明确考核方案

考核方案需要明确合格标准、成绩构成、考核内容、具体考核方案。

三、高校思想政治理论课课堂教学的含义及必要性

课堂教学就是指把一定数量的学生按知识程度编成固定的班级,教师根据一定的教学计划、规定教学内容和时间,在教室里对全班同学进行教学的组织形式,也称班级授课制,是教师与学生在固定的课堂上所进行的教学活动,教师是课堂活动的组织者,学生是课堂活动的参与者,通过教师的指引和学生的参与,在活动中提升教师的教学质量,提高学生的综合能力。高校思想政治理论课课堂教学不仅把提升学生的知识水平作为目标,而且要使学生在日常学习和生活中能够形成正确的价值观。为了达到这一目标,首先,教师必须认识到课堂教学开展的必要性,不断分析和研究影响课堂教学的因素,并找出其解决的措施,推动课堂教学进一步优化发展。其次,当前的大多数思想政治理论课往往是教师占主体地位的单方面灌输式的教学。教师根据课前准备好的教案,依照教材内容向学生传授相关的知识。学生完全是在教师的引导下进行学习,不能充分发挥自己的主体作用,而课堂教学的开展能够很好地克服这一问题。最后,学生在课堂教学中能够学习到尊敬师长、团结同学、乐于助人、勤奋好学等优良品质,逐渐形成良好的人生观、价值观和世界观,能够在以后的学习生活中更加自信,具有责任心和耐挫力。

四、高校思想政治理论课课堂教学的对策

(一)优化思想政治理论课课堂教学设计

1. 克服课堂教学的制约因素

在课堂教学的设计中,从整体出发,合理分配活动时间,充分利用活动空间,并且使活动所需的设备、资金等能够落实到位,为开展好课堂教学打下坚实的基础。

2. 明确课堂教学的目标

教师要明确课堂教学的目标,从整体上把握课程内容,注重课程内容的总体知识框架,并对其进行透彻的理解和分析,防止课堂教学目标不明确、课堂教学内容脱离教材,缺乏深度。活动内容的难易程度要符合大多数学生的理解能力和认知水平,甚至有时候要特别照顾个别学习成绩差、理解能力差的学生,力求使每个学生都能积极地参与到活动之中,并且学到相应的知识,能力得到提升。

3. 注重课堂教学的内容与升华

思想政治理论课课堂教学不能只限于形式,在优化课堂教学的设计中,尽可能地注重课堂教学的内容,并使其得到升华。学生在参加完课堂教学之后,能够有所思、有所想,思考他们在课堂教学中学到了什么,体会到了什么,是否将课本内容转化为自己的知识储备,并且能否运用到现实生活当中。

(二)提高教师的整体职业素质

1. 转变教师的教学观念

首先,要转变教师的教学观念,尽可能地使教师具备与时俱进的教学观念,并且能够认识到课堂教学开展的重要性。把学生的全面发展放在第一位,不断地与学生进行交流,及时掌握学生在学习过程中遇到的困难,并且给予相应的帮助。其次,教师还要具备谦虚谨慎的教学态度,不断地与其他教师进行交流,学习他们先进的教学观念、教学方法。最后,教师还应多关注教学理念方面的书籍、资料,从书中发现新的教学理念,并将其运用到课堂教学之中。

2. 提高教师的教学能力

首先,教师要提高课堂的语言表达能力,保证在课堂教学中的语言清晰易懂,富有逻辑性,能够准确表达自身的观点,语速适当,语调抑扬顿挫,使课堂教学形象生动,具有吸引力。其次,教师在组织课堂教学时,要注重教学方法的多样性,具备灵活的应变能力,面对课堂教学中的问题时能够迅速做出调整。除此之外,教师还要树立一定的威信,在尊重学生主体性的基础上,充分行使自身的主导权,对于故意扰乱课堂教学秩序的学生给予严厉的批评。

(三)提高学生的综合素质

1.提高学生的主体性意识

要改善思想政治理论课课堂教学,首先,必须提高学生的主体性意识,使每个层次的学生都能发挥自己的主动性,在课堂教学中可以畅所欲言,各抒己见。其次,要让学生明确自身在整个课堂教学中处于主体地位,以其主体性意识来引导他们主动参与,促进学生的全面发展。

2.提高学生的认知水平

学生的认知水平是阻碍课堂教学深入开展的一个重要因素。首先,教师要培养学生热爱阅读的兴趣,帮助学生搜寻、筛选有利于身心健康的书籍,并鼓励他们认真阅读,善于思考,做到举一反三。其次,学生的认知水平在一定程度上也受实践活动的制约,因此要提高学生的认知水平就要注重理论和实践的结合。

(四)建立多元的评价机制

1.评价方式应多样化

传统的以成绩来区分学生优劣的评价模式给许多学生蒙上了心理阴影,不利于学生的身心健康,也导致教学效果参差不齐,学生差距逐渐悬殊。因此,评价方式应多样化,在课堂教学中不能只凭借成绩来区分学生的优劣。学生的学习成绩可以是评价的方式之一,换算成一定的比例纳入对学生的综合评定当中。除了学生的成绩之外还应将学生参与活动的程度、道德水平、获得的奖励等作为评价的方式纳入综合评定当中。

2.评价内容应全面化

具体评价课堂教学的教学效果。首先,要以评价学生的学为重点,使学生在课堂教学中有所收获,有助于学生主体能动性的发挥。其次,要注重对教师的教学效果的评价。评价过程中注重内容的全面化,在课堂教学中学生学习的态度、学习的方法、学习的效率等都应作为评价的内容;教师的教学态度、教学方法、教学效率等也应该作为评价的内容。课堂教学评价还应将课程目标的达成度、问题解决的有效性、课堂气氛的活跃性等作为指标。

五、完善监督考核与评价的机制

习近平总书记强调:我们的高校是党领导下的高校,是中国特色社会主义高校。办好我们的高校,必须坚持以马克思主义为指导,全面贯彻党的教育方针。要坚持不懈传播马克思主义科学理论,抓好马克思主义理论教育,为学生一生成长奠定科学的思想基础。要坚持不懈培育和弘扬社会主义核心价值观,引导广大师生做社会主义核心价值观的坚定信仰者、积极传播者、模范践行者。要坚持不懈促进高校和谐稳定,培育理性平和的健康心态,加强人文关怀和心理疏导,把高校建设成为安定团结的模范之地。要坚持不懈培育优良校风和学风,使高校发展做到治理有方、管理到位、风清气正①。

学校党委、行政要树立尊重、真诚、育人、成才思想政治教育工作理念,对思想政治教育工作的过程加强动态管理和过程监督,对思想政治工作的情况高度重视,深入了解。学期进行总结,年度考核。对在思想政治教育工作中做出优异成绩的工作人员、教师、学生给予肯定和表彰,弘扬正气,传递正能量。存在的问题严格批评教育,严重问题要惩治。对学员的政治思想情况纳入学年(期)、毕业审核的评定,学校与学员工作单位、家庭联动,共同促进思想政治教育工作正常开展②。

第二节　新时代高校思想政治理论课授课计划

高校思想政治理论课授课计划一般按照《中共中央宣传部　教育部关于进一步加强和改进高等学校思想政治理论课的意见》执行,但在教学方法上则因授课教师专业学历背景、职称情况、课程熟悉程度等以及和上课学生的数量、专业等不同而有多种方式的组合与调整。

一、授课计划的内涵及作用

授课计划是以学期为单位,对一个学期的人员安排、教学内容、教学方法、作业布置等方面制定的具体计划。通过制定课程标准,可以促进教师认真研究课程标准与教学内容,合理进行教学安排;可以引导教师有序开展教学,避免教学的随意性;可以便于教务部门进行相关督导检查,规范日常教学组织。

二、授课计划制定要求

(一)安排授课教师

授课教师是课程计划的执行者,授课计划需综合考虑思想政治理论课现有师资情况,尽量协调好老、中、青教师搭配,协调好专职教师与兼职教师搭配,组建一个年龄结构合理、教学特点互补的课程教学团队。

(二)安排课时

按照相应课程标准规定的课时,确定本学期总课时、周课时,并明确讲课、测验、复习、机动分别是多少课时。

---

①　习近平:《把思想政治工作贯穿教育教学全过程 开创我国高等教育事业发展新局面》,《人民日报》2016年12月9日第1版。

②　王聪,宋韶山:《高校思想政治理论课课堂教学探究》,《湖北函授大学学报》2018年第5期。

（三）安排教学内容

思想政治理论课内容博大精深，高等院校思想政治理论课课时相对紧张，如何在有限的课时里完成思想政治理论课教学，需要结合教材内容、学生实际进行精益求精的计划，做到高校大学生熟悉的、已掌握的内容少讲或不讲，高校大学生不知道的、不熟悉的内容要多讲、精讲。教学内容要以周为单位，具体到教材的章节内容。

（四）安排教学方法

思想政治理论课教学不能一味进行灌输，要以因材施教为指导，针对不同的教学内容采用不同的教学方法，从而切实调动高校大学生的学习积极性。思想政治理论课教学常用的教学方法包括讲授法、讨论法、案例法、演讲法等。

（五）布置作业

高校思想政治理论课不能像高中应试教育那样搞题海战术，课后作业的量应适度，每两次课后布置一次作业较为合适。作业的形式不能局限于教材的课后作业，可以是演讲、小论文等。

三、高校思想政治理论课教学法

（一）传统讲授教学法

传统讲授教学法是一种以思想政治理论教材为根本教学内容，以教师讲授为主要教学方式的教学模式。在教学内容上，该教学法重视思想政治理论课教材体系的完整性，严格遵循章节的编排顺序对教材进行解读；在教学方式上，该教学法充分发挥了传统讲授的优势，在较短的时间内给学生传递大量的系统性的信息。

（二）"网络+课堂"教学法

"网络+课堂"教学法是一种将网络教学和课堂教学相结合的教学模式。这种将线上线下统一起来的新型教学模式，即"网络+课堂"教学法。该教学法既充分发挥网络教学的突出优势，借助丰富的网络教学资源拓展教学内容，又充分发挥课堂教学的优势，发挥教师在教学过程中的主导作用，帮助学生完成认知体系的建设。

（三）"大班授课，小班讨论"教学法

"大班授课，小班讨论"教学法是一种将大班讲授和小班讨论相结合的教学模式。该教学法将实际教学时间划分为大班授课和小班讨论两个部分。大班授课充分发挥教师讲授的优势，可以高效地给学生传递知识；小班讨论是指将大班划分为几个较小的单位，在教师或者助理的引导下轮流进行讨论，让每个学生都参与到课堂的讨论中。

四、新时代高校思想政治理论课教学法路径优化

(一)增强思想政治理论课亲和力和思想性以提高到课率

思想政治理论课要不断增强亲和力以便学生更容易走进课堂。增强思想政治理论课亲和力的目的在于使其更容易被大学生接受,在于使马克思主义基本原理更容易被大众理解。对于高校而言,增强思想政治理论课亲和力就是指教师在授课时要将深奥晦涩的原理转换为通俗易懂的语言,让每一位走进思想政治理论课堂的学生都能够听得懂思想政治理论课。

思想政治理论课要不断增强思想性以便学生更愿意走进课堂。正如赫尔巴特所言:"我不承认有任何无教育的教学。"任何教学必然具有教育性,而且教育性越强的教学才越能给人启迪,使人智慧。充满哲思、富有内涵的思想政治理论课自然比空洞乏味的教学更能吸引学生。所以高校思想政治理论课必须要不断强化其思想性原则,教师必须不断学习,练就一身硬本领,在教学中能够给学生提供一场思想上的饕餮盛宴,吸引学生自愿走进思想政治理论课堂。

(二)增强思想政治理论课理论性和针对性以提高参与率

思想政治理论课要不断增强理论性以武装学生头脑。高校思想政治理论课承担着普及和传播马克思主义理论的重要任务,因而思想政治理论课必须不断增强学理性,以彻底的理论来说服学生。思想政治理论课以较强学理性武装学生头脑的过程,也正是其以彻底的理论说服学生的过程,从而引导学生真正"信马",让学生自觉参与到思想政治理论课堂中。

思想政治理论课要不断增强针对性以提高学生学习兴趣。其一,思想政治理论课要紧密结合社会热点问题进行教学。高校思想政治理论课要和社会现实紧密结合起来,教师要将马克思主义基本原理和社会主义核心价值观渗透到对社会热点问题的剖析中,在潜移默化中进行思想政治理论课教学。其二,思想政治理论课要针对学生生活实际进行教学。思想政治理论课教学切忌与学生生活实际脱轨,否则会将思想政治理论课变为"空中楼阁",教师必须深入了解学生生活,充分了解学情,寓原理于生活之中。

(三)坚持党总揽全局的关键领导以加强大课堂教学管理

配齐建强思想政治理论课专职教师队伍是加强大课堂教学管理的根本途径。第一,配齐思想政治理论课专职教师队伍。高校思想政治理论课大课堂教学管理难的根源就在于思想政治理论课教师数量有限,因而,要想从根本上解决这一问题,就必须在我党的领导下,建设一支专职为主、专兼结合、数量充足的思想政治理论课教师队伍,才能推动思想政治理论课实现小班教学,使这一问题迎刃而解。第二,建强思想政治理论课专职教师队伍。办好思想政治理论课还需要打造一支素质过硬的教师队伍。高校必须有计划、有组织地对思想政治理论课教师进行专业培训,打造一支"政治要硬、本领要

强"的思想政治理论课教师队伍,助力思政教师有序管理大课堂。

党政干部进课堂,推动思想政治理论课建设是加强大课堂教学管理的重要途径。第一,各级党委要带头走进思想政治理论课堂,推动思想政治理论课的秩序建设。党政干部进课堂不仅会督促思想政治理论课教师加强课堂秩序管理,而且对于学生也会起到相当大的震慑作用,自然有利于加强思想政治理论课大课堂的教学管理。第二,党政干部去讲课。习近平总书记指出:"各地区各部门负责同志要积极到学校去讲思政课。"党政干部应该现身说法,以自身经历去宣传爱国主义,充分发挥自身的榜样作用,推动思想政治理论课的高质量发展。在新时代,必须毫不动摇地以习近平新时代中国特色社会主义思想为指导,全面贯彻落实党的教育方针,理直气壮开好思想政治理论课①。

第三节　新时代高校思想政治理论课教案撰写

教案是推动教材体系向教学体系转化的重要转换器,具体撰写内容要遵循新时代高校思想政治理论课教学规律和教学理念,体现深化思想政治理论课教学改革创新,按照"八个相统一"要求,增强思想政治理论课的思想性、理论性。

一、教案内涵

教案即教学设计的方案,它是教师为有效开展教学活动,根据教学大纲和教材要求及学生的实际情况,以课时为单位,对教学内容、教学步骤、教学方法进行具体设计和安排的教学方案,是授课的重要依据②。

二、教案撰写具体内容

(一)教学目标

教学目标是指教师在教学中所要达到的最终效果,是对学生在理论知识、能力、素质等方面发生变化的预期。教学目标既是教学活动的出发点,又是教学活动的归宿,让师生在教学活动中有共同的方向,是教学过程的行动指南。高校思想政治理论课教案要描述好教学目标,需注意以下三点:

1. 教案的教学目标应注意整体性

高校思想政治理论课教案的教学目标包括知识目标、能力目标、素质目标。知识目标是基础,能力目标是核心,素质目标是落脚点。从宏观方面,知识目标是帮助学生从了解、理解、掌握等层面学习人生观、理想信念、中国精神、社会主义核心价值观、公民道

① 田重,郭绍芳:《高校思想政治理论课教学法路径优化探析》,《教育教学论坛》2020年第13期。
② 刑文利:《高校课堂教学的理论与实践》,中国文史出版社,2015,第100页。

德准则、尊法学法守法用法、毛泽东思想、邓小平理论和"三个代表"重要思想、科学发展观、习近平新时代中国特色社会主义思想、中国特色社会主义建设的路线方针政策等理论知识。能力目标是帮助学生理论结合实际,运用马克思主义理论指导如何学习、如何做人、如何做事、如何交往,从而提高自身职业核心能力、明辨是非能力、理论分析能力、公民行动能力、社会适应能力,以及运用法律解决纠纷能力等。素质目标是帮助学生树立正确的人生观、崇高的理想信念、深厚的爱国情操、良好的道德行为习惯、实事求是的科学态度、关注国家大事和关心国家发展前途的思想政治素质、积极参与中国特色社会主义建设的使命感和责任感等。教学目标不是孤立的,三种目标互为一体,共同构成高校思想政治理论课教学目标。高校思想政治理论课教师处理教学目标时既要注意同一门课程的内在联系,也要注意《思想道德修养与法律基础》(《思想道德与法治》)、《毛泽东思想和中国特色社会主义理论体系概论》、《形势与政策》等课程在促进学生全面发展中的不同作用,只有系统梳理,整体把握,才能做到每一课教案和全部课程目标体系上的有机统一,教学目标才会形成一个有机的整体,避免高校思想政治理论课出现缺乏整体性、统一性等突出问题。

2. 教案的教学目标应注意针对性

高校思想政治理论课每一个教案的教学目标都应结合每一次课的具体内容,将知识目标、能力目标、素质目标从宏观落实到微观。思想政治理论课教师在描述能力目标、素质目标时最容易出现空泛、抽象的情况。例如,部分思想政治理论课教师在描述教学目标时喜欢用"提高学生的分析能力和解决问题的能力""培养学生的爱国主义精神"等,这样的教学目标能放到任何一门课程之中,也可以放到思想政治理论课任何一个教案之中,过于空泛、抽象的教学目标形同虚设,没有任何价值。教学目标应联系学生能力、基础和教材内容,对教学目标进行具体描述,如将"提高学生分析能力"具体为"使学生能运用中国特色社会主义民主政治理论正确分析中国政治现状",将"培养学生的爱国主义精神"具体为"关注中国特色社会主义政治建设,培养学生的参政议政意识"。

3. 教案的教学目标应注意灵活性

不同地区、不同类型的高校都具有各自的特点,高等院校内不同专业学生的精神面貌、学习风气、学习兴趣、学习能力、学习基础也各不相同,因此,想要制定一个适合全体高校大学生的思想政治理论课教学目标是难以实现的。一方面,思想政治理论课教师应根据学生的学习基础,灵活制定教学目标。例如,确定教学的最高目标和最低目标,使教学目标具有一定的弹性,如此可以满足不同层次的学生实际情况,让每一个学生在自己原有水平的基础上得到发展,激发他们的学习积极性。另一方面,思想政治理论课教师可根据高校不同专业学生的需求,灵活制定教学目标。如针对电子商务专业的学生可侧重培养他们与时俱进把握中国特色社会主义经济建设的理论知识,针对会计专业的学生可侧重培养他们的诚信素质,针对焊接专业的学生可侧重培养他们艰苦奋斗的精神等。

（二）教学重点与难点

把握教学重点与难点问题是解决思想政治理论课教学实效性问题的关键,一个没有重点与难点的教案是没有效果的教案,是一个失败的教案。教学重点与难点既有区别又有联系,有时教学重点与难点是截然不同的,有时教学重点与难点又可以是一致的。所谓教学重点是指思想政治理论课教材中最基本、最重要、最关键的核心内容,是学生应知应会的主要问题。掌握了这部分内容,对于掌握思想政治理论课理论体系起着决定性作用,其他的问题也就迎刃而解。所谓教学难点是指学生容易产生认识偏差或难以掌握的教学内容。教学难点主要是学生因接受知识能力差异而产生的困难,不同层次学生面临的教学难点显然会存在明显差异,因而相对于教学重点,教学难点更难以把握。如何确立思想政治理论课教案的重点与难点? 应注意把握以下三个方面:

1. 根据思想政治理论课的使命来确定

国家历来重视思想政治理论课的建设,对思想政治理论课建设做出了明确要求。如教育部印发《新时代高校思想政治理论课教学工作基本要求》的通知,明确提出:"高举中国特色社会主义伟大旗帜,以马克思列宁主义、毛泽东思想、邓小平理论、'三个代表'重要思想、习近平新时代中国特色社会主义思想为指导,全面贯彻党的教育方针,落实立德树人根本任务,把高校思想政治理论课教学工作摆在更加突出的位置,更加重视加强和改进教学管理,更加重视提升教学质量,不断提升思想政治理论课的亲和力和针对性,全面推动习近平新时代中国特色社会主义思想进教材进课堂进学生头脑,牢固树立'四个意识',坚定'四个自信',培养德智体美全面发展的中国特色社会主义合格建设者和可靠接班人,培养担当民族复兴大任的时代新人。"[①]因此,习近平新时代中国特色社会主义思想必然是当前高校思想政治理论课的重点和难点。

2. 根据教材内容来确立

高校思想政治理论课每一门课的教材都有它内在的逻辑关系。思想政治理论课教师不仅要深入钻研教材,理出知识的层次与联系,弄清教材内容的内在联系,还要理清已学知识和后续知识与这些内容的联系,这样才能把握好教学重点与难点。

3. 根据高校学情来确定

高校大学生是教学的主体,同时也是教学的对象,教学难点是针对学生的学习基础而言的。因此,思想政治理论课教师要了解高校大学生,研究高校大学生。要研究大学生对中国特色社会主义理论、社会主义法律等理论知识的掌握情况,研究大学生的学习习惯、学习方法等情况,研究大学生的兴趣爱好、思想困惑等情况。经验丰富的思想政治理论课教师会在充分研究学情的基础上,合理预测大学生在学习过程中可能会遇到的困难,从而确定每一个教案的教学难点。例如,大学生因为思想不够成熟,在评价人

---

① 　教育部:《新时期高校思想政治理论课教学工作基本要求》(教社科〔2018〕2 号文件),2018 年 4 月 12 日。

和事物的时候往往容易冲动,常会出现极端现象,对自己喜欢的人和事物往往绝对肯定,对自己厌恶的人和事物往往绝对否定。如何理性地评价人和事物,是目前大学生普遍面临的一个问题。

(三) 新课导入

导入是课堂教学的起始环节,是教师在一个新的教学内容和教学活动开始时,运用多种手段,引起学生注意,激发学生学习动机,引导学生进入学习状态的一种行为[①]。"良好的开始是成功的一半",新课导入作为教案正文的第一个环节,教学导入的质量直接关系到教学进程的顺畅与否,对教学效果有着直接影响。思想政治理论课教学导入的方式方法可以根据教学对象、教学内容、教师风格而有不同的设计与运用。

有关新课导入的原则如下:

1. 新课导入要有趣味性

"百学趣为先",导入是新课的前奏,是激发学生兴趣的关键,如果不能有效激发学生的学习兴趣,就难有好的教学效果。"如果教师不想办法使学生产生情绪高昂和智力振奋的内心状态,就急于传授知识,那么这种知识只能使人产生冷漠的态度,而使不动感情的脑力劳动带来疲劳。"[②]教学实践和心理学研究都充分证明,一个具有趣味性的新课导入,能有效吸引学生的注意力,增强学生的学习热情,启发学生积极主动思考,保证他们进入最佳学习状态。反之,如果学生一上课就处于紧张的氛围之中,他们的大脑也将随之处于紧张状态,这样会导致学生的思维灵活性、敏捷性受到影响。思想政治理论课新课导入的趣味性并非只是为了引起笑声,而是要使学生对新知识产生浓厚的学习兴趣。因此,思想政治理论课的新课导入要避免平淡乏味、死气沉沉,要根据各章节内容在趣味性上下功夫,使导入的知识内容或互动环节以生动鲜活的形式展现在学生面前,让学生处于愉快的学习氛围之中。与此同时,因为思想政治理论课的特殊性,决不能为了追求新课导入的趣味性而一味猎奇、哗众取宠,应避免将新课导入的趣味性异化为低级趣味,做到雅而不俗。

2. 新课导入要有关联性

思想政治理论课教师在设计新课导入内容时,要针对教学实际,从教学目的、教学内容出发,要善于以旧带新、温故知新,在导入内容与教学内容之间建立起有机联系,成为新旧知识之间相互联系的过渡点,起到"画龙点睛"的作用,从而激发学生的问题意识,引导学生由表入里、由此及彼地深入思考,达到"一石激起千层浪"的效果。但是部分思想政治理论课教师在实际的教学过程中为了营造所谓的生动活泼的课堂氛围,采用的导入内容与所讲授的教学内容牵强附会,甚至离题万里。这样的新课导入虽然能吸引学生的注意力,实现了表面上的热闹和形式上的互动,但脱离了教学内容,无论其

① 王彦才,郭翠菊:《现代教师教学技能》,北京师范大学出版社,2010,第32页。
② 瓦·阿·苏霍姆林斯基:《给教师的建议》,杜殿坤编译,教育科学出版社,1984,第85页。

如何精彩、特别,都不能很好地呈现新知识,反而将学生的注意力转移到与教学无关的活动中,使新课导入流于形式,成为教学的累赘,没有什么实际价值。

3. 新课导入要简洁明了

当前高校每节课的时间为 40 分钟或 45 分钟,高校思想政治理论课一般是安排两节课连上。部分思想政治理论课教师在新课导入环节,要么是由于导入的信息量过大,要么是由于导入的难度过大,造成新课导入的时间过长,达到 10~20 分钟,显得纷繁复杂,喧宾夺主。为提高教学效率,新课导入的内容需精心设计,争取用最短的时间和最少的语言,快速而有效地拉近师生之间的距离,缩短学生与教材之间的距离,引导学生将注意力集中到学习新内容上来。所以,新课导入时间不宜太长,时间控制在 3~5 分钟为宜。

（四）教学方法

列宁在《哲学笔记》中引用过黑格尔的一段话:"在探索的认识中,方法也就是工具,是在主体方面的某个手段,主体方面通过这个手段和客体相联系。"[1]可见,教学方法对于高校思想政治理论课至关重要。教学方法是教材体系转向教学体系,实现教学目标的关键环节。2017 年,中共中央、国务院印发的《关于加强和改进新形势下高校思想政治工作的意见》指出,深入实施高校思想政治理论课建设体系创新计划,就要创新教学方法,增强教学吸引力、说服力、感染力。2018 年教育部印发了《新时代高校思想政治理论课教学工作基本要求》,2020 年中央宣传部、教育部颁布了《新时代学校思想政治理论课改革创新实施方案》,这些文件始终如一地强调教学方法的重要性。长期以来,思想政治理论课教师都在持之以恒地进行教学方法的创新。

中华人民共和国成立以来,通过长期的教学实践,形成了一系列卓有成效的思想政治理论课教学方法,广泛运用于思想政治理论课常规教学之中。目前,思想政治理论课常规教学方法主要有灌输式、启发式、参与式、研究式、专题式、案例式等方法。在进行教学设计时,可结合教学内容灵活运用教学方法,而不应拘泥于一种。

（五）教学小结

教学小结是指利用每次课结束前的 3 分钟左右时间,对本次课的教学内容做一个言简意赅的总结。根据教学的需要,教学小结可分为概括总结式小结、首尾呼应式小结、情感激励式小结、悬念留置式小结、拓展延伸式小结等方式。高校思想政治理论课随着信息化发展,每次课包含概念、案例、视频等丰富内容,信息量比较大,知识点比较散,学生容易在认知上产生混淆,难以在短时间内理清所学的内容,因而普遍采用的是概括总结式小结这种形式。苏联教育家尼洛夫·叶希波说:"通过总结学生在课堂上所学的主要事实和基本思想来结束一堂课是很有好处的。"由此可见,高校思想政治理论课教师针对每次课的教学重点和难点,将教学内容有机组织起来,通过言简意赅的教学

---

① 　列宁:《列宁全集第 55 卷》,人民出版社,1990,第 189 页。

小结,让学生的学习思维豁然开朗,可有效地帮助学生理清知识点间的相互关系,掌握思想政治理论课学习方法,从而达到画龙点睛的效果。然而在高校思想政治理论课教学实践中,部分教师缺乏严谨的教学态度,教学设计中没有教学小结,也有部分教师不重视教学小结,没有精心设计,往往是在下课前匆匆几句带过,流于形式,这些忽视教学小结的做法亟待改进。

(六)作业布置

作业布置是教学设计的最后一个环节,是课堂教学的自然延伸和补充,能积极引导学生深入开展自主学习,能及时检验学生学习效果,能促进师生交流沟通。但目前高校思想政治理论课作业布置存在明显问题,大部分教师主要是结合教材课后思考题的方式布置作业。例如《毛泽东思想和中国特色社会主义理论体系概论》中"社会主义建设道路初步探索的理论成果"课后思考题:"党在中国社会主义建设道路的初步探索中取得了哪些重要的理论成果?"以及《思想道德修养与法律基础》(《思想道德与法治》)中"人生的青春之问"课后思考题:"根据马克思主义关于个人与社会关系的原理说明人生的自我价值与社会价值的关系。"这些思考题虽然紧密联系教材理论体系,便于教师进行作业批改,但副作用很大,思考题答案为教材相关知识点,容易造成部分学生抄袭现象,如此课后作业不仅没有起到巩固学习的作用,反而在一定程度上对学风建设产生了消极影响,弱化了思想政治理论课教学效果。造成这种现象的原因是多方面的,有师资紧张原因而使教师在时间、精力有限的困境下,只能采用标准答案快速完成作业批改,也有部分学生因学习积极性不高而应付式完成作业等原因。因此,加强高校思想政治理论课作业改革非常重要,可以从两个方面着手:一方面,利用信息化手段进行作业布置。围绕学生必须掌握的核心知识建立网络思想政治理论课题库,可采用从易到难的过关式方法激发学生的学习积极性,也可利用题库随机出题方式,让每位学生的作业都不同,杜绝抄袭现象。此外利用信息化大数据统计功能,也能大大降低教师批改作业的工作量,快速进行成绩统计,及时将学习效果反馈给学生。另一方面,采用丰富多样的作业形式。除了思考题式作业外,还可采用论文式作业、调查报告式作业、演讲式作业等多种形式。例如,"思想道德修养与法律基础"("思想道德与法治")课程"向道德模范学习"可采用演讲式作业形式,布置一次主题为"发现我们身边的道德模范"的演讲,引导学生关注校园道德行为,以小见大,不仅能够引导学生发现身边的道德模范,增强对母校的认同感,而且能够鼓励学生向身边的道德模范看齐,在实践中提升自身道德素质。

第四节　新时代高校思想政治理论课课件制作

在思想政治理论课教学过程中使用多媒体课件较为普遍,优势较多,便于教师和学生高效地调用各种教学资源,利于激发学生的学习兴趣,也便于教师对教学过程进行评价和反馈,从而提高教学效果和教学效率。教师在制作课件时要遵循一定的原则。

一、多媒体课件的优势

随着信息技术的快速发展,以多媒体计算机、多媒体投影仪为主要设备的多媒体教学方式已经在高校思想政治理论课教学中广泛普及。多媒体课件和教案一样是思想政治理论课教学设计的重要环节,相对于传统方式,思想政治理论课多媒体课件的优势主要体现在以下三个方面:

(一)信息量大

在传统的"黑板+粉笔"的模式中,思想政治理论课教师能够使用的教学资源较为有限。例如,教师如果要将主要授课内容在黑板上进行板书,需要花费大量的时间,因而一堂课的时间内,教师讲授的信息量难免受到限制,这就导致教学进度慢,学生的学习效率不高。随着信息化的发展,多媒体课件能够便利地将各种信息资源纳入其中。通过投影展示,多媒体课件既可以准确快速地展示思想政治理论课教学内容的主体框架,又可以围绕教学重点和难点将各种新观点、新思想、新问题进行具体展示,在单位时间内展示丰富的学习素材,从而可以大大节约黑板板书时间,加快教学节奏,最大限度地优化教学过程,提高教学效率,进而解决思想政治理论课教学进度与教学课时紧张之间的矛盾。

(二)直观性强

思想政治理论课教师用黑板板书和口头表达向学生展现教学内容,虽然简单易行,但是常让学生感觉深奥抽象、枯燥乏味,难以激发学生思想的火花。多媒体课件集图片、文字、声音、影像于一体,通过生动的画面、丰富的视频等形式,创造图文并茂、声情融会、动静结合的教学情境。思想政治理论课多媒体课件可以在单位时间内通过丰富的音像、文字资料生动形象地激活教材文本语言、理论观点,将教学内容化抽象为具体、化静态为动态、化枯燥为生动,从听觉、视觉、感觉等多方面给予学生全方位、立体式的感官刺激,使教学内容更具有现场感和感染力,可以唤起学生的注意力与兴趣点,让学生产生持续的学习热情。

(三)便于共享

就思想政治理论课而言,多媒体课件以数字化为基础,能够对文本、图形、图像、音频、视频等多种媒体信息进行采集、加工处理、存储和传递,便于通过网络、USB 闪存盘等方式快捷传播,具有典型的共享性。因此,无论是教师培训、教研交流,还是课堂教学;无论是教师,还是学生,都习惯于在相关活动结束后向讲授者申请拷贝课件资料。对思想政治理论课教师而言,由于制作一次课的课件是极其费力费时的工作,而且教师教学设计能力参差不齐,所以将教学经验丰富、教学能力强的教师开发的内容充实、图文并茂、生动形象、感染力强的多媒体课件进行共享,能够为其他教师进行教学设计提供借鉴,能够从整体上有效地提升思想政治理论课教师教学设计水平。对于大学生而言,以教师的多媒体课件为基础,借助课件辅助教学功能,能够针对课堂学习过程中没有掌握的内容,灵活地利用课后时间进行自主学习。

二、课件制作的原则

课件作为一种现代教育技术手段要为内容服务,因此在设计与制作课件时要遵循一定的原则。

(一)科学性原则

科学性是思想政治理论课多媒体课件的灵魂和必备的首要因素,其根本含义是具有正确的目标导向。一是,思想政治理论课多媒体课件的教学目的及内容安排要符合思想政治理论课的性质与要求。高校思想政治理论课承担着对大学生进行系统的马克思主义理论教育的任务,是大学生进行思想政治教育的主渠道。充分发挥思想政治理论课的作用,用马克思列宁主义、毛泽东思想和中国特色社会主义理论体系武装当代大学生,是党的教育方针的具体体现,是社会主义大学的本质特征,是党和国家事业长远发展的根本保证。因此,思想政治理论课不只是单纯的某些知识的传授,更重要的是引导和帮助大学生树立正确世界观、人生观、价值观,提高他们的思想政治素质,做到知行统一。这是高校思想政治理论课的基本定位和目标所在。思想政治理论课多媒体课件必须鲜明地体现这一教学目标,并紧紧围绕这一教学目标组织教学内容。二是,思想政治理论课多媒体课件的教学设计及其理念要体现以人为本、符合教育规律。大学生既是思想政治理论课的教育对象,又是课程学习和自我教育的主体。提高思想政治理论课的教育教学效果,关键在于充分发挥学生学习的主体作用,激发学生学习的积极性和主动性。这就要求思想政治理论课多媒体课件不仅要把握课程的性质和任务,体现社会主义大学对学生成为合格人才的期望和要求,还要深切关注学生个体成长的愿望和需要,以大学生健康成才为目标,在教学内容的设计上反映学生的成才诉求和思想困惑,在教学环节的设计上适应学生的认知特征和接受习惯,使多媒体课件因贴近学生的思想实际和学习特点而具有亲和力和吸引力,从而有效地激发和强化大学生的主体意识和学习动机,取得良好的教育教学效果。

(二)拓展性原则

多媒体课件是信息化时代发展的产物,其丰富的教学素材和生动形象的展示方式,决定了思想政治理论课多媒体课件在教材体系转化为教学体系过程中所发挥的重要作用。但是部分思想政治理论课教师在进行课件设计时忽视拓展性原则,习惯于将教材的知识体系简单复制到多媒体课件上,仅仅将多媒体课件作为一种代替黑板板书的简单展示手段,难以发挥多媒体课件在教材体系转化为教学体系过程中的独特优势。高校思想政治理论课教材是马克思主义理论研究和建设工程重点教材,为思想政治理论课课件设计提供了具有科学性、权威性、严肃性的课程知识体系。高校思想政治理论课多媒体课件设计应在遵循教材知识体系的前提下,针对当前大学生的心理特点和成长需要,通过播放短小精悍的视频创设教学情境,运用典型案例材料进行问题剖析等拓展方式,对教材内容进行必要的加工、深化、拓展,进而制作出忠实于教材而又超越教材的内容丰富、条理清晰、重点突出、针对性强的多媒体课件。

(三)交互性原则

《现代汉语大辞典》将"交互"解释为"互相",交互性可理解为一种双向互动的性质。当前,部分学生对思想政治理论课缺乏学习兴趣,其中一个重要原因是部分教师对交互性原则缺乏足够的重视。这些教师忽视学生的感受,不能根据学生的需求灵活地进行调整,而是习惯于按照预先制作的课件进行单向式讲授,教学方式只是由以往的"满堂灌"变成"多媒体灌"。尽管看上去教师站在讲台上能够结合课件滔滔不绝地讲课,但师生之间缺乏交流、沟通,台下的学生听者寥寥,教学效率低下,教师变成了课件的"播放员"。思想政治理论课课件应注重教师与学生、学生与学生之间的互动,设计互动环节,改变过去那种单向式教学。具体而言,一是,提问式互动。思想政治理论课教师在课件中须结合教学案例进行设问,一个好的设问往往能迅速激发学生参与互动的积极性,促进师生之间的互动。因此,提问不能是简单的知识性提问,而应是开放式的设问。二是,讨论式互动。思想政治理论课教师在课件中可结合教学内容设置具有讨论价值的主题,引导学生畅所欲言,让学生能够充分吸取班级中其他同学的想法,促进学生与学生之间的互动。此外,思想政治理论课教师在进行课件设计时还应具有一定的弹性,为教学互动提供足够的空间。

(四)艺术性原则

现代科学技术让多媒体课件集文字、声音、图像、视频、动画等素材于一体,提供了多种展现方式。因此,思想政治理论课课件设计也是一种艺术设计的过程,需要注意两个方面:一方面,要注意课件模板的选择。面对网络上海量的课件模板,一些思想政治理论课教师在选择课件模板时存在两个极端,有些教师喜好五光十色的模板,设计的课件过于花哨,有些教师则只用白板,设计的课件过于单调。在课件模板选择时,应该根据思想政治理论课课程性质和教学内容,选择简洁明了、颜色淡雅的模板,让学生感觉舒服、优美。另一方面,要注意课件页面制作。有些教师仅仅是将大段的文字复制在课件页面,有些教师只顾堆积素材而使课件页面排列凌乱,有些教师选择的图片、视频等素材清晰度不高,有些教师设置了大量的动画效果,这些都是不可取的做法。课件页面的文字要言简意赅,具有概括性、简洁性、逻辑性,将教学核心观点体现即可,文字的字体、颜色、大小设置应适当。课件页面图片、视频等素材布局要大方、画面要美观。动画效果的选择不能贪多,适度使用盒状、擦除、展开、飞入、百叶窗、棋盘式等效果,此外要避免大量使用音效。课件页面制作要让学生产生清新、愉悦的感觉,加深他们对教学内容的感知、理解和记忆①。

---

① 边和平:《高校思想政治理论课"精彩多媒体课件"基本要素探析》,《思想教育研究》2012 年第 3 期。

第三章　新时代高校思想政治理论课的教学过程及方法

思想政治理论课是落实立德树人根本任务的关键课程,是铸魂育人、涵德化人的基础课程,教育部印发的《新时代高校思想政治理论课教学工作基本要求》《新时代学校思想政治理论课改革创新实施方案》等文件,对新时代高校思想政治理论课的教学过程及方法提出了新的要求。

第一节　新时代高校思想政治理论课的教学过程

高校思想政治理论课的教学过程本质上是一种特殊的实践活动——认识复合活动。它具有双边性与周期性、认知性与个性化、实践性与社会性等基本特征。思想政治理论课的教学过程包括学生、教师、教学内容、社会环境和中介手段等实体性要素,以及教学目的、教学活动、教学结果等过程性要素。思想政治理论课教学过程的有效运行依赖于各种教学要素的相互作用,其中教师与学生是推动思想政治理论课教学过程有效运行的两个最为核心的要素。

一、高校思想政治理论课教学过程的本质内涵

教学过程的本质内涵一直是国内外教育理论界研究的热点问题,至今尚无定论。而关于高校思想政治理论课教学过程的本质内涵,这里主要是从教学活动的视角来进行认识和研究的。我们认为,教学活动是教师的"教"与学生的"学"构成的双边实践活动。因此,思想政治理论课教学过程的本质可以认为是由教师的教学实践与学生的学习认知共同组成的一种特殊实践活动——认识复合活动。

(一)教学过程的本质内涵

教学是实现教育目的的主要途径和手段,是教师引导学生按照明确的目的、循序渐进地以掌握教材为主的一种教育活动。通过这种活动,教师有目的、有计划、有组织地引导学生学习和掌握文化科学知识和技能,促进学生素质提高,使他们成为社会所需要

的人①。

教学活动必须通过教学过程才能实现,教学过程即教学活动的展开过程。而关于教学过程本质内涵的认识,不同的教育理论学派,基于自身的理论体系,认识与理解也不同。例如,形式教育理论认为,教学是促进人的内在官能显现和成长的过程;主知主义教学理论认为,教学是知识授受和观念运动的过程,是习得间接经验的过程;行为主义教学理论认为,教学是个体亲身探索、操作而获得直接经验的过程;人本主义教学理论认为,教学是人性的表达和自我实现②。

目前国内教育理论界对教学过程本质内涵的研究中,有学者将他人的研究归纳为认识发展说、双边活动说、多重本质说、交往本质说四种观点,并认为教学过程是一个包括认识过程和交往实践两方面的活动过程,是一个认识与交往实践统一的过程③。有学者归纳出国内外对教学过程的三种比较典型的看法,并最终认为教学过程实质上是教师的"教"与学生的"学"相统一的活动过程。教学过程有三个层面:一是,一门课程从开始到结束的教学过程;二是,一门课程的一章或一个单元从开始到结束的教学过程;三是,一节课从开始到结束的教学过程④。有学者从决定教学过程的基本条件出发,认为教学过程是适应社会生活需要并促进社会发展的过程,是学生在教师引导下自觉能动地认识世界的过程,是促进学生身心发展的过程⑤。还有学者从整体和发展进行研究,把教学过程分为四层:一是,从学生进入小学开始到大学毕业或接受完一定阶段的学校教育为止,这是第一教学过程;二是,一门课程从开始到结束,这是第二教学过程;三是,一门课程中的一章或一个单元的教学过程,这是第三教学过程;四是,一个知识点或一课的教学过程,这是第四教学过程⑥。

在国外教育理论界,关于教学过程本质内涵的研究,影响比较大的是苏联教育家达尼多夫。他认为,要正确理解教学过程就必须把它作为一个整体来考查,认为教学过程是教师活动和学生活动的一个十分复杂的、动态性的总体,该过程有其内在的逻辑,由于这个过程内在的逻辑,教学过程的各个方面和环节总是处于复杂的相互作用之中,其中每一个方面和环节的运动都最终服从于整体的运动规律。

综上所述,教学过程是由多种要素、多个环节相互作用所组成的一个十分复杂的、动态性的发展系统,是教师根据一定的社会要求和学生身心发展的特点,借助一定的教学条件,指导学生通过认识教学内容从而认识客观世界,并在此基础之上发展自身的过程。而对于其本质的看法,则存在着特殊认识说、认识发展说、传递说、学习说、实践说、

---

① 康丽颖:《家校共育:相同的责任与一致的行动》,《中国教育学刊》2019年第11期。
② 裴娣娜:《教学论》,教育科学出版社,2007,第7页。
③ 李秉德:《教学论》,人民教育出版社,1991,第21—23页。
④ 扈中平、李方同、张俊洪:《现代教育学》,高等教育出版社,2000,第344—345页。
⑤ 唐文中、赵鹤龄:《关于教学过程本质、规律、原则及其体系》,《东北师大学报》(教育版)1985年第4期。
⑥ 江山野:《论教学过程和教学方式》,《教育研究》1983年第9期。

交往说、关联说、认识实践说和层次说等多种不同主张①。这些观点是从不同层次、不同视角对教学过程进行的理论探讨，从不同侧面、不同维度反映着教学过程的实质。目前国内理论界普遍认为"教学过程是一种特殊的认识过程"。教学过程是学生认识世界的活动，而这个认识过程的特殊性表现在认识的主体是正在成长中的学生，认识的对象是一定教材所规定的知识，认识的环境是在教师引导下的特定教学环境，认识的任务是让学生把书本知识转化为自己的知识，使个体认识和人类总体认识达到统一。简言之，教学过程是学生在教师指导下，由现实水平达到所需要的培养目标的发展过程②。

（二）思想政治理论课教学过程的本质内涵

高校思想政治理论课的教学过程，就是思想政治理论课教师按照国家规定的课程目标，有目的、有计划、有步骤地对大学生进行马克思主义理论教育和社会主义核心价值观教育，引导和帮助大学生树立正确世界观、人生观、价值观，培养担当民族复兴大任的时代新人的过程。这一教学过程离不开教师的"教"与学生的"学"。事实上，"教学活动既不是单独的教师教授活动，也不是纯粹的学生学习活动，而是由教师"教"的活动与其所引起的学生"学"的活动有机构成的一种特殊的实践活动——认识复合活动。"③因此，思想政治理论课教学过程的本质，我们可以从教师、学生以及教师与学生的交互三个层面进行探讨。

1.思想政治理论课教学过程是一种特殊的实践活动

思想政治理论课教学过程的特殊实践性是针对思想政治理论课教师的"教"而言的。思想政治理论课教师的教学活动，从本质上看必然是一种特殊的实践活动。这种实践活动的特殊性，具体体现在以下三个方面：

（1）实践对象的特殊性

思想政治理论课教师的实践对象是自身具有主体性的大学生，而不是处于消极状态的没有主体性的事物。这就决定了思想政治理论课教师在教学过程中必须充分调动学生学习的积极性与主动性，引导他们发挥主体作用，变被动学习为主动学习，才能取得良好的教学效果。同时，大学生是一个具有鲜明特征的特殊群体，思想政治理论课教师必须准确把握这一教学对象特殊的思想特征与行为特点，并以此为基础，积极开展思想政治理论课教学实践，保证思想政治理论课教育教学的针对性和实效性。

（2）实践结果的特殊性

思想政治理论课教师的教学实践，其最终的结果必然指向大学生内在的思想和外在的行为变化。一方面，它不同于一般实践活动以事物的外在形态的改变为实践结果，并且可以通过某种手段以量化的方式检验其合格与否。思想政治理论课教师的教学实

---

① 裴娣娜：《教学论》，教育科学出版社，2007，第 7 页。

② 龙菊才：《从教学过程的演变谈研究生阶段教学过程的特点》，《学位与研究生教育》1989 年第 6 期。

③ 骆郁廷：《高校思想政治理论课程论》，武汉大学出版社，2006，第 121 页。

践结果只能通过学生言行的改变来体现,这需要对教育对象进行长期细致的观察,是无法通过仪器或设备的测定得出结论的;另一方面,与其他学科教师的教学实践相比,思想政治理论课教师教学实践的结果体现在大学生政治信仰、思想素质、人格发展与价值观完善等政治思想道德素质层面,而其他学科教师的教学实践结果主要体现在促进大学生的智力发展与技能提升方面,两者之间尽管存在一定的相互促进的内在关联,但却有着本质的不同。

(3)实践方式的特殊性

思想政治理论课教师教学实践的方式是言传和身教。思想政治理论课作为对大学生开展世界观、人生观价值观教育,解决大学生思想问题的课程,其教学实践的方式不能是行政的、强制的,必须是民主的、说服教育的。这就决定了思想政治理论课教师的教学实践方式是言传与身教相结合。既要通过系统的马克思主义理论教育帮助大学生掌握马克思主义的基本原理,并学会运用马克思主义的立场、观点、方法去认识和解决问题,也要通过教师自身在日常生活中对马克思主义理论的积极践行,来说明和增强思想政治理论的科学性、正确性和说服力。言传,解决的是理论灌输问题;身教,解决的是理论实践问题。二者作为思想政治理论课教师特殊的教学实践方式,在思想政治理论课教学活动中相辅相成,缺一不可。

2. 思想政治理论课教学过程是一种特殊的认识活动

学生是思想政治理论课教学活动的主体,作为教育对象,学生的学习活动必然是一种特殊的认识活动。这种认识活动的特殊性具体体现在以下三个方面:

(1)认识方式的特殊性

人类对客观世界的认识有两种方式,即直接经验与间接经验。由于客观世界是不断发展的、无限的,个人通过自身直接经验而获得的认识势必是有限的。因此,人们要达到全面、深刻地认识客观世界,不能单纯依靠自身的社会实践与直接经验的累积,必须以接受前人已经获得的认识,即间接经验作为主要途径。思想政治理论课教学过程就是让学生认识人类经验中已经认识的客观规律,掌握人类经过千百年实践凝结而成的宝贵知识。因此,以接受间接经验为主是思想政治理论课教学过程认识方式的一个显著特征。

(2)认识对象的特殊性

有学者认为,学生在思想政治理论课教学中的学习这一特殊认识活动的认识对象具有特殊性,表现为认识对象的多层次性[①]。具体来说,思想政治理论课学生学习的直接认识对象是马克思主义等相关的科学理论,而其根本的认识对象则是其相关理论所反映的客观对象。一方面,学生对直接认识对象的认识是一种理论层面的认识,是对认识的认识,它是学生认识客观世界的前提和思想武器,没有对理论的正确认识就无法形

---

① 骆郁廷:《高校思想政治理论课程论》,武汉大学出版社,2006,第127页。

成对客观世界的正确认识;另一方面,如果学生的认识只停留在理论认识阶段,而不能运用科学理论去认识和改造世界,那么就无法实现思想政治理论课最终的教学目的,思想政治理论课的教育教学也就失去意义。这就是学生学习思想政治理论课这一认识活动的认识对象的多层次性特征,也是其认识特殊性的一个重要体现。

（3）认识目的的特殊性

实践是认识的出发点和最终归宿。学生在思想政治理论课教学中的学习这一特殊的认识活动,其认识的最终目的必然指向指导实践。而指导实践的前提必须是学生正确掌握了科学的思想理论武器,充分认识了客观世界特别是人类社会发展的规律,因此,这是思想政治理论课学生学习活动最直接的认识目标。在此基础上,学生才能进一步树立正确的世界观、人生观和价值观,并以之指导自己的实践活动,最终实现思想政治理论课学生学习这一特殊认识活动的最根本的认识目的。

3.思想政治理论课教学过程是一种特殊的实践——认识复合活动

教师的"教"是一种特殊的实践活动,学生的"学"是一种特殊的认识活动,但二者并非相互独立、互不相干,而是关联紧密、相互影响的。二者必须通过一定的中介因素统一于思想政治理论课教学活动之中。这些中介因素具体包括思想政治理论课的教学内容、教学目标、教学环节、教学语言等,它们共同构成了思想政治理论课教师教学实践活动与学生学习认识活动的结合点,为二者的有机统一提供了可能性。正确把握这些教学中介因素是顺利开展教师教学实践活动与学生学习认识活动的基本前提,其中,充分发挥教师的主导作用是正确把握思想政治理论课教学中介诸因素的关键所在。只有思想政治理论课教师充分发挥自身的主导作用,合理安排教学内容,科学树立教学目标,全面把握教学环节,正确运用教学语言等,才能积极有效地对学生进行教育和引导,才能充分调动学生学习的兴趣和主动性,才能最大限度地激发学生的探索欲和认知热情,从而取得良好的教学效果。总之,思想政治理论课教学过程本质上是一种特殊的认识复合活动,它需要一定的教学中介因素,将教师的教学活动与学生的认识活动紧密结合,共同构成思想政治理论课教育教学的有机整体。

（三）思想政治理论课教学过程的基本特点

思想政治理论课教学过程具有丰富的特点,如双边性与周期性、认知性与延展性化、实践性与现实性等。

1.双边性与周期性

思想政治理论课的教学过程是教师的教学活动与学生的认识活动在一定的教学中介因素的作用下共同构成的双边活动。思想政治理论课师生之间通过相互的作用,不断发生碰撞、交流与融合,在这个不断碰撞、交流与融合的过程中,势必不断产生新的矛盾,即新知与旧知、未知与已知的矛盾。为解决这些不断产生的新的矛盾,思想政治理论课师生之间继而又会发生新一轮的碰撞、交流与融合。这个循环往复的过程,不断将思想政治理论课教学活动向前推进。这就是思想政治理论课教学过程的周期性特征。

也就是说,思想政治理论课教师的"教"与学生的"学"在教学过程中体现为对立统一的关系,即通过不断的矛盾运动,共同将思想政治理论课的教学过程螺旋式地向前推进。

2. 认知性与延展性

思想政治理论课的教学过程是学生在教师指导下特殊的认识过程。一方面,它与一般的人文社会科学类课程一样,都是一个通过教师的指导和讲授,帮助学生掌握知识理论、进行知识传递的过程。这就是思想政治理论课教学过程的认知性。另一方面,思想政治理论课特殊的课程性质又决定了它的教学过程不同于一般人文社会科学类课程的教学过程,即它是以信仰和价值观教育为最终目的的课程,因此,学生对一般知识理论的认知和掌握并不是思想政治理论课教育教学的终极目的。它的教学过程需要进一步延展,即通过师生或学生间良好的互动等多种形式,实现思想政治理论等相关知识的内化,真正做到内化于心、外化于行,不断提升大学生的身心素质,促进他们政治思想的转变。而大学生思想政治素质的提高,往往体现于课外日常的学习、生活实践之中,从这个意义上来说,大学生的课外实践活动也可视为思想政治理论课课堂教学过程的继续和发展。因此,可以认为思想政治理论课的教学过程具有一定的延展性。

3. 实践性与现实性

思想政治理论课的教学过程是一种特殊的实践活动——认识复合活动。无论是教师的"教"还是学生的"学",抑或是联结二者的、共同完成思想政治理论课教学活动的诸多教学中介因素,都具有显著的实践性特征。同时,思想政治理论课是对大学生开展系统的马克思主义理论教育的主渠道,马克思主义基本原理尤其是马克思主义中国化的理论成果,是对人类社会发展规律尤其是中国社会革命、建设发展规律的科学总结,思想政治理论课的教学过程就是对大学生进行马克思主义理论宣传教育的过程,也是引导和帮助大学生正确认识人类社会发展规律、中国革命历史发展规律以及当前历史条件下中国社会发展的现实问题的过程。因此,思想政治理论课的教育教学是具有时代感与现实性的教学过程。

二、高校思想政治理论课教学过程的构成要素

高校思想政治理论课教学是一个包含着多种要素、多种矛盾的复杂系统。其构成要素包括学生、教师、教学内容、社会环境和中介手段,这是构成教学过程的五种实体性基本要素;此外,还包括教学目的、教学活动和教学结果,这是构成教学过程的三种过程性基本要素。

思想政治理论课教学是教师在一定的社会环境中运用一定的中介手段系统地向学生传授相关科学理论的活动。因此,学生、教师、教学内容、社会环境和中介手段是构成这一活动的五个实体性要素①。教师是思想政治教育教学活动的发动者和组织者,学生

①　田心铭:《再论建立马克思主义理论教育学》,《思想理论教育导刊》2004 年第 2 期。

是这一活动的响应者和接受者。教师运用一定的教学手段,使学生认识人类的经验成果,即系统的教学内容和书本知识。学生掌握了思想政治理论课的教学内容,实现了由不知到知的转化,并最终内化为自身的价值、信仰体系,即达到了思想政治理论课的教学目的。思想政治理论课的教学内容是发展着的科学理论体系,表现为一系列的基本概念、判断和原理。社会环境是思想政治理论课教学中不可忽视的重要因素之一,因为思想政治教育活动总是在特定的社会环境中进行和完成,并受到其影响和制约的。良好的社会环境能够提高思想政治理论课的教学效果,反之,则可能削弱思想政治理论课教学的实效性。中介手段是教师把教学内容传授给学生的媒介,包括教材、文字材料、多媒体课件、微课程视频等教学资源和载体。随着网络计算机技术的飞速发展,思想政治理论课教学的中介手段将会越来越多、越来越复杂。

思想政治理论课教学是教师和学生为了实现其"自觉意识"到的目的而共同从事的活动,它经历一定的环节和过程,最终表现为一定的思想政治理论课教学的结果。无论思想政治理论课教学成功与否,教学目的、教学活动和教学结果都是其客观存在的不可缺少的三个因素。因此,从实践—认识活动的过程来考查,教学目的、教学活动和教学结果是构成思想政治教学的三个要素[1]。教学目的是思想政治理论课教学追求的目标,从根本上说就是培养大学生运用马克思主义的立场、观点、方法分析和解决实际问题的能力。具体看来,就是通过系统的课程教育,向大学生传授社会科学知识,进行政治信仰和思想品德教育,帮助他们树立科学的世界观、人生观和价值观。这一过程不是单纯地向大学生传授知识和灌输理论,而是在此基础上集中地对大学生进行知、情、信、意、行相统一的政治素质教育和思想品德培养的过程。思想政治理论课的教学目标根据教学对象和教学内容的不同,在教学过程中具体表现为各种阶段性的、特定的教学目标。教学活动是把教学目的变成现实教学结果的中间环节,它具有多种实现形式,其中课堂教学、社会实践、理论研讨、社会宣传是其最常见的基本形式,随着实践的发展,其实现形式也必然越来越丰富。思想政治理论课教学的结果集中体现在学生的政治、思想、理论素质的变化,同时也表现为对教育者和整个社会的影响[2]。

上述五种实体性要素、三种过程性要素相互影响、相互作用,构成了思想政治理论课教学中教与学、教师与学生、主体与客体、教学目的与教学结果、理论与实践等若干对矛盾,其中"各对矛盾之间,又互相成为矛盾"。这样,每一要素与其他各要素之间的关系及这些关系间的关系,构成了思想政治理论课教学的矛盾体系。而其中每一对矛盾的同一性与斗争性以及诸多矛盾的相互作用,构成了思想政治理论课教学错综复杂的矛盾运用,推动着思想政治理论课教学的不断发展。思想政治理论课教学的运行即是这些矛盾运动的展开。

① 田心铭:《再论建立马克思主义理论教育学》,《思想理论教育导刊》2004年第2期。
② 骆郁廷:《高校思想政治理论课程论》,武汉大学出版社,2006,第145页。

三、高校思想政治理论课教学过程的有效运行

高校思想政治理论课教学过程是一个包含着诸多因素的复杂过程,其中,学生是教学过程的主体,而教师是整个教学过程的中心,主导着整个教学过程的推进和展开。思想政治理论课教学过程的有效运行,学生与教师是起着关键作用的两个核心要素。

(一)教师在思想政治理论课教学过程中的主导作用

在教师的教学实践活动中,围绕教师实践活动的目标,各教学要素之间必然产生多种关系,在认识和处理这些关系的多种实践和认识活动中,教师发挥着主导作用。教师自身素质的高低直接影响着其教学活动质量的好坏。高校思想政治理论课教学过程的有效运行,必须充分发挥教师的主导作用。同时,要正确处理和全面把握思想政治理论课教师与学生、教师与其他基本要素之间的内在联系。只有这样,才能协同推进思想政治理论课教学过程的有效运行,达成思想政治理论课教学的最终目标。

1. 教师与学生

教师与学生是思想政治理论课教学过程中人的要素,同属教学活动的主体。教师是教学过程的主导因素。对学生而言,教师是教学过程的组织者、领导者,教师通过运用适当的教学方法和手段,激励、指导学生主动学习,体现教师与学生"教与学"的关系[1]。在思想政治理论课教学过程中,教师的教学活动与学生的学习活动主要通过两条途径完成:一是,学生在课堂上直接接受思想政治理论课教师的知识传授和教导;二是,在思想政治理论课教师的适当引导下,学生在课下进行独立地自主学习和探究。目前,在我国高校的思想政治理论课教学过程中,主要倡导建立一种混合式的教学模式,即通过创设一定的条件,在充分运用两条基本途径的同时,积极进行两条途径的有机结合,将课上与课下、主动学习与被动学习、知识传授、理论内化与课外实践结合起来。这一教学过程的推进、教学模式的运行,都有赖于思想政治理论课教师组织、领导作用的发挥。这就要求:首先,思想政治理论课教师要充分了解和认识作为教学对象的学生,这是发挥主导作用的前提。思想政治理论课教师必须多方面研究自己的教学对象,全面把握当代大学生的思想状况和行为特点,根据他们的身心发展特征和成长规律,因材施教,充分调动他们的主观能动性,激发他们对于思想政治理论课的学习兴趣和学习热情。其次,作为教学过程的组织者,思想政治理论课教师要积极采取行之有效的教学方法,根据教学对象的知识结构、学习状态,以及教学内容的不同要求,综合运用讲授式、案例式、研讨式等多种教学方法,提升思想政治理论课教学过程的吸引力与可接受度,激发学生对教学过程的参与热情。再次,思想政治理论课教师要热爱学生、贴近学生、尊重学生,所谓"亲其师而信其道",只有真正做到了师生互亲、互信、互敬,创造一个良好的师生关系,才能营造一个轻松愉悦、良性互动的课堂氛围,才能不断增强思想政治

---

① 何伟:《论教学过程中要素的构成及其辩证关系》,《教学与管理》1997 年第 4 期。

理论课的亲和力、说服力和教学效果。

2. 教师与教学中介手段

思想政治理论课教学过程的中介手段是思想政治理论课教师传导教学内容所依托或采用的各种必要的载体、平台、手段等,具体包括教材、文字材料、多媒体课件、微课程视频等多种教育教学资源。中介手段作为联结教师与学生的"桥梁"或"纽带",在教学过程中发挥着重要作用。中介手段选择、运用的恰当与否,直接关系到思想政治理论课教学过程能否顺利展开,以及思想政治理论课最终教学效果的呈现。这就要求思想政治理论课教师一方面要善于根据教学对象的特点和教学内容的要求,选取恰当有效的教学手段,或进行案例分析,或进行理论阐释,抑或观看微课程视频之后组织课堂讨论等。科学适当的教学手段是提升思想政治理论课教学效果的重要保证。另一方面,思想政治理论课教师要善于挖掘、制作、利用各种教学资源,不断创建、丰富、完善各种教学平台与载体,这是新时代持续创新思想政治理论课教学媒介的基本前提和必然要求。不但要继续挖掘传统的思想政治理论课教学资源,如红色资源、校园文化等,还要充分认识网络多媒体、大数据等新的技术手段对思想政治理论课教学的影响。思想政治理论课教师要善于学习并有效利用这些新的教育技术手段,全面发挥网络多媒体在传播思想政治理论方面的巨大作用,不断推动思想政治理论课教学的与时俱进。

3. 教师与教学环境

教学环境是指教学的社会环境、学校环境和课堂环境等,这是思想政治理论课教学过程得以顺利展开的物质前提。社会环境包括政治经济形势,科学技术水平,学生的家庭条件、社会关系及成长背景等;学校环境包括教学设施、学校各方面规章管理制度、校风和校园周围环境等;课堂环境包括班风、学风、师生关系等[①]。思想政治理论课教学环境是制约思想政治理论课教师发挥主导作用的重要因素。在思想政治理论课教学活动中,教师总要选择一定的事例、数据等材料资源来说明教学的内容、支持传播的理论观点,还要精心设计教学的时机和场景以营造良好的教学氛围。所有这些都只能在现实环境提供的可利用的资源范围内来进行选择。思想政治理论课教学过程中需要传播的思想观念及其材料资源都来源于客观环境,思想政治理论课教学的内容及资源,因环境中存在的矛盾和问题及其对思想政治理论课教学对象的影响不同而有所不同。因此,为提高思想政治理论课教学的实效性,思想政治理论课教师应有目的、有意识地选择一定的时间和空间并通过一定的形式,创设出特定的教学情景和氛围,来对教学对象施加教育影响。在思想政治理论课教学过程中,思想政治理论课教师必须注重教学环境的优化,充分利用环境中的积极因素,使外界环境成为思想政治理论课教学的自觉手段,并使其各个要素及其相互关系保持最佳状态,把不利的环境变为有利的环境,把消极的环境变为积极的环境。

---

① 何伟:《论教学过程中要素的构成及其辩证关系》,《教学与管理》1997年第4期。

4. 教师与教学方法

高校思想政治理论课教学方法是思想政治理论课教学过程中师生互动的重要纽带。科学恰当的教学方法是思想政治理论课教学过程得以正常运行和有效展开的必然要求。思想政治理论课教学效果的提升,有赖于思想政治理论课教师探索运用正确的教学方法,如研讨式、案例式、启发式、研究式等多种鼓励学生积极参与、启发学生思考、激发学生学习兴趣的教学方法,要坚决摒弃和改变以往教学中存在的"填鸭式""一言堂""照本宣科"等压抑学生参与热情、阻碍学生独立思考的教学方法。这些启发式、参与式教学方法的运用,依赖于思想政治理论课教师主导作用的发挥。它对教师的教学能力与知识储备量提出了更高的要求,教师必须具有足够的驾驭课堂的能力,才能对学生的学习及时加以正确引导,保证学生的学习沿着正确的方向进行。如果思想政治理论课教师自身的教学能力欠缺,不能在课堂上充分发挥主导作用,就会使得参与式、研讨式等教学方法沦为学生的放任自流,无法从根本上提升思想政治理论课的教学质量。此外,还应注意的是,任何教学方法的运用,都必须以教学内容为中心,以教学目标为追求,坚决避免那种只为课堂一时热闹,甚至哗众取宠,将教学方法游离于教学内容和教学目标之外的现象。只有立足于教学内容、着眼于教学目标的教学方法,才有可能真正成为促进师生良性互动、推动思想政治理论课教学过程有效运行的纽带和保证条件。

5. 教师与教学目标

教学目标是指教学活动实施的方向和预期达成的结果,是一切教学活动的出发点和最终归宿。它具体可分为三个层次:一是课程目标;二是课堂教学目标;三是教育成才目标。用马克思列宁主义、毛泽东思想和中国特色社会主义理论体系武装当代大学生,引导和帮助他们树立正确的世界观、人生观、价值观,确立为中国特色社会主义事业而奋斗的政治方向,是高校思想政治理论课的根本目的和主要任务,也是高校立德树人、培养大学生成长成才的根本方向和最终目标。思想政治理论课教师在思想政治理论课教学过程中开展的一切教学活动,都必须明确指向这一教学活动的总目标,为实现预期的教学目的和任务服务。同时,思想政治理论课教师还要注重教学目标的层次性和针对性,根据教育教学的总体要求和具体内容,逐步分解教学目标,遵循思想政治教育教学规律,由小到大逐层加以实施。只有确立明确的教学目标,树立正确的教育方向,才能避免思想政治理论课教学的盲目性,才能制定科学合理的教学步骤和教学计划,才能达到思想政治理论课要求和预期的教学结果。

(二)学生在思想政治理论课教学过程中的主体地位

教学过程既是教师"教"的过程,又是学生"学"的过程。在学生学习思想政治理论课的活动中,围绕实现学习目标,使各教学要素之间产生多种关系。在正确认识和处理这些关系的各种实践和认识活动中,学生是主体。学生能否积极参与教学活动直接影响着教学活动的结果。思想政治理论课教学过程的有效运行,必须充分发挥学生的主体作用。

1.学生与教学中介手段

教学中介是传导教学内容的必要载体,再好的教学内容,也必须通过一定的中介手段才能让学生接受和掌握。对于成长于信息技术时代的当代大学生而言,相对于传统教学手段,现代教育技术显然更符合他们的认知方式与学习特点。在思想政治理论课教学过程中运用现代教育技术手段,能够使教学内容中涉及的事物、现象等声情并茂地再现于学生面前,这种直观丰富的呈现方式无疑能够激发学生的学习兴趣,也能让原本枯燥抽象的科学理论变得更加容易理解。同时,现代教育技术手段能够及时、真实、全面、集中地呈现大量丰富的学习信息,既节省了时间,提高了学生的学习效率,又能在一定程度上解决教学资源不均衡的问题,使学生平等享有全国乃至全世界最优秀教师的教学资源,增强他们学习思想政治理论课的效果。当然,在运用现代教育技术手段激发学生兴趣、提升思想政治理论课教学效率与效果的同时,也应该认识到,现代教育技术手段并不能完全取代传统教学手段。思想政治理论课的课程性质决定了它并非单纯进行知识传递,更肩负着对大学生开展信仰与价值观教育的重任。而信仰与价值观教育需要思想政治理论课教师的言传身教,需要教师与学生之间面对面的、情感上的交流与互动,更需要以教师的人格魅力去感染学生,这些不是单纯依靠教育技术手段就能够实现的。因此,在思想政治理论课教学过程中,要充分考虑课程的特性与学生的学习特点,充分挖掘与发挥传统教学手段与现代教育技术的优势,努力探索二者之间的深度融合,不断优化思想政治理论课的教育教学,提升思想政治理论课教育教学的针对性与实效性。

2.学生与教学环境

学生对于思想政治理论课的学习必然是在一定的教学环境中实现的。教学环境是影响学生学习效果的重要因素。一方面,思想政治理论课的教学内容来源于教学环境,换言之,也就是教学环境为学生的学习提供了丰富的资源与内容。思想政治理论课具有很强的现实性与时代性,社会的飞速发展与国际国内政治经济形势的新变化等,都会成为思想政治理论课教学的重要内容。学生通过思想政治理论课的学习,不断了解我国社会发展的最新动态,认识社会生活的各种实际,这种大的社会环境教育能够让学生及时把握时代脉搏,培养他们的社会责任感。另一方面,教学环境也会直接影响学生对思想政治理论课的学习态度与效果。良好的社会风尚、校园文化、班风学风、师生关系等,能够发挥巨大的感染与熏陶作用,促进和引导学生不断提升思想政治素质和道德水平,不断完善自我。反之,不利的教学环境则会对学生的学习产生阻碍作用,降低学生对思想政治理论的理解与认同,削弱思想政治理论课的教学效果,不利于学生的全面成长与成才。

3.学生与教学方法

毛泽东曾生动地指出:"我们不但要提出任务,而且要解决完成任务的方法问题。我们的任务是过河,但是没有桥或没有船就不能过。不解决桥或船的问题,过河就是一句空话。不解决方法问题,任务也只是瞎说一顿。"①这一生动的比喻,深刻说明了方法就是人们为完成一定任务、实现预定的目的而采用的工具或手段。要使学生积极主动地学习思想政治理论课,促进思想政治理论课教学过程的有效运行,思想政治理论课教师必须采取正确的教学方法。不同学生的实际情况不同,其学习的具体方法也会不同,但所有学生学习思想政治理论课都离不开理论联系实际的基本方法。只有坚持理论联系实际,才能把以抽象的概念和原理的形式表现出来的科学理论同它所反映的丰富的客观对象联系起来,从而深刻地理解思想政治理论课中的相关科学理论。要坚持理论联系实际的基本方法,一方面,大学生要把握理论和了解实际。这是理论联系实际的前提条件。另一方面,大学生还要注意培养敏锐的观察力和敏捷的思维能力。思想政治教育中的科学理论尤其是马克思主义理论博大精深,社会实践丰富多样,只有具有敏锐的观察力和敏捷的思维能力,才能做到二者的有机联系。同时,理论联系实际不仅要联系国内外各种社会实际,还要联系大学生自己的生活、学习和思想的实际,这样才能在学习的过程中改造自己的主观世界,逐步树立起科学的世界观、人生观和价值观。

4.学生与教学目标

就学生而言,思想政治理论课的教学目标与他们的学习目标有一致性。学习目标是学生在学习中为自己确定的方向或希望达到的预期结果。正确的学习目标能够为学生的学习提供正确的前进方向和持久的学习动力,引导和激励学生自觉地发挥学习的主体性。学习目标有长期目标和短期目标之分。思想政治理论课学习的长期目标是树立科学的世界观、人生观和价值观。而每一个学生根据自身实际状况所确立的诸如单元学习目标、学期学习目标甚至每日学习目标等,则属于短期学习目标。长期学习目标的确立建立在短期学习目标实现的基础上,短期学习目标恰当与否直接决定着长期学习目标的实现。长期学习目标与短期学习目标都深刻影响着学生学习思想政治理论课的积极性,进而影响着思想政治理论课教学过程的有效运行。学生只有立足于时代要求,结合自身特点,科学恰当地制定每一阶段的学习目标,并使每一阶段的学习目标之间相互衔接,才能真正实现学习思想政治理论课的长期目标。

第二节 新时代高校思想政治理论课的教学方法

教学方法是高校思想政治理论课改革与建设的重要内容和关键环节。中华人民共和国成立以来,高校思想政治理论课教学方法进行了一系列改革与探索,取得了较大进展。面对新的形势和任务,要充分调动学生的学习积极性和主动性,提高思想政治理论课教学的吸引力和说服力,需要进一步加强和深化对思想政治理论课教学方法的探索与研究。

---

① 毛泽东:《毛泽东选集》(第1卷),人民出版社,1991,第139页。

一、高校思想政治理论课教学方法的鲜明特征

高校思想政治理论教学方法是思想政治理论课教学过程的构成要素之一,对于完成课程教学的任务具有重要意义。研究高校思想政治理论课教学方法,首先应当明确其内涵、特征以及在思想政治理论课教学过程中的地位和作用。

(一)高校思想政治理论课教学方法的基本内涵

现代意义上的"方法",是指人们为了认识世界和改造世界,达到某种目的而采取的活动方式、途径、步骤和手段的总和。方法总是同人的活动紧密联系在一起。离开了人的认识或实践活动,方法就失去了存在的基础与价值;而人无论从事什么活动,也都需要一定的方法,方法正确、得当,活动就能够顺利开展,反之,就会遭遇曲折乃至失败。因此,方法是人们在长期的实践活动和认识活动中形成和发展起来的关于人的自身活动的法则。就其本质而言,方法是人对客观规律的正确认识、科学把握与自觉运用[①]。

教学方法是指在一定教学观念指导下,为了实现预期的教育目标和完成教学任务,教师与学生在教学活动中所采取的一系列行为方式、途径、程序、手段和技术的总和。教学方法体现了特定的教育和教学的价值观念,服务于定的教学目的和教学任务要求,并受到特定教学内容的制约。它是师生双方共同完成教学活动内容的手段,也是师生之间相互联系和作用的活动方式。教学方法是教学活动中师生双方行为的体系,包括教师教的方法和学生学的方法两个方面,是教授方法与学习方法的统一。教学方法具有相对性、针对性、综合性和多样性等特点。

高校思想政治理论课教学方法除了具备一般教学方法的基本内涵之外,还要考虑到它的课程性质、目的任务和教学内容等特点。具体来说,高校思想政治理论课教学方法就是为了实现高校思想政治理论课的教学目的和任务要求,根据思想政治理论课特定的教学内容,教师和学生在教学过程中所采取的一系列方式方法、步骤程序和技术手段的总称。从教学过程的角度来看,可从以下几个方面来理解:其一,用马克思主义、毛泽东思想和中国特色社会主义理论体系武装当代大学生,引导和帮助他们树立正确世界观、人生观、价值观,确立为实现中华民族伟大复兴的中国梦而奋斗的政治方向,是高校思想政治理论课的根本目的和主要任务。高校思想政治理论课的教学方法必须明确指向这一教学活动的总目标,为实现预期的教学目的和任务服务。其二,高校思想政治理论课教学方法受思想政治理论课的课程设置及其具体内容的制约。根据中共中央宣传部、教育部印发《新时代学校思想政治理论课改革创新实施方案》,本科课程设置:"马克思主义基本原理""毛泽东思想和中国特色社会主义理论体系概论""中国近现代史纲要""思想道德与法治""形势与政策",在全国重点马克思主义学院率先全面开设"习近平新时代中国特色社会主义思想概论";高等职业学校专科课程设置:"毛泽东思想和

---

① 杜有:《论思想政治教育外化过程及其实现条件》,硕士学位论文,延边大学,2011,第23页。

中国特色社会主义理论体系概论""思想道德与法治""形势与政策""硕士研究生课程设置""新时代中国特色社会主义理论与实践";博士研究生课程设置:"中国马克思主义与当代"。每一门课程的内容体系和教学要求不同,对教学方法的选择与运用也不尽相同。其三,高校思想政治理论课教学方法是师生双方共同进行并相互联系、相互作用的一系列行为方式和步骤、手段。教师的自身素质和学生的实际特点直接影响着教学方法的实施及效果。

此外,教学环境和相关技术条件也与高校思想政治理论课教学方法有着密切的联系。

(二)高校思想政治理论课教学方法的本质特征

作为一种教学活动,高校思想政治理论课教学与其他学科的教学一样,在教学方法上有着共同性。但是,从思想政治理论课教学的性质、地位、目标、内容以及所依托的学科等角度看,其教学方法又有着与其他学科教学方法不同的特征。主要表现为以下几点:

1. 方向性和原则性

高校思想政治理论课的性质和地位决定了其教学方法的方向性和原则性。高校思想政治理论课是国家规定的大学生的必修课,它的开设体现了党的教育方针,是社会主义大学的本质特征,具有鲜明的政治性和意识形态性,是党和国家事业长远发展的根本保证,因而在整个高等教育中具有十分重要的地位和作用。明确高校思想政治理论课的这一性质和地位,对于教学方法的思考和选择具有重要意义:它要求思想政治理论课教师必须明确教学任务和目标方向,从单纯地进行知识传授的教学思路中走出来,坚决克服主观盲目性和随意性,站在培养什么人、如何培养人以及为谁培养人的政治高度,在思想政治理论课教学原则指导下,围绕思想政治理论课的教学内容,针对教学对象的心理特点和思想实际,探索和研究科学的教学方法,以服务于高校思想政治理论课的教学目的,保证大学生成长成才的正确方向。

2. 时代性和启发性

高校思想政治理论课的课程设置及目标决定了其教学方法的时代性和启发性。高校思想政治理论课是对大学生进行思想政治教育的主渠道和主阵地。科学的课程设置是加强和改进思想政治理论课教学的基本环节。"高校思想政治理论课课程设置,要体现马克思主义与时俱进的理论品格,更好地适应时代发展的要求;要突出重点,更好地吸收理论和实践发展的最新成果;有利于更好地用马克思主义理论武装大学生头脑。"[①]为此,高校思想政治理论课要以马克思主义中国化的理论成果作为中心内容。课程设置及其教学内容体系体现时代性,要求思想政治理论课教学方法也必须突出其时代特征。从教学目标的角度看,高校思想政治理论课教学不仅要重视对大学生进行系统的

---

① 教育部社会科学司:《普通高校思想政治理论课文献选编(1949—2008)》,中国人民大学出版社,2008,第215页。

马克思主义理论知识的教育,帮助学生掌握中国特色社会主义理论的科学体系和基本观点,更要强调发挥学生的学习积极性和主动性,促进理论知识向素质能力的转化和知与行相统一,指导学生能够运用马克思主义世界观和方法论去认识和分析现实问题。19世纪俄国教育家乌申斯基认为,教育的任务在于形成学生的世界观,并要求教学"不仅促进知识的储藏量的增加,而且促进人的信念的形成"。这就要求思想政治理论课坚持开拓创新,积极改革教学形式和方法,不断增强思想政治理论课教学的说服力和感染力,善于启发学生将马克思主义理论知识升华为自身科学而坚定的信念。

3. 针对性和多样性

高校思想政治理论课所依托的学科特点决定了其教学方法的针对性和多样性。一般情况下,任何一门课程都有两个不同的对象,即学科的研究对象和课程的教学对象。而对于高校思想政治理论课来说,这两个对象却是统一的。高校思想政治理论课所依托的学科是我国特有的一门政治性、科学性和实践性很强的学科——马克思主义理论学科。一方面,它以大学生全面发展为目标,把大学生形成马克思主义世界观、人生观、价值观的客观过程作为研究对象;另一方面,它又要遵循大学生形成马克思主义世界观、人生观、价值观的客观规律,把大学生作为课程的教学对象。"两个对象的统一"表明了大学生在思想政治理论课教学过程中的特殊地位。他们既是课程内容的学习者,又是课程内容的践行者。这就要求思想政治理论课教学方法的选择必须针对学生的思想实际和成长需要,才能取得教学实效。同时,高校思想政治理论课又是一门理论性和知识性较强的综合性学科,它不仅把马克思主义基本原理应用于大学生思想政治教育的具体实践,以科学的世界观、方法论来分析和回答问题,而且综合运用伦理学、政治学、经济学、历史学、心理学、教育学、法学、美学等多学科知识,并吸收和借鉴古今中外人类社会文明成果,使理论教育与文化知识融为一体。高校思想政治理论课的这一特性,决定了它不是仅靠单一的教学方法即可奏效的,而必须善于借鉴和采纳多学科的教学方法[1]。

此外,随着科学技术的飞速发展和国际国内形势的变化,以及教学环境和条件的改善和优化,高校思想政治理论课教学方法在新的情况面前绝不能故步自封、墨守成规,而必须在继承和发扬传统教学方法优势的同时,与时俱进、不断创新。

(三)高校思想政治理论课教学方法的重要作用

任何一项教学活动,当其目标、任务及内容确定之后,就必须有富有成效的教学方法。否则,完成教学任务、实现教学目的就无从谈起。没有方法的教学活动是不存在的,教学质量的高低也与教学方法有着密切的关系。对于高校思想政治理论课来说,教学方法承担着传播马克思主义基本理论和进行科学世界观、人生观、价值观教育,实现

---

[1] 边和平:《高校思想政治理论课教学方法改革的实践探索与理性反思》,《思想政治教育研究》2015年第5期。

思想政治理论课教学目标的任务和使命。其作用和意义可具体概括为以下三个方面：

1. 教学方法是实现思想政治理论课教学目的的重要手段

人与动物的区别之一,在于人具有意识和自我意识,在于人的全部有意识的活动都具有明确的目的性,在于人具有选择和运用适当的方法去实现自己目的的能力。对于高校思想政治理论课来说,"要用好课堂教学这个主渠道……坚持在改进中加强,提升思想政治教育亲和力和针对性,满足学生成长发展需求和期待"①,这是高校思想政治理论课教学要渡过的"河",即任务和目标。能否选择和运用合适的教学方法,解决"过河"的"桥"或"船"的问题,是能否完成思想政治理论课教学任务、实现教学目的的关键所在。不会选择和运用方法,不讲方法的科学性和有效性,实现高校思想政治理论课教学"过河"的任务和目标就是一句空话。

2. 教学方法是思想政治理论课教学过程中师生互动的重要纽带

思想政治理论课教学作为对大学生进行思想政治教育的主渠道,它的正常运行和有效开展,是以教师和学生之间良性协调的互动为基础的。换句话说,思想政治理论课教学的过程就是师生之间在民主、平等、和谐的课堂氛围中相互联系、相互作用的过程。在教学内容确定的前提下,教学方法就是师生双方互动的中介因素。而双方互动的效果如何,在很大程度上取决于教师对教学方法的选择和运用是否得当和有效,取决于是否充分发挥学生学习的主体作用、调动学生学习的积极性和主动性。学生的学习动机来自贴近实际的教学内容和有吸引力的教学方法;而教学的艺术不在于单纯地传授知识和本领,而在于唤醒学生的学习自觉、激发学生的独立思考。为此,中共中央宣传部、教育部在《关于进一步加强和改进高等学校思想政治理论课的意见》中指出:教学方式和方法要努力贴近学生实际,符合教育教学规律和学生学习特点,提倡启发式、参与式、研究式教学。要研究分析社会热点。要多用通俗易懂的语言、生动鲜活的事例、新颖活泼的形式,活跃教学气氛,启发学生思考,增强教学效果。"②由此可见,教学方法是高校思想政治理论课教学过程的一个基本要素,也是这一过程最终达到师生良性互动、取得教学实效的重要纽带和保证条件。

3. 教学方法是思想政治理论课"培养什么人、如何培养人和为谁培养人"的重要体现

英国哲学家洛克曾肯定地说过,任何东西都不能像良好的方法那样,给学生指明道路,帮助他前进。这是因为,教学方法的选择和应用反映了教师的教育思想、教学信念、人格修养,以及对课程教学目的和内容的深刻理解与把握。一方面,教学方法是教学思想在教学活动中的具体贯彻。有什么样的教学思想和理念,就会产生什么样的教学行

① 习近平:《把思想政治工作贯穿教育教学全过程 开创我国高等教育事业发展新局面》,《人民日报》2016年12月9日第1版。

② 教育部社会科学司:《普通高校思想政治理论课文献选编(1949—2008)》,中国人民大学出版社,2008,第216页。

为和方法;而不同的教学行为和方法以及由此折射出的教师对于教学目的的不同理解,所产生的教学效果和质量也不同。比如,在思想政治理论课教学中,如果教师忽视学生的主体地位,把思想政治理论课仅仅看作是一般知识的传授,其教学方式必然是居高临下、"我讲你听",采取"满堂灌"的"注入式"教学方法,学生只能被动接受而无积极性、主动性可言,甚至会出现逆反和抵触情绪;相反,如果教师注重营造宽松、民主的教学氛围,尊重学生的主体地位,其教学方式必然会激发学生独立思考,启发和引导学生将理论知识的掌握与科学世界观、人生观、价值观的形成统一起来,从而坚定正确的政治方向。另一方面,教师的思想素质和人格修养也体现在教学方法之中。一个具有过硬思想政治素质和良好职业道德修养的教师,必然会对马克思主义及其中国化理论成果真学、真信,对思想政治理论课教学方法肯于思考、勇于探索。这是一种令人肃然起敬的人格魅力,也是一种"无声胜有声"的教育力量。它潜移默化地影响着学生的自觉学习、思维过程和品德养成。正如乌申斯基所说:"教师的个人榜样,乃是使青年心灵中开花结果的阳光,不可能用任何东西来代替。"综上所述,科学的教学方法关系到思想政治理论课教学的成败、关系到"培养什么人、如何培养人和怎样培养人"这一人才培养的重大问题。

二、高校思想政治理论课教学方法的发展趋势

从高校思想政治理论课教学方法改革的历程及新的形势、任务和当代大学生思想变化的特点,我们可以分析和预见思想政治理论课教学方法改革的发展趋势,主要表现为以下方面:

(一)多样化与综合化

中华人民共和国成立以来,特别是改革开放以来,高校思想政治理论课教学取得了很大成绩。面对新形势、新变化和新情况,思想政治理论课教学还存在亟待解决的问题。其中,教学方式方法比较单一是制约教学质量的"瓶颈"之一,迫切要求进一步更新观念、拓宽思路、大胆创新,"教学的方法要灵活多样,除课堂讲授外,可以组织专题讨论、参观访问、社会调查和运用各种形象化的教学手段。"[①]"要精心设计和组织教学活动,认真探索专题讲授、案例教学等多种教学方法。"[②]另一方面,思想政治理论课以马克思主义基本理论和思想政治教育学科的基本原理作为其理论基础和教育内容,同时它又广泛吸收和借鉴哲学社会科学和自然科学的相关知识,不断丰富、充实和优化其教学内容。课程教学内容的综合化必然要求教学方式方法的综合化。为此,思想政治理论课教师不仅要学习和掌握相关学科知识,进一步拓宽知识视野,还要善于借鉴和融合相关学科的教学方式方法。这样,才能在教学中做到旁征博引、融会贯通,提升教学内容

---

①　教育部社会科学司:《普通高校思想政治理论课文献选编(1949—2008)》,中国人民大学出版社,2008,第93页。

②　同上书,第216页。

的深度和广度,激发学生的学习兴趣和求知欲望,同时也使教师更好地把握教学的内在规律及大学生的心理特点和思想动态,从而增强教学的针对性和艺术性。

(二)现代化与信息化

教学手段是教学方法的构成要素之一。随着科学技术的进步尤其是计算机信息技术的日新月异和普及应用,投影仪、幻灯片、动画、音像、影视等现代化的技术手段和多种教学媒体相继进入高校课堂。它从根本上改变了"一支笔、一张嘴"的传统教学模式,而将图文并茂、视听结合的多媒体教学呈现在学生面前;它以丰富的表现力和信息量,将抽象、枯燥的概念和原理转化为直观、形象的立体多元组合形式,从而使学生易于接受和理解,使得教学过程与教学效果达到最优化状态。与此同时,与互联网技术相结合的多媒体教学系统更是具有很强的交互功能和感染力。它可以使学生之间、师生之间、教师之间跨越时空的限制进行相互交流,最大限度地发挥学生学习的主动性,实现自由讨论式的协同学习。这显然也是传统教学模式无法比拟的。现代教育技术的应用,是教学思想的体现。教学手段的变化,必然引起教学方法的改革。为此,要"重视发挥多媒体和网络等信息技术的重要作用,倡导在教学中使用新技术新手段,逐步实现教学手段现代化,开发网络教育资源,形成网上网下教学互动、校内校外资源共享"①。可以预见,现代化与信息化将是高校思想政治理论课教学方法改革的一个必然趋势。

(三)差异化与个性化

"以人为本"是高校思想政治理论课教学改革的出发点和落脚点。坚持把学生作为主体放到教学活动的中心,将学生的共性培养与个性发展统一起来,是"以人为本"这一理念和原则的重要体现。作为一个整体,大学生有着相仿的年龄、相似的生活阅历、相当的智力水平、相近的心理发展特征,以及相同的校园教育环境和社会化任务等。同时,他们正处在人生发展的重要时期,处于世界观、人生观、价值观形成和确立的关键阶段。大学生在表现出诸多共性的同时,不同学科、专业和不同年级的学生又有着不尽相同的培养目标和规格要求,他们的思维方式、成才目标以及所面临的困惑、问题也各有自己的特点。这就形成了思想政治理论课教学对象的个性。共性与个性的统一,要求思想政治理论课教学方法的改革在不同学科、专业、年级和不同课程之间既要遵循共同性、统一性的要求,又要根据不同教学对象的个性特点以及不同的课程内容、教学情景和教学条件,采取不同的教学方法。这样,才能真正体现马克思主义的灵魂——具体问题具体分析,也才符合矛盾普遍性与特殊性辩证关系的原理。在遵循共同性、统一性要求的前提下,强调教学方法的差异性与个性化,才能进一步强化教学的针对性,充分调动学生的积极性。这也是思想政治理论课教学方法改革的方向之一②。

---

① 中共中央宣传部　教育部:《中共中央宣传部　教育部关于进一步加强高等学校思想政治理论课教师队伍建设的意见》(教社科〔2008〕5号文件),2008年9月25日。
② 边和平:《高校思想政治理论课教学方法改革的回顾与前瞻》,《黑龙江高教研究》2011年第5期。

第四章　新时代高校思想政治理论课教师的教学素质与仪态

不同的职业属性对从业者的职业素质与仪态要求是不同的。思想政治理论课教师除了具有教师的一般职业素质与仪态之外,还应具备反映职业属性的特有素质与仪态。这些素质与仪态对新时代高校思想政治理论课教师职业水平的提升、教育目标的实现以及促进大学和社会发展具有重要作用。

第一节　新时代高校思想政治理论课教师的教学素质

高校思想政治理论课教师是马克思主义理论和党的路线、方针、政策的宣讲者,是中华民族"梦之队"的筑梦人,是大学生健康成长的指导者和引路人。这支队伍的政治素质、师德修养、教学水平、科研能力以及身心状况如何,直接关系到思想政治理论课的教学改革与建设、关系到党和国家对大学生进行思想政治教育的实际成效。努力提高自身的综合素质,是思想政治理论课教师教学水平和教学艺术的内在要求,也是高校思想政治理论课建设的永恒主题之一。

一、思想政治理论课教师素质的鲜明特征

"素质"一词,《辞海》将其解释为"在心理学上指人的先天的生理解剖特点,主要是感觉器官和神经系统方面的特点。是人的心理发展的生理条件……"[①]目前,不同的学科对"素质"的理解虽不尽一致,但大都离不开其本源的意思。这里,我们将其定义为:在人的先天禀赋基础上,经过后天教育、自我修养和社会环境的影响而形成和发展起来的内在的、相对稳定的身心组织结构和个人基本品质。素质能对人的各种行为起到长期的、持续的影响甚至决定作用。

教师素质是与教师的职业活动密切相关的,是保证教师履行其职责所必须具备的基本条件和内在品质。"思想政治理论课教师是高等学校教师队伍的一支重要力量,是

---

① 夏征农:《辞海》,上海辞书出版社,1989,第3200页。

党的理论、路线、方针、政策的宣讲者,是大学生健康成长的指导者和引路人。"①其所讲授的思想政治理论课不仅具有丰富的知识性和系统的理论性,更具有鲜明的思想性和意识形态性。思想政治理论课教育教学的目的并不仅仅在于单纯地传授知识,更重要在于思想导向和价值引领,教育和引导学生树立崇高的理想信念和正确的世界观、人生观、价值观。因此,思想政治理论课教师除了符合其他学科教师的职业素质特征外,还有其自身的特殊性。

(一)思想政治理论课教师素质的政治性

思想政治理论课教师素质的政治性是由思想政治理论课的性质、功能和重要地位所决定的。中宣部、教育部《关于进一步加强和改进高等学校思想政治理论课的意见》指出,高校思想政治理论课承担着对大学生进行系统的马克思主义理论教育的任务,是对大学生进行思想政治教育的主渠道。充分发挥思想政治理论课的作用,用马克思列宁主义、毛泽东思想和中国特色社会主义理论体系武装当代大学生,是党的教育方针的具体体现,是社会主义大学的本质特征,是党和国家事业长远发展的根本保证②。《普通高校思想政治理论课建设体系创新计划》进一步强调:"思想政治理论课是巩固马克思主义在高校意识形态领域指导地位,坚持社会主义办学方向的重要阵地,是全面贯彻落实党的教育方针,培养中国特色社会主义事业合格建设者和可靠接班人,落实立德树人根本任务的主干渠道,是进行社会主义核心价值观教育、帮助大学生树立正确世界观人生观价值观的核心课程。办好思想政治理论课,事关意识形态工作大局,事关中国特色社会主义事业后继有人,事关实现中华民族伟大复兴的中国梦,必须始终摆在突出位置,持之以恒、常抓不懈。"③因此,要求思想政治理论课教师不仅具有较好的理论素质、教学水平和科研能力,更强调把坚持正确的政治方向作为教师聘用的首要标准,"在事关政治原则、政治立场和政治方向问题上不能与党中央保持一致的,不得从事思想政治理论课教学。"④

(二)思想政治理论课教师素质的综合性

思想政治理论课教师素质的综合性是由思想政治理论课教育教学过程的复杂性、综合性所决定的。思想政治理论课是一组具有特定定位、特定内涵、特定任务的课程。它把马克思主义基本原理应用于大学生思想政治教育的具体实践,以科学的世界观、方法论来分析、回答学生普遍关注的理论和现实问题;它充分吸收和借鉴哲学、经济学、历

---

① 教育部思想政治工作司:《加强和改进大学生思想政治教育重要文献选编》(1978—2014),知识产权出版社,2014,第374页。

② 中共中央宣传部 教育部:《中共中央宣传部 教育部关于进一步加强和改进高等学校思想政治理论课的意见》(教社政〔2005〕5号文件),2005年2月7日。

③ 中央宣传部 中华人民共和国教育部:《中央宣传部 教育部关于印发〈普通高校思想政治理论课建设体系创新计划〉的通知》(教社科〔2015〕2号文件),2015年7月27日。

④ 教育部思想政治工作司:《加强和改进大学生思想政治教育重要文献选编》(1978—2014),知识产权出版社,2014,第375页。

史学、政治学、伦理学、教育学、法学、心理学等相关学科,以及自然科学的理论与实践成果,构建具有中国特色、中国风格的思想政治理论教育教学体系。思想政治理论课的教育教学过程和任务既要"传道""授业",更要"解惑""释疑"。前者要求教师有扎实的马克思主义理论基础,并善于将理论体系转化为教学体系,能够把我们底气充足的中国特色社会主义道路、理论、制度、文化的特色和优势讲清楚、说明白,让学生能够听得进、听得懂;后者则要求教师有鲜明而正确的政治立场及较高的教学水平和教学艺术,了解学生的学习特点,把握学生的思想脉搏,遵循教育教学规律,改革教学模式和方法、手段,创新话语体系和话语表达,提升话语能力和话语权威,进而增强教学的亲和力、吸引力、感染力和说服力,这样才能使学生喜闻乐见、入脑入心。同时,思想政治理论课教育教学不仅对学生进行理论灌输,还要开展实践教学,并与学生的日常教育管理、社会实践活动、校园文化建设以及专业课程的学习等紧密结合、相互协同。由此可见,这一教育教学过程的诸多环节及复杂性、综合性,对思想政治理论课教师的素质要求不可能是单一的,而应是多方面品质的综合。

(三)思想政治理论课教师素质的时代性

思想政治理论课教师素质的时代性是由思想政治理论课教学内容的改革和教育对象的特点所决定的。一方面,思想政治理论课作为高等教育教学的重要组成部分,其课程设置和教学内容始终围绕党和国家在不同时期的中心工作及高等教育的根本目标而展开。它与国际形势的深刻变化和我国社会经济、政治、文化、科技等项事业的发展紧密相连,反映着不同时期的社会要求和理论创新,具有鲜明的时代特色。这是思想政治理论课的基本定位和价值所在。正是这种与时俱进的理论品格,推动了思想政治理论课的不断发展和优化,增强了教育教学的时代感和针对性,并始终受到党和国家的高度重视,成为大学生思想政治教育的主渠道。思想政治理论课设置及内容的调整与改革,必然要求教师紧扣社会发展和时代变化不断提升自身素质。另一方面,作为思想政治理论课的教育教学对象,不同代际或年龄的大学生的身心特点、思维方式、价值取向、思想困惑、成长诉求等存在一定的差异,因而思想政治理论课的教育教学模式、方法和技术手段等也不尽相同,对思想政治理论课教师的职业素质自然会有新的要求。总之,思想政治理论课教师的素质不是一成不变的,而是随着时代的发展不断调整、优化,以更好地适应教育教学改革和大学生健康成长的需求。

二、思想政治理论课教师素质的基本要求

作为高校教师队伍的一支重要力量,思想政治理论课教师所承担的特定教育任务和使命,决定了对于思想政治理论课教师素质的更高要求。思想政治教育理论课教师的素质由贯穿始终的教学教导素养、高效全面的管理组织素养、快速及时的预测应变素养和与时俱进的科研创新素养构成。教学教导素养是思想政治理论课教师素质当中最

基础、最重要的组成部分,管理组织素养是正常有效开展教育教学的保障,预测应变素养和科研创新素养是思想政治理论课教师素质的核心部分。

(一)贯穿始终的教学教导素养

教育教学是思想政治理论课教师的主要职业活动,在此活动中,思想政治理论课教师要发展学生智力、培养学生能力,引领学生思想。要完成这一任务,思想政治理论课教师必须具备较高的教学教导素养。教学教导素养是思想政治理论课教师素质中最基础、最重要的组成部分,贯穿于思想政治教育整个过程。

1. 教学设计与实施能力

思想政治理论课教师的教学设计与实施能力直接影响教学的效果,是思想政治理论课教师的最基本能力。教学设计能力是根据一定的科学识见和自身的经验对教学全过程的一种规划的能力,包括了解教学对象、分析教学内容、确立教学行为目标、选择教学策略、制定教学方案等方面的能力。教学实施能力是为实现所设计的教学规划或蓝图而在师生的实际相互作用中运用教学形式、媒体、方法和模式等方面所表现出来的能力。思想政治理论课教师在传授知识的同时,要培养学生的能力和创新意识,用马克思主义理论引领学生的思想。教学中既要面向全体学生,又要照顾到学生之间的个别差异,这些都对思想政治理论课教师的教学提出了很高的要求。因而,思想政治理论课教师在课堂教学前仅仅熟悉教材、默记讲稿是远远不够的。一次成功的教学首先依赖于教学设计,没有教学设计的课堂教学绝不可能是符合学生成长需要的"好"的思想政治教育理论课课堂教学①。思想政治理论课教师需要不断地研究学生,努力读懂学生,在发现学生存在问题与困惑的基础上,在遵循基本教学内容基础上,有针对性地选择教学内容。同时,在具体实施过程中,根据不同学生的特点设计多层次、多样化的教学方式,并恰当地运用到思想政治教育过程中,在满足学生整体需要的同时,最大限度满足学生的个性化需求。

2. 教学预见与评价能力

思想政治理论课教师的教学预见与评估能力直接影响着思想政治教育的开展与最终成效的检验与反思。教学预见能力是教师根据教学的发展特点、方向、趋势所进行的一种预测、推理和判断的思维能力。思想政治教育理论课教师应该能够预见学生围绕思想政治教育教学目标的各种学习过程中可能会提出的问题,形成的不同答案,发生的意外事件等;还要能预见不同教学方法对教学目标达成效果的优劣。具体就是,宏观上,思想政治理论课教师要能够对未来世界环境变化整体发展状况、社会的未来走势、国家思想政治教育政策的发展趋势有所预见,采取适当对策,制定合理的思想政治教育规划,按照客观发展的需要为社会造就可用人才。微观上,思想政治理论课教师应预测未来社会复杂环境对学生个体发展的影响,深入调查了解学生,对学生的性格、志趣、追

---

① 程成,雷体南,周春阳:《师范生教学实践能力培养与对策的研究》,《科教导刊》(上旬刊)2012年第3期。

求和学习、思想状态的变化有所预见,制定切合学生实际的教育方案,运用有效的教学方式对学生开展思想政治教育。

教学评价能力是搜集有关信息,判断教学目标是否达成的能力。思想政治理论课教师要能够采取定性和定量相结合的综合评价方式,对思想政治教育的实效进行评估,并对教学目标达成的效果进行评价。其中,也包括对思想政治教育实施过程中对各个环节和教育对象的表现等进行有针对性的总结性评价。

3. 教育传输与指导能力

知识经济时代,个体化学习将更加重要。思想政治理论课教师的职责将是"越来越少地传授知识,而越来越多地激励思考"。因而思想政治理论课教师必须具有较强的教育传输能力与指导能力。

教育传输能力是向学生传输思想政治教育信息的能力。思想政治教育的开展实际上也是以信息传导为核心的,思想政治理论课教师在教学和其他活动中,通过语言、文字、行为等载体,把处理过的思想政治教育内容及相关的思想政治教育素材向学生传输,以此对学生确立或改变其政治观念与思维品质产生影响和作用。教育传导能力包括寻找或确立思想政治教育信息源的能力、维护思想政治教育信息渠道畅通的能力、对思想政治教育信息进行有效控制和处理的能力等。教育指导能力则包括对学生价值取向、道德品质和健康心理等方面的培养、辅导、促进的能力,以及对学生学习的指导和选择生活道路的指导的能力。[①] 思想政治理论课教师一方面要在教学中激发学生的求知欲,适时施教,教授学生学习方法,培养学生独立获得知识的能力;另一方面要引导学生树立正确的世界观、人生观和价值观,学会在复杂的社会环境中保持良好的心理状态,并能随着环境变化而不断调整自己内部的心理结构。

思想政治理论课教师具备教育传输能力与指导能力,必须掌握科学的思想政治教育规律和方法,讲究教育的艺术技巧,发挥教师在思想政治教育中的引导、激励、管理作用,善于重视学生知识获得与逻辑思维能力、写作能力、口头表达能力、独立思考能力等综合培养,注意学生身心和情操的健康成长,才能使思想政治教育效果整体优化。

4. 教学方法改革与创新能力

教学方法是为实现教学目的而采用的教学方式和手段。教学方法改革与创新能力是指思想政治理论课教师能够在遵循思想政治理论课教育教学规律的基础上对教学方法的完善与创新的能力。思想政治理论课的教学方法对于学生的学习兴趣、教学环境的营造、教学效果有着非常重要的影响。合适的教学方法能够激发学生学习的积极性和主动性,从而提高思想政治理论课的理论说服力和感染力,增强教学效果,使学生能够真学、真懂、真信、真用。为此,思想政治理论课教师要能够结合教学环境、教学对象等发生的变化,围绕教学理念、手段、组织管理等方面进行大力探索,贴近学生的实际,

---

① 孟庆男:《论教师的职业能力结构》,《锦州师范学院学报》(哲学社会科学版)2002 年第 2 期。

结合学生学习特点,"用通俗易懂的语言、生动鲜活的事例、新颖活泼的形式,活跃教学气氛,启发学生思考,增强教学效果。"①

(二)高效全面的管理组织素养

思想政治理论课教师需要根据思想政治教育的任务要求,通过管理和组织保证思想政治教育的顺利进行,在管理中实现育人的目的。一般认为思想政治理论课教师的管理组织能力主要包括管理能力、组织协调能力和决策能力。

1.管理能力

在思想政治教育过程中,教育与管理紧密相连,密不可分。思想政治教育要想取得实效,思想政治理论课教师不仅仅要具备良好的教育教导能力,从而开展好教学活动,还必须有思想政治教育管理能力,充分认识思想政治教育管理的机制、特点、地位和作用等,正确把握思想政治教育管理的方法方式,为教学活动正常有效开展提供保障。

管理能力是运用一定的规章、规范或通过行政、纪律等手段约束人的行为的能力。管理是与教育的"软"要求相对应的"硬"约束,其包括计划、指挥和调控等。思想政治理论课教师的管理能力主要包括教育教学开展前的计划和准备能力,教育教学中的课堂教学和实践开展的指挥和调控能力。

第一,思想政治理论课教师开展教育教学活动需要一定的前期计划和准备。思想政治教育的开展可以有多种方式方法,不同的方式方法所要调配的资源,借助的人员力量,教育教学开展的环境和所利用的载体、信息是不一致的。思想政治理论课教师只有做好前期计划和准备,协调好各种思想政治教育力量和相关要素,才能形成思想政治教育的合力和整体优势,提高思想政治教育的效果。

第二,课堂教学管理是课堂管理的核心。思想政治理论课教师在开展课堂教学中,要根据教学现场实际情况,有针对性地变换教学媒介、语音语速、表情和动作对课堂教学的速度、节奏及学生注意力进行不断调控,为教学设计方案的顺利实施创造条件,为达成预定教学目标提供保障。

第三,实践教学各个环节都离不开思想政治理论课教师的指挥和调控。实践前,思想政治理论课教师需要指导学生进行实践准备,并为之介绍相关的专业知识,同时协调各班级学生的实践时间、实践场地和相关经费等。实践中,思想政治理论课教师要严格按照实践教学要求对学生进行督促,甚至需要解决学生实践过程中遇到的各种自身难以克服的问题。实践后,教师需要对学生实践成果进行检查或评估。

当代思想政治教育管理较以往更加复杂,正日益趋向于非程序化、非模式化的情境管理。因此,思想政治教育理论课教师必须能够充分利用现代科学技术,科学而有效地进行思想政治教育管理。同时,也需要思想政治理论教师具备更高的管理艺术与能力,

---

① 中共中央宣传部 教育部:《中共中央宣传部 教育部关于进一步加强和改进高等学校思想政治理论课的意见》(教社政〔2005〕5号文件),2005年2月7日。

让刚性制度和柔性管理相结合,在管理中实现育人的目的。

思想政治理论课教师具备管理能力,能够推动思想政治教育实践活动协调、有效地进行,有利于思想政治教育更新教育观念、改变思维方式、优化教育过程;也有利于落实教育任务、实现教育使命、达成教育目标、提高教育实效性。

2.组织协调能力

组织协调能力是指根据工作任务,对资源进行分配,同时控制、激励和协调群体活动过程,使之相互融合,从而实现组织协调能力的目标。组织协调能力又包括组织能力、问题处理能力、人际融合能力。

第一,思想政治理论课教师的组织协调能力是在教学过程中必不可少的要素。组织协调能力是教师开展好教育教学活动的重要能力。教师只有在教学过程中组织和管理好教学秩序,才能保障学生注意力的集中,只有采用多样化的教育教学方式,才能调动学生的学习兴趣。为此,思想政治理论课在教育教学过程中要始终关注教学秩序状况,能够及时处理好影响教学秩序的问题。同时,随时关注学生上课状态和各种形式的反馈信息,调整教学方式方法,改变教学情境,调动学生的学习积极性,提高学生的学习兴趣。

第二,思想政治理论课教师与学生接触过程中,会遇到许多突发事件。为此,要求思想政治理论课教师通过在复杂环境中的实践锻炼,培养和提高自身审时度势、灵活反应、当机立断处理问题的能力。针对可能出现的各种问题,能做到沉着应对,果断处置,及时了解、掌握学生的情绪,正确引导。这就需要思想政治理论课教师在日常生活中积累生活经验,敢于面对各种复杂局面。在情况发生新的变化时,能够从现实出发,对原有的决策、方案和意见及时进行修改和补充,把教学工作向前推进。

第三,思想政治理论课教师的组织协调能力离不开人际融合能力的支撑,这也是思想政治理论课教师从事教育教学工作最重要的能力之一,很大程度上决定着思想政治教育的质量。良好的人际融合能力是思想政治理论课教师应用各种能力素养开展思想政治教育的润滑剂。

因此,思想政治理论课教师只有具备应有的组织协调能力,才能明确工作思路,宏观把握工作全局,通过自己的人格魅力感召和培养一批学生,调动学生的主动性和积极性,共同营造课堂文化,形成育人合力。

3.决策能力

决策能力是指果断、正确处理在思想政治教育中突发事件和危机事件的本领。对于思想政治理论课教师来说,在思想上必须对危机事件和突发事件有充分的准备,平时要积极学习对突发事件和危机干预的处理方式,这样才能够做到遇事不慌张、不失措,有计划、有步骤地进行处置。思想政治理论教师的决策能力体现了教师对事态和局面的掌控能力,坚决、果断、干练的处事风格有利于思想政治理论教师建立自己的威信,增强思想政治理论教师教育工作中对学生的说服力。

(三)快速及时的预测应变素养

预测应变能力是指思想政治理论课教师在教学或工作中不仅能够对随时遇到的新问题、新挑战进行及时处理,而且能够对其进行一定的预测的能力。

1. 预测能力

思想政治理论课教师的预测能力主要指对在教育目标实现过程中所遇到困难和问题的预测能力。具体体现在预测不同教学对象的不同需求,预测社会环境变化及其对教学内容和教学对象的影响,预测不同教学方法和不同教学评价方式对学生学习和教师教学的影响等方面。这就要求思想政治理论课教师要通过学习和调研,科学把握当代大学生思想成长的基本规律和阶段性特点,预测不同背景和专业学生的不同需求,预测其所思与所想、所需与所求、所疑与所惑,从而有针对性地开展思想政治教育,为提高思想政治理论课的针对性和实效性奠定扎实基础。思想政治理论课教师要高瞻远瞩,善于把握社会发展总体趋势和方向;要既立足当下又放眼长远,既熟悉国情又把握世情;要深入学习马克思主义基础理论,并用之预判社会环境变化及其对学生的影响;要不断调整思想政治教育内容,紧跟时代前进步伐。思想政治理论课教师要积极进行教育教学方法改革创新,探索多样化评价方式,总结出最符合思想政治教育开展的形式。

2. 应对复杂局面的能力

当今世界正经历百年未有之大变局,世界范围内各种思想文化交流交锋更为频繁,国际思想文化领域斗争深刻复杂,一些西方国家不断对我国进行战略围堵和势力渗透;国内改革开放步入全面深化的"深水区",经济发展进入稳步增长的新常态,社会经济成分、组织形式、就业方式、利益关系、分配方式日趋多元化,社会矛盾和社会问题相互叠加、集中呈现;世情国情的深刻变化,使人们思想活动的独立性、选择性、多变性和差异性明显增强,这些都深深影响着身在其中的大学生[①]。作为从事思想政治教育工作的思想政治理论课教师,必须具备应对复杂局面的能力,能正确认识和处理这些矛盾,解决不同学生群体的需要及各种利益关系。思想政治理论课是落实立德树人根本任务的关键课程,通过在大学生中开展马克思主义理论教育,党的路线、方针、政策和形势与政策教育,帮助学生树立正确的世界观、人生观、价值观。

3. 营造教育环境的能力

营造教育环境的能力是指营造与教育活动的基本要素发生联系的、影响教育活动发展的各种因素的能力。教育环境很复杂,经常处于变动之中,它对学生既有有利影响,也有不利影响。我们要求思想政治理论课教师具有营造教育环境的能力,就是要求他们要具有对有利教育环境的利用能力和对不利教育环境的掌控能力。具备了这种能力,思想政治理论课教师就能够用敏锐的眼光洞察各种环境对学生可能产生影响的性

---

① 黄蓉生,崔健:《社会主义核心价值观之于青年的战略意义:学习习近平总书记"青年要自觉践行社会主义核心价值观"讲话体会》,《思想理论教育》(上半月综合版)2016年第9期。

质和程度,充分利用有利于教育发展的顺向教育环境,改造不利于教育发展的逆向教育环境,并防止学生接近不适当的社会规范、行为倾向和不良的思想观念、价值导向等。

4.心理调控能力

思想政治理论课教师的心理调控能力包括心理分析能力、心理评价能力、心理辅导能力、心理定位能力。总的来说,是思想政治理论课教师运用心理学的有关知识和相应技巧,针对学生的思想问题和心理障碍做出必要的分析、评价、指导、定位,以维护和增进其身心健康,促进其人格完善和潜能发挥的能力。现今,价值观念的多元,生活节奏的加快,社会竞争的增强,都严重地冲击着学生,使他们的内心压力增大,社会承受能力降低。这造成了影响教育工作正常进行的心理障碍[①]。对此,思想政治理论课教师必须具备较强的心理调控能力,才能在面对较多的突发事件中能够较好地对其进行必要的心理调控,以消除其消极的心理影响,开展好思想政治教育,使其以一颗平常心去正确地看待自己、他人和社会。

(四)与时俱进的科研创新素养

教育科研素养是提高教学质量和教师学术水平的需要,是教师由经验型向学者型转化的必由之路,它能够使思想政治理论课教师逐渐进入一种新角色,同时也能提高思想政治理论课教师的业务能力。

1.获取新知识的能力

获取新知识的能力是指思想政治教育理论课教师对现代社会中出现的新知识、新理论、新观念、新信息等进行摄取的能力。当今,新兴学科、交叉学科和边缘学科的崛起,迫切地要求现代思想政治理论课教师要具备一种较强的获取新知识的能力。这些能力可以使思想政治理论课教师更新知识结构、补充学术养料、拓展教育视野。获取新知识的能力,包括对新知识的敏锐感受能力,即热心关注新知识,并能对其进行及时的捕捉和搜集;对新知识的准确提取能力,即能够对新知识进行有效的整理、分类、积累、概括、提炼、升华,从而达到去粗求精,去伪存真;对新知识的学以致用能力,即能够把"存留""升华"的新知识内化到自己的教学科学与实践当中。可以说,谁具备了这种获取新知识的能力,谁就将在思想政治教育的园林里常葆青春。

2.科研与教学融为一体的能力

科研能力即教育科学研究的能力。它对于总结教学的经验和教训,推广先进的教学方法,探索教育规律,提高理论水平和教育教学能力等都具有重要意义。在当今时代,一个优秀的思想政治理论课教师,不仅应是一个优秀的教育工作者,而且还应是一个优秀的科研工作者。思想政治理论课教师应从较高的视角来洞察思想政治教育改革的新动态、新发展,研究和探索实现思想政治教育现代化的教学策略和育人途径,这样可以使其在思想政治教育前沿阵地上永远是强者。思想政治理论课教师的科研能力包

[①]　孟庆男:《论教师的职业能力结构》,《锦州师范学院学报》(哲学社会科学版)2002年第2期。

括选题的能力、查阅文献资料的能力、运用科学研究方法的能力、整理分析资料的能力、写作能力①。思想政治理论课教师只有具备探索创新精神,投身于科研,将科研与教学融为一体,才能在教育教学中不断有所发现,不断做出新贡献。

3.探索与创新能力

探索能力是研究、探讨思想政治理论课教师职业活动自身的规律与技术的认识能力。作为教师的一种实践能力,它与一般的教育研究专家从事专业的教育研究活动所体现的教育研究能力有所不同。因为这种探索是思想政治理论课教师职业活动的有机组成部分,是不游离于职业实践之外的认识活动。所以,这种探索能力实际上是思想政治理论课教师的自我认识能力。按性质与功能的不同,教育探索能力可分为实证研究能力、逻辑思维能力和哲学反思能力三个部分②。

创新能力是思想政治理论课教师在教育教学过程中利用创造性思维品质进行新的发展的能力。它是教师自我能力发展中的最高表现,被视为教师能力的核心。由于未来社会是创造教育的社会,也是个性充分发展的社会,因而加强自身创新能力的提升,并把它应用于思想政治教育教学的实践,便成为社会对每位思想政治理论课教师的基本要求。思想政治理论课教师在思想政治教育教学中的创新表现在:对既有理论的准确应用,对传统教学模式的突破,对新时代育人途径的探索,对学生创新意识的培养,以及对自己独特教学风格的追求。思想政治理论课教师创新能力的养成,要以深厚的学识素养为根基,以长期的实践为依据,以不懈的热情为源泉③。

思想政治理论课教师要成为教学型及教学科研型的教师,应以获取新知识的能力为基础,并吸收最新教育科研成果,将其运用于教学中,形成独特的见解,能够发现行之有效的新教学方法,还应具有创新能力、强烈的求知欲,能营造宽松、和谐的学习氛围,能与学生共同学习、研讨,在不断提高自身能力的同时实现对学生的思想引领、价值引导。

三、思想政治理论课教师素质的优化路径

"办好思想政治理论课关键在教师,关键在发挥教师的积极性、主动性、创造性。"《中宣部　教育部关于进一步加强高等学校思想政治理论课教师队伍建设的意见》指出,要把思想政治理论课教师队伍建设纳入教育事业发展和人才队伍建设的总体规划,加强领导,统筹安排,努力建设一支政治坚定、业务精湛、师德高尚、结构合理的教师队伍。《普通高校思想政治理论课建设体系创新计划》进一步强调,提高专职教师队伍整体素质,建设一支理想信念坚定、师德高尚、理论功底扎实、教学效果良好的高水平思想政治理论课教师队伍,形成专兼结合、结构合理的教学人才体系。为深入贯彻落实习近

①　孟庆男:《论教师的职业能力结构》,《锦州师范学院学报》(哲学社会科学版)2002年第2期。
②　朱嘉耀:《教师职业能力浅析》,《教育研究》1997年第6期。
③　孟庆男:《论教师的职业能力结构》,《锦州师范学院学报》(哲学社会科学版)2002年第2期。

平新时代中国特色社会主义思想和党的十九大精神，贯彻落实习近平总书记关于教育的重要论述，全面贯彻党的教育方针，加强新时代高等学校思想政治理论课教师队伍建设，根据《中华人民共和国教师法》，中共中央办公厅、国务院办公厅印发的《关于深化新时代学校思想政治理论课改革创新的若干意见》，制定《新时代高等学校思想政治理论课教师队伍建设规定》。为此，必须充分认识思想政治理论课教师素质提升和优化的重要意义，认真分析教师素质状况及面临的困难，积极寻求教师素质提升和优化的思路与对策。

（一）提高思想认识，理顺思想政治理论课教师的管理体制

高等学校对大学生进行思想政治理论教育，是党的教育方针和社会主义大学本质特征的具体体现。全面提高思想政治理论课教师的素质不仅是教师自身成长与发展的需要，更是党和国家事业长远发展的根本保证。高校要站在"培养什么样的人、如何培养人以及为谁培养人"的战略高度，把稳定教师队伍、提高教师素质作为一项重要工作摆上议事日程，切实加强对思想政治理论课教师队伍建设的组织领导，理顺思想政治理论课教师的管理体制。

1. 规范思想政治理论课教学科研机构建设

这是提升和优化思想政治理论课教师素质的组织保障。高校应当建立独立的、直属学校领导的思想政治理论课教学科研二级机构，科学规范其职能定位，使之成为提升教师队伍素质的组织平台和办好思想政治理论课的战斗堡垒。该机构既是思想政治理论课教育教学部门和马克思主义理论研究机构，又是马克思主义理论学科建设的依托单位。由此构成其基本职责，即统一管理本、专科及研究生思想政治理论课教育教学，统一负责马克思主义理论学科建设，统一管理思想政治理论课教师。同时，选配政治强、业务精、作风正、懂管理的学术带头人和骨干教师，作为思想政治理论课教学科研组织负责人[①]，以此引领和带动思想政治理论课教师队伍整体素质提升。目前，基于国务院学位委员会颁布的《关于进一步加强高校马克思主义理论学科建设的意见》，马克思主义理论学科正着力解决学位点与思想政治理论课教学科学研究机构的分离问题。依照政策要求，思想政治理论课教学科研机构先后以"马列主义教研室""马列主义理论教育研究室""'两课'教研室""思想政治教育教研室（或研究室）""马克思主义理论教研部""马克思主义学院"等名称出现，组织配备日渐完善，科研队伍逐步壮大，研究经费不断增多，为思想政治理论课教学科研工作的顺利开展创造了有利条件[②]。

2. 严把思想政治理论课教师的选聘关口

这是保证思想政治理论课教师基本素质的首要环节。思想政治理论课的性质和任务，要求"思想政治理论课教师必须坚持正确的政治方向，热爱马克思主义理论教育事

---

① 教育部思想政治工作司：《加强和改进大学生思想政治教育重要文献选编》（1978—2008），中国人民大学出版社，2008，第533页。

② 黄蓉生，范春婷：《简论30年来思想政治教育科学研究政策发展》，《思想理论教育导刊》2014年第6期。

业,具有良好的思想品德,有扎实的马克思主义理论基础和相应的教学水平、科研能力"①。高等学校应当严把思想政治理论课教师政治关、师德关、业务关,明确思想政治理论课教师任职条件,对思想政治理论课教师的岗位要求是:第一,思想政治理论课教师应当增强"四个意识"、坚定"四个自信"、做到"两个维护",始终在政治立场、政治方向、政治原则、政治道路上同以习近平同志为核心的党中央保持高度一致,模范践行高等学校教师师德规范。做到信仰坚定、学识渊博、理论功底深厚,努力做到政治强、情怀深、思维新、视野广、自律严、人格正,自觉用习近平新时代中国特色社会主义思想武装头脑,做学习和实践马克思主义的典范,做为学为人的表率。第二,思想政治理论课教师应当用好国家统编教材。以讲好用好教材为基础,认真参加教材使用培训和集体备课,深入研究教材内容,吃准吃透教材基本精神,全面把握教材重点、难点,认真做好教材转化工作,编写好教案,切实推动教材体系向教学体系转化。第三,思想政治理论课教师应当加强教学研究。坚持以思想政治理论课教学为核心的科研导向,紧紧围绕马克思主义理论学科内涵开展科研,深入研究思想政治理论课教学方法和教学重点难点问题,深入研究坚持和发展中国特色社会主义的重大理论和实践问题。第四,思想政治理论课教师应当深化教学改革创新。按照政治性和学理性相统一、价值性和知识性相统一、建设性和批判性相统一、理论性和实践性相统一、统一性和多样性相统一、主导性和主体性相统一、灌输性和启发性相统一、显性教育和隐性教育相统一的要求,增强思想政治理论课的思想性、理论性和亲和力、针对性,全面提高思想政治理论课质量和水平②。一方面,根据专任为主、专兼结合的原则,合理核定专任教师编制,配足思想政治理论课教师数量,鼓励、支持校内相关专业学术带头人和教学骨干,专职或兼职承担思想政治理论课教学任务。另一方面,实行思想政治理论课教师准入制度,明确思想政治理论课教师的选聘条件和岗位职责,并把政治条件和教学要求放在第一位。在事关政治原则、政治立场和政治方向问题上不能与党中央保持一致的,或理论素质、教学水平达不到相应课程要求的,不得担任思想政治理论课教师。

3. 制定思想政治理论课教师素质提升计划

有关部门和高校要切实加强组织领导和顶层设计。第一,充分发挥高校思想政治理论课教学指导委员会在研究、咨询、评价、指导和服务等方面的作用,建立由学校主管领导、有关职能部门及思想政治理论课教学单位等组成的思想政治理论课建设领导小组,共同做好思想政治理论课教师素质提升及其教育教学工作。第二,把思想政治理论课教师素质提升纳入学校师资队伍建设规划,并制定相关政策,健全保障机制,推进思想政治理论课建设与发展,在人才培养、科研立项、评优表彰、职务评聘、实践锻炼等方

---

① 教育部思想政治工作司:《加强和改进大学生思想政治教育重要文献选编》(1978—2014),知识产权出版社,2014,第375页。

② 中华人民共和国教育部:《新时代高等学校思想政治理论课教师队伍建设规定》中华人民共和国教育部令第46号,2020年1月16日。

面优先支持思想政治理论课教师,真正体现和落实思想政治理论课在学校教育教学体系中的重点建设地位。第三,主管教育部门和高等学校应当拓展思想政治理论课教师培训渠道,设立思想政治理论课教师研学基地,定期安排思想政治理论课教师实地了解中国改革发展成果、组织思想政治理论课教师实地考察和比较分析国内外经济社会发展状况,创造条件支持思想政治理论课教师到地方党政机关、企事业单位、基层等开展实践锻炼①。

截至目前共有全国高校思想政治理论课教师社会实践研修基地 30 个,新时代高校思想政治理论课教师研学基地 7 个,全国高校思想政治理论课教师研修基地 4 个。全国高校思想政治理论课教师社会实践研修基地共分为三种类型:

其一,是理论研修基地主要承担思想政治理论课教师理论研修等培训任务,提高思想政治理论课教师马克思主义理论水平,指导思想政治理论课教师凝练科研方向、提高科研水平,以高水平研究支撑高质量教学。北京大学、清华大学、中国人民大学、南开大学、吉林大学、复旦大学、山东大学、武汉大学、兰州大学等基地主要承担理论研修培训任务,在着力提升教师理论素养的同时,加强教学研讨。

其二,是教学研修基地主要承担思想政治理论课教师教育教学理论与实践等培训任务,引导思想政治理论课教师运用教育学等相关理论知识,更好推动教材体系向教学体系转化、知识体系向价值体系转化、加强重点难点问题研究,帮助思想政治理论课教师准确把握教育规律、掌握过硬教学能力、用好先进教学方法、加大教学改革创新,不断增强大学生对思想政治理论课的获得感。北京师范大学、东北师范大学、华东师范大学、福建师范大学、新疆师范大学等基地主要承担教学研修培训任务,着力提升教师教学能力和水平。

其三,是实践研修基地主要承担思想政治理论课教师实践研修培训任务,提高教师理论联系实际的能力,引导教师研究传承弘扬中华优秀传统文化和红船精神、井冈山精神、长征精神、延安精神、西柏坡精神、沂蒙精神以及抗战精神、大庆精神、红旗渠精神、"两弹一星"精神、雷锋精神、劳模精神、焦裕禄精神等,深入了解坚持和发展中国特色社会主义的生动实践,帮助思想政治理论课教师深化对当前世情国情党情的认识、深化对党的创新理论的理解、丰富思政课教学案例。河北师范大学、东北大学、大庆师范学院、上海市学生德育发展中心、苏州大学、嘉兴学院、井冈山大学、福建农林大学、湘潭大学、临沂大学、河南师范大学、华南师范大学、四川大学、贵州师范大学、延安大学、青海大学等基地主要承担实践研修培训任务,不断增强思政课教学的时代感和说服力②。

新时代高校思想政治理论课教师研学基地主要承接教育部门或高校组织的思想政

---

① 中华人民共和国教育部:《新时代高等学校思想政治理论课教师队伍建设规定》中华人民共和国教育部令第 46 号,2020 年 1 月 16 日。
② 教育部办公厅:《教育部办公厅关于公布全国高校思想政治理论课教师研修基地名单的通知》(教社科厅函〔2018〕16 号文件),2018 年 5 月 28 日。

治理论课教师国内考察调研等专题研学任务。通过开展到中国酒泉卫星发射中心、中车唐山机车车辆有限公司、烟台中集来福士海洋工程有限公司、中国科学院国家天文台、上海国际港务(集团)股份有限公司、中国(上海)自由贸易试验区临港新片区管理委员会和中国商用飞机有限责任公司上海飞机设计研究院等基地专题研学,帮助思想政治理论课教师切身感受党的十八大以来我国在高铁、桥梁、港口等国家基础设施建设和航天、潜海等重大科技成果领域取得的历史性成就、发生的历史性变革,深刻把握以习近平同志为核心的党中央团结带领全党全国人民推进党和国家事业、战胜各种风险挑战的伟大历程和举世瞩目的伟大成就,深刻感悟习近平新时代中国特色社会主义思想的真理力量和实践伟力,增进政治认同、思想认同、情感认同,切实做到学思用贯通、知信行统一,不断丰富教学资源,坚持不懈用习近平新时代中国特色社会主义思想铸魂育人,打牢学生成长成才的科学思想基础。

全国高校思想政治理论课教师研修基地主要承担高校思想政治理论课教师实践研修培训任务,引导思想政治理论课教师深入学习研究党史、新中国史、改革开放史、社会主义发展史,深入学习研究党和人民在各个历史时期奋斗形成的伟大精神特别是百色起义精神、东北抗联精神、大庆精神、铁人精神、北大荒精神、太行精神、吕梁精神、右玉精神等,深入学习研究讲好中国奇迹背后的学理道理哲理,加强"四史"教育,弘扬伟大精神,深化党的创新理论"三进"。发挥对外合作交流特色,帮助广大思政课教师拓宽国际视野、历史视野,深化对当前世情国情党情的认识,深化对共产党执政规律、社会主义建设规律、人类社会发展规律的认识,挖掘和利用国内外的事实、案例、素材,丰富思政课教学案例,进一步深化理想信念教育。全国高校思想政治理论课教师研修基地共有4所高校:广西大学、延边大学、黑龙江大学、山西大学①。

(二)推进学科建设,提高思想政治理论课教师的整体素质

学科建设是高等学校最具有整合力和影响力的工作,是在学校各项工作中起龙头作用的关键环节,也是教师队伍建设的重要抓手。大力推进和加强学科建设,高校教师才有科研的平台和学术的家园。长期以来,思想政治理论课教师存在着队伍不稳、科研能力不强、优秀中青年学术带头人缺乏、整体素质不高等问题,其中一个重要原因就是没有独立的学科依托。而马克思主义理论一级学科的设立和建设,其重要任务之一就是通过学科建设加强思想政治理论课教师队伍建设,提高思想政治理论课教师的整体素质。为此,思想政治理论课要抓住这一机遇,把服务于思想政治理论课教育改革和教师素质提升,作为马克思主义理论学科建设的重要内容。

一方面,马克思主义理论学科建设要为思想政治理论课教育教学培养和吸纳高素质的师资。这其中包含了三个层面,即做好马克思主义理论学科硕士生、博士生和专业

---

① 教育部办公厅:《教育部办公厅关于增设一批高校思想政治理论课教师研学(修)基地的通知》,教社科厅函(〔2020〕15 号文件),2020 年 11 月 16 日。

学位研究生的培养,新时代要统筹推进马克思主义理论本硕博一体化人才培养工作及教师培训工作,为思想政治理论课教育教学提供高水平的专业人才;进一步完善马克思主义理论一级学科所属的二级学科体系,为教师开展思想政治理论课教育教学提供对应的学科支撑;搭建科学研究平台,依托高等学校人文社会科学重点研究基地,扩展教育部基地、社会科学实验室、部部共建和部省共建的研究基地规模,创造和提供良好的学科阵地、学术氛围和工作环境,吸引和汇聚更多的优秀人才参与马克思主义理论学科建设,壮大和稳定思想政治理论课师资队伍,努力建设优秀教研团队,使思想政治理论课教师工作有条件、干事有平台、发展有空间,进而增强学科归属感、社会责任感和历史使命感①。

另一方面,马克思主义理论学科建设要注重提高思想政治理论课教师的教学、科研能力,培育教学科研骨干。设立马克思主义理论学科的目的,是为了加强马克思主义理论体系研究、马克思主义发展史和马克思主义中国化研究、思想政治教育研究,推进党的思想理论建设和巩固马克思主义在高等学校教育教学中的指导地位,加强高校思想政治理论课建设、培养思想政治教育工作队伍。这是党和国家加强思想政治理论课教师队伍建设的重大举措,也是中央实施的马克思主义理论研究和建设工程的重要成果。为此,马克思主义理论学科建设要注重引导和组织思想政治理论课教师自觉进入学科建设的前沿阵地,明确自己在学科建设中的位置和任务,积极开展马克思主义理论体系以及教育教学中重要理论和实际问题的研究。在高校马克思主义理论学科建设中,马克思主义理论学科带头人、思想政治理论课教师和马克思主义理论学科研究人员是"三位一体"的关系,思想政治理论课教师建设和马克思主义理论学科队伍建设具有同构性关系,思想政治理论课教师是马克思主义理论学科建设的依靠力量,也是影响和制约马克思主义理论学科建设的程度和水平的重要因素。要提升马克思主义理论学科水平,需要提升思想政治理论课教师的素质和能力,促进思想政治理论课教师专业发展②。为进一步巩固马克思主义理论一级学科基础地位,强化习近平新时代中国特色社会主义思想学理化学科化研究阐释。坚持马克思主义指导地位,提出新观点,构建新理论,加快构建中国特色、中国风格、中国气派的哲学社会科学学科体系、学术体系、话语体系。根据国务院《统筹推进世界一流大学和一流学科建设总体方案》,以及教育部、财政部、国家发展改革委《关于深入推进世界一流大学和一流学科建设的若干意见》和《统筹推进世界一流大学和一流学科建设实施办法(暂行)》,截至 2022 年 2 月,"双一流"大学建设高校及建设学科名单中马克思主义理论学科共有 7 所高校:北京大学、中国人民大学、清华大学、东北师范大学、复旦大学、武汉大学、新疆大学。在这些马克思主义理论"双一流"大学的带动下,将提高思想政治理论课教师的理论素养和科研能力,推动思想政治理论课教学领军人物、中青年学术带头人和骨干教师脱颖而出,以带动教师整体素

---

① 李虹:《高校思想政治理论课教师人格发展的理性审视》,《思想理论教育导刊》2013 年第 3 期。

② 佘双好:《在服务思想政治理论课建设中实现马克思主义理论学科发展》,《理论与改革》2019 年第 3 期。

质的提高。

（三）坚持以人为本，关心思想政治理论课教师成长与发展

长期以来，由于思想政治理论课教学任务繁重，加上一些高校对思想政治理论课的认识不足、重视不够，使得思想政治理论课教师在个人成长与发展方面面临着诸多困难和压力，尤其是一些青年教师对个人职业生涯感到迷茫、困惑，甚至出现职业倦怠，自我职业认同度和责任感不高，这不仅极大地危害着教师个人的身心健康和职业发展，也严重影响着思想政治理论课教师队伍的整体建设和教育教学的实际效果。为此，在注重提升思想政治理论课教师的思想政治素质、职业道德修养的同时，还要坚持以人为本的原则，关心他们个人的成长与发展，解除他们的"后顾之忧"，使他们能够全身心地投入思想政治理论课教育教学之中。

1.完善思想政治理论课教师培养培训体系

高校要从自身实际情况出发，将思想政治理论课教师纳入师资培训规划，建立有重点、分层次、多形式、多渠道的教师培养培训体系与机制，采取脱产进修、攻读学位、名师指导、短期培训、教学观摩、社会实践、出国考察、挂职锻炼等措施，不断提升和优化他们的知识结构、理论素养、教学水平和科研能力①，并注重选拔、培养一批学术领军人物和教学科研骨干。

2.健全思想政治理论课教师考核评价体系

高校要根据思想政治理论课教师的岗位职责和工作性质、特点，制定相应的考核评价体系和办法，进一步完善专业技术职务评聘标准，提高教学效果和教学研究占比，着重考察其教学能力和教学实绩，将教研课题与科研课题、教学研究成果与学术研究成果同等对待，作为职称评定的依据。

3.改善和提高思想政治理论课教师的待遇

高校要为思想政治理论课教师创造良好的教学科研条件和工作环境，如对他们在传达党和国家的有关文件和政策、阅读有关文件资料方面提供便利；在科研立项、经费投入、培训研修和公共资源使用等方面，要充分考虑思想政治理论课教师工作的特点，在政策上予以扶持；在物质待遇上，思想政治理论课教师的实际平均收入不低于本校相关专业院系教师的平均水平，部分高校为贯彻落实习近平总书记在全国高校思想政治工作会议和学校思想政治理论课教师座谈会上的重要讲话精神，根据《中共中央办公厅、国务院办公厅印发<关于深化新时代学校思想政治理论课改革创新的若干意见>》（中办发〔2019〕47号）和省教育厅、省财政厅、省人力资源和社会保障厅等有关规定施行思政岗位津贴，有效增强思想政治理论教师岗位吸引力、荣誉感。

总之，只有站在加强师资队伍建设和提高教育教学实效的高度，真正从思想政治理

---

① 边和平，曹洪军：《论"思想道德修养与法律基础"课科学性与意识形态性的关系》，《思想教育研究》2012年第8期。

论课教师的成长与发展出发,在政策上积极扶持他们、在工作上努力支持他们、在生活上热情关心他们,才能进一步激发和调动他们积极性和创造性,从而开创思想政治理论课教育教学的新局面①。

(四)建立制度保障,形成思想政治理论课教师发展的长效机制

为切实加强高校思想政治理论课教师队伍建设,必须制定和健全相应的政策和制度,以形成和保障教师队伍良性发展的长效机制。除了上述的研修培训制度、继续教育制度、职务评聘制度外,还应包括以下政策和制度:

1. 教学管理、督导制度

这既是保障思想政治理论课教育教学质量的需要,也是教师职业发展的需要。这一制度的内容要求包括:要按照学分学时对应原则,确保思想政治理论课的教学时数;要以中班教学(每班100名学生左右)为主体,倡导中班上课、小班研学讨论的教学模式,组织开展教学活动;要建立教学督导制度,加强教学质量的管理、监督和指导。此外,根据高等学校思想政治理论课建设标准(2021年本)要求,高校在保障思想政治理论课教学科研机构正常运转的各项经费的同时,本科院校按在校本硕博全部在校生总数每生每年不低于40元,专科院校每生每年不低于30元的标准提取专项经费,用于教师学术交流、实践研修等,并随着学校经费的增长逐年增加。专项经费安排使用明确,专款专用。

2. 集体备课和教学研讨制度

这一制度作为思想政治理论课教研工作的一项重要内容,可以使教师共同围绕课程教学目标和任务,集体研究、探讨教学的重点难点、学生的思想困惑和关注的热点问题,以及采用的教学方法、媒体、手段等,这无疑有助于提高教育教学的整体效果和质量。与此同时,通过集体备课和研讨,教师之间可以相互启发、相互借鉴、取长补短,从而有助于教师教学能力的提高,尤其是对中青年教师的教学成长和优良教风的养成,具有重要的促进作用。

3. 社会实践考察制度

组织开展社会实践和学习考察活动,有利于思想政治理论课教师进一步了解国情,开阔视野,增强感性认识,丰富教学素材,促进理论与实践的结合,提高教师的思想政治素质和业务素质。《中共中央宣传部　教育部关于做好高等学校思想政治理论课骨干教师参观考察活动的通知》,要求各地各高校有计划、分层次地组织教师到改革开放前沿、贫困落后地区、工农业生产基地调查研究,到革命历史纪念地、爱国主义教育基地学习考察,并就相关问题听取专题报告、开展交流研讨、撰写考察报告等。有条件的高校还可以组织教师赴国外学习考察。这是加强思想政治理论课教师培养培训工作、丰富和完善教师培训方式和途径的一项重要举措。

---

① 边和平:《高校思想政治理论课教师队伍建设的历史考察与思考》,《学理论》2009年第23期。

4. 先进典型表彰与宣传推广制度

在加强教学管理、研修培训的同时,要建立和完善对思想政治理论课教师的激励机制。一方面,在教育系统各类教师表彰体系中,要对思想政治理论课教师的评比确定相应比例,进行统一表彰,以增强教师的职业荣誉感和社会责任感。另一方面,以制度的形式设立思想政治理论课教学研究项目、教学方法改革"择优推广计划"项目、优秀中青年教师择优资助项目、拔尖教师国内高级访学资助项目、"马克思主义理论教学与研究文库"出版资助项目、思想政治理论课教师博士后培训项目,以及推选思想政治理论课教师年度影响力人物、教学名师、教学能手和优秀团队等;学历学位提升方面的,如高校思想政治理论课教师攻读马克思主义理论博士学位专项计划等,鼓励和支持优秀教师脱颖而出,并引领和带动思想政治理论课教师整体素质的提升。

第二节　新时代高校思想政治理论课教师的教学仪态

教学仪态是教师整体形象的外在表现,是伴随教师开展课堂教学的一种重要辅助手段。学生在课堂上不仅通过教师的理论讲解而"察其言",还会通过教师无声的教学仪态而"观其色"。庄重得体的仪容仪表、恰如其分的教姿教态和饱满可亲的情绪情感,不仅展示出教师的气质风度、审美情趣、内心世界和人格修养,而且直接影响到良好教学氛围的营造和调控,进而影响教学目标的达成。优雅的教学仪态所散发出的个人魅力,有助于集中学生的注意力、激发学生的学习兴趣,以及拉近师生之间的心理距离和增强教学的吸引力、感染力。因此,教学仪态既是课堂教学活动的组成部分,也是教学艺术的重要内容。对于思想政治理论课教师而言,如何培养训练并善于展示优雅的教学仪态,对于提升个人教学形象、塑造自身教学风格和增强教育教学效果,都有着不可忽视的作用。

一、思想政治理论课教师的仪容仪表

仪容仪表,通常是指人的外表、外貌,包括容貌、形体、服饰、发型等。在课堂教学活动中,教师的仪容仪表总是会引起学生的特别关注。如果教师的仪容仪表美观、大方,会使人看上去精神焕发、神采奕奕;相反,如果不修边幅或修饰不当,则使人看上去萎靡不振或华而不实。由此可见,仪容仪表关系到学生对教师教学形象的评价和学习的积极性,应当引起思想政治理论课教师的必要重视和认真对待。

(一)思想政治理论课教师的容貌修饰

人的容貌由其五官、面容、发型以及人体所有未被服饰遮掩的肌肤等所组成,在个人仪容仪表中占有举足轻重的地位。尽管以貌取人不合情理,但修饰得当的容貌,无疑

令人赏心悦目,感觉愉快。容貌美以形体美为依托,并与人的内在美相辅相成。而容貌美的外在修饰、化妆和发型设计是其中的主要内容。

1. 化妆是教师在课堂上展示给学生的面部修饰

其目的不仅在于美化自我形象,增强教学自信,而且也是对学生的尊重和为了赢得学生的尊重,并对学生起到示范性的作用。教师职业行为规范要求教师做到以身立教、为人师表。对这里的"身"和"表"应当做全面的理解,它既包括教师在人品和学问方面成为学生的表率和榜样,也体现在以自尊和尊人为内涵的容貌修饰等外表形象方面。因此,化妆不仅是一门生活中的艺术,也是教师开展教学活动和教书育人的需要。

2. 化妆可分为基础化妆和重点化妆

基础化妆是指整个脸面的基础敷色,包括清洁、滋润、收敛、打底与扑粉等,具有护肤的功用;重点化妆是指眼、睫、眉、颊、唇等器官的细部化妆,包括加眼影、画眼线、刷睫毛、涂鼻影、擦胭脂与抹唇膏等,能增加容颜的秀丽并呈现立体感,可随不同场合来变化。由于课堂教学是师生双方近距离的交往活动,彼此之间看得比较真切,同时考虑到思想政治理论课的性质及教师的职业身份和要求,教师化妆的总体规则是:恰如其分、庄重自然、整体协调。对于女教师来说,强调"淡妆上岗",其主要特征是简约、大方、清丽、素雅。它既要给人以深刻的印象,又不容许脂粉气十足。如果教师的化妆过于浓艳,不仅会影响学生的课堂注意力,还可能使人感到轻佻、庸俗,得不到学生的尊重。对于男教师来说,一般不提倡涂脂抹粉,但要注意整洁、卫生,尤其是要注意耳朵、眼部、牙齿、鼻子、胡须等重点部位的修饰和处理。

3. 发型是教师容貌修饰的重要内容

发型是自然美与修饰美的有机统一。理想的发型不仅可以衬托脸型的美感,而且能很好地展示一个人的精神风貌和个性气质。比如,举正端庄的教师,简洁、大方的发型更能突显其优雅、脱俗;清秀文静的教师,柔顺、飘逸的发型可给人"清水出芙蓉,天然去雕饰"的良好印象;而对于活泼风趣的教师,潇洒、时尚的发型则与其外向、开朗的性格相协调。

4. 发型设计是一门综合的艺术

它既受到主体自身条件的制约,又要考虑适用性和时代性的要求。因此,发型设计总的原则应当是:发型要与教师的职业性质、个性特征和审美情趣等相符合,与头型、脸型、五官、发质、年龄相匹配,与身材、肤色、着装、季节等相协调。对于头发的爱与美,女性远远胜于男性,因而女性发型的式样多样。一般来说,圆脸的发型应顶部高两侧紧,轮廓呈椭圆形,而长脸的发型则不宜梳高高的发髻;身材苗条者宜选择较长的发式,而体态矮胖者则应以短发为佳;青年女教师的发型应体现活泼、自然和朝气蓬勃的精神风貌,中年女教师的发型则应强调端庄、成熟而又不失时代气息;等等。男教师的发型变化不及女教师丰富多彩,常见的有平头、分头和背头等,但无论选择何种发型,均应符合整洁、明快、协调的要求。整洁是指平时要注意梳理和清洗,切忌蓬乱不洁;明快是指发型设计要注意线条自然,便于梳洗;协调是指发型选择要综合考虑自身的生理条件,尤其是身材和年龄。

(二)思想政治理论课教师的着装艺术

在现代文明社会,人们的着装早已超越了其御寒蔽体的基本功能,而被视为人的"第二肌肤",成为仪容仪表的重要组成部分,体现着一个人的生活情趣、文化修养、审美品位、内在气质和精神风貌。对于思想政治理论课教师而言,适宜的着装更是一种表现个人魅力和思想情感的无声语言,不仅可以帮助教师塑造良好的自我形象和构建和谐的师生关系,顺畅地传递与教书育人密切相关的各种信息,进而收到良好的教育教学效果,同时它也是践履教师职业道德规范的具体表现。教师衣着得体、言行雅正、举止文明,无疑会给人以舒服、愉悦的视觉感受,并对学生的思想行为具有直接或潜在的道德意义和审美价值;而一个衣着邋遢、不修边幅的教师来到课堂,既是对学生的不尊重,也有损教师在学生心目中的形象,甚至阻碍教育教学效果的提升。因此,了解和掌握着装艺术是思想政治理论课教师职业素养的重要体现,也是为人师表的应有之义。

一方面,教师作为社会职业分工之一,首先应遵循一般社会成员通行的着装要求。目前,"TPO"原则是国际流行的着装原则,即着装要充分考虑到时间(time)、地点(place)、场合或对象(occasion/object)。从时间上看,一年有春、夏、秋、冬四季的交替,一天有 24 小时时间的推移。显而易见,在不同的季节、不同的时间里,着装的类别、式样、造型应因此而有所变化。比如,冬天要穿保暖、御寒的冬装,夏天要穿透气、凉爽的夏装;课堂授课时的着装应严谨、规范、得体,下班回家后的着装可休闲、舒适、随意。从地点来看,置身于室内或室外、单位或家中,乃至国内或国外,着装的选择及风格应因地制宜。从场合和对象来看,着装应与一定的环境气氛相协调、与自身的角色相适应,如工作场合的着装应庄重、得体,社交场合的着装要典雅、时尚,等等。此外,正确的着装,还应遵循整体性原则,不仅使各个部分"自成一体",还要注意相互呼应与合理搭配,做到整体协调与完美、和谐。

另一方面,教师作为履行教书育人的专业人员,被誉为"人类灵魂的工程师",这一特殊的社会角色又对其着装有更为严格和具体的要求:一是,整洁朴实,美观大方。即教师着装应保持整齐、洁净,避免破损、脏乱或邋遢。著名教育家的着装要朴素典雅,给人以美感,避免奇特古怪、艳丽花俏,以及土气、俗气和过透、过露。二是,合体合度,体现个性。著名教育家苏霍姆林斯基说过,服装美应该是一种人化的美——适合外貌和身段的特点,掩饰或减轻生理上的缺陷,然而却突出了品质,令人赏心悦目,使人产生美好的联想。为此,教师的着装要从自身条件出发,综合考虑自己的体型、肤色、性别、年龄、气质等多种因素,穿出自己的风格和个性。三是,符合身份,服务教学。思想政治理论课教师肩负着"传道、授业、解惑、解释"的职责,其着装、服饰和一言一行对学生的心理、审美、行为等有着潜移默化的影响。因此,教师的着装既要体现时代气息,跟上时代节奏,又要与校园环境、职业特点乃至教学内容相适应,以利于教育教学效果的提高。

（三）思想政治理论课教师的服饰搭配

服饰是人类文明的标志，又是人类生活的要素。广义的服饰包括服装以及与之相配的饰物；而狭义的服饰则专指除了上衣、下裳之外的配饰，如鞋、帽、袜子、围巾、手套、领带、腰带、手表、皮包、首饰等。

服饰给人最直接、最深刻的第一印象是色彩。服饰色彩搭配得当，可使人显得端庄优雅；反之，则使人显得不伦不类、俗不可耐。因此，重视并掌握色彩的合理搭配，是教师衣着美的重要一环。常见的服饰色彩的搭配主要有以下几种：一是统一法，即采用同一色系中明度不同的色彩进行搭配，以营造自然和谐之感。二是对比法，即运用冷暖、深浅、明暗两种特性相反的色彩进行组合，形成强烈的反差效果。三是呼应法，即在某些相关的部位刻意采用同一种色彩，使其呼应，产生美感。比如，男士穿西服套装时，鞋子、腰带、公文包应为同一颜色，且应首选黑色，称为"三一定律"。四是，点缀法，即当服饰的整体配色过于单调时，可在某个局部小范围内以其他某种不同色彩或图案来进行点缀，或佩戴某种饰物加以美化，如围巾、丝巾、胸针等。此外，教师在着正装授课时，全身衣着应当保持在三种色彩之内，否则就会显得杂乱无章，有失庄重和规范。特别是男教师着西服套装时，西服、衬衣、领带、腰带、鞋袜等一般不应超过三种颜色。这一要求又被称为"三色原则"。需要强调指出的是，无论采取何种方法来搭配服饰色彩，均须与教师自身的职业、年龄、体型、发型、肤色等相协调，并与季节、环境、场合、时间相适应。

教师为了衬托仪表、体现个性，展示自身的内在气质和高雅品位，可以在教学活动中佩戴一定的饰物，如首饰、领带、皮包、手表等。其总的规则是：合乎常规、符合身份、美观大方、搭配协调。首饰，原指戴于头上的装饰品，现泛指以贵重金属、宝石等加工而成的耳环、项链、戒指、手镯等。耳环一般为女性所用，并兼顾脸型、肤色、服装、年龄等，佩戴时以小巧、精致、对称为佳，避免过分夸张或繁杂凌乱；对于思想政治理论课教师来说，男性不宜佩戴耳环。项链是戴于颈部的环形首饰，男女均可使用，但男教师所戴的项链一般不应外露，女教师在教学场合适宜佩戴玲珑精巧的项链，以体现其文静、典雅的气质，而贵重复杂或珠光宝气的项链则往往在课堂上显得俗气。戒指一般戴于左手之上，而且最好仅戴一枚，同时了解其不同戴法及意义。佩戴戒指要与手形和指形相协调，女教师的戒指原则上应简洁明快，男教师的戒指应讲究大方稳重，避免给人"女性化"或"暴发户"的印象。手镯是佩戴于手腕上的环形饰物，突出的是女性手腕与手臂的美丽，男教师一般不戴手镯。领带一般是属于男性的饰物，与西装相搭配。领带的选配既要考虑其面料、图案、款式及自身体型、肤色、年龄，更要注意与西服、衬衫、皮鞋的色彩和谐一致，同时遵守领带佩戴的常规。皮包和手表不仅有搭配和装饰作用，而且能显示一个人的气质和风度。除了选择适宜的款式外，还要与自己的体型、着装等相协调。

二、思想政治理论课教师的教姿教态

教姿教态是教师授课时的动作、表情、神态、手势等体态语言的具体表现，是伴随教师开展课堂教学活动的一种重要辅助手段。英国文艺复兴时期著名的哲学家弗朗西斯·培根曾经说过:"相貌的美高于色泽的美,而秀雅合适的动作的美,又高于相貌的美,这是美的精华。"也就是说,优雅的姿态比相貌更能表现出人的精神气质和个性魅力。对于思想政治理论课教师而言,舒展、大方的教姿教态既给学生以美好的印象,又蕴含一定的示范教育价值。在课堂教学过程中,教师善于运用教姿教态来创设教学情境,不仅可以吸引学生的注意力,引导他们集中于有声教学语言所指向的内容与活动,而且可以补充、修饰、加强甚至代替有声教学语言,使之更加明确、准确和精确地传递知识信息和思想情感;同时,教师的体态姿势、表情神态、手势动作等,是其内心世界和人格修养的表露和外化,无不刺激着学生的视听感官,影响着学生的心境和态度,这无疑有助于调控课堂教学气氛和节奏,增强理论讲授的亲和力和感染力,提高教育教学的效率和效果。因此,充分把握教姿教态的特性并发挥其功能,将会使课堂教学更具艺术魅力。

(一)思想政治理论课教师的体态姿势

体态,即人的身体姿势、形态。它是由人体(或人体局部)运动时的动作和静止时的姿势所组成的。与口头语言、书面语言一样,体态姿势所表达出的无声语言也是教师在教育教学活动中不可缺少的部分。不同的体态姿势表现会给学生不同的印象评价,所产生的教育教学效果也会不同。恰当、得体的体态姿势,对于塑造师表形象、增进师生交流、推进教学活动具有十分积极的意义。

在课堂教学活动中,教师的体态姿势主要有站姿、坐姿、走姿等。

1. 站姿

站姿是教师在课堂教学中最主要的体态姿势之一,也是成为教师的一项基本功。身正、稳重、亲切、自然,是课堂站姿的基本规则。具体来说,正确的站姿是:挺胸、收腹、梗颈,正向抬头,平视前方;双肩舒展,面带笑容,两腿膝关节和髋关节展直,手臂自然下垂,身体重心落在两腿中间。从正面或背面看,脊柱是垂直的;从侧面看,脊柱的生理弯曲弧线保持正常和适度。这样,才能给人以肢体挺拔、精神抖擞之感。反之,歪脖、斜腰、屈腿,尤其是蹶臀、挺腹,则往往会给人留下粗俗、轻浮或缺乏教养的印象。对于课堂教学来说,教师站立的适当位置是教室前面中央、讲桌与黑板之间,这不仅有利于师生通过直视面对和互动,也方便教师参阅教案、触及黑板(或投影屏幕)和书写板书。当然,教师授课的站位不能呆板地固定在一个点上,而应根据教学内容展示或互动的需要适当地移动位置,或者根据学生的听课状态走到教室中间进行"巡视"。但需注意的是,切忌站位移动过快、过频或在学生中间踱来踱去,更不可背对学生、双手插在裤袋里或反背身后、长时间手撑讲桌甚至"趴"在讲桌上授课。

2. 坐姿

教师的坐姿是一种静态造型。一般情况下,教师不坐着授课,但在某些情况下,教师需要坐在课堂上授课或听讲,如体弱的老教师或带病坚持上课的教师,或者由学生作为主体的课堂学讲、演讲、讨论、辩论等。正确坐姿的基本要求是：入座动作应轻声、缓和，从容自如，不要起坐时动作幅度过大；落座后要保持上身正直，肩部放松，勿含胸驼背，耷拉肩膀，尤其不可半躺半坐或跷起二郎腿；双腿并列自然垂地，双手掌心向下放在身前桌上或座椅两侧扶手上，也可放在膝盖上，切忌抖腿。除此之外，男女坐姿稍有不同的是，女性就座时，双腿并拢，以斜放一侧为宜给人端庄、矜持的印象；男性可微分双腿，给人自信、豁达的感觉。

3.走姿

走姿是站姿的延续动作，是展示人的动态之美的无声语言，也最能体现教师的风度和魅力。在课堂教学过程中适当走动，变换位置，既可避免教姿教态的死板、单调，也可改变师生相互注视的角度，减轻视觉疲劳和吸引学生注意。教师走姿的规范要求是：起步时以站姿为基础，上身略微前倾，重心从足中移到前掌，步态自如、轻盈、稳健、敏捷；上体正直，昂首、挺胸、收腹、直腰，两眼平视前方，面色从容爽朗；迈步前进时双肩保持平稳，双臂以肩关节为轴，随步伐前后自然摆动；速度适中，步幅适当，节奏匀称，忌步履蹒跚、一步一摇，或过频过急、慌里慌张；行走路线尽量平直，不要东张西望或叉腰、背手。

此外，蹲姿也是教师在课堂教学过程中的一种体态，一般见于取地上或低位物品之时。其主要方式有半蹲式、高低式和交叉式。

（二）思想政治理论课教师的表情神态

所谓表情神态，通常是指一个人在面部所表现出来的思想情感和神情态度。它主要包括眼神、笑容及其面部肌肉的综合运动。与体态举止一样，表情神态也是教师教姿教态的重要方面。表情神态传情达意更为直观、形象、真实，更易于为人们觉察和理解。思想政治理论课教育教学不仅是知识、理论的灌输，更是情感的激励和价值的引领。善于运用表情神态恰到好处地传递信息、渲染氛围和激荡心灵，正是教师所追求的教育教学艺术境界之一。

眼睛是心灵的窗户，眼神是表情神态的重点内容和第一要素。一个人眼睛瞳孔的缩放、目光的明暗、视角的仰俯、注视的长短等，能传递出喜、怒、忧、思、悲、恐、惊等多种情志的变化。正如印度著名作家、诗人泰戈尔所说："一旦学会了眼睛的语言，表情的变化将是无穷无尽的。"作为一种教姿教态，眼神也是教师在课堂上借以传达教学信息、组织教学活动、调控课堂秩序的重要手段。巧妙而艺术性地运用好眼神，可使师生之间在无声的交流与"对话"中彼此心领神会，收到"此时无声胜有声"的教学效果。比如，目光环视教室能使学生感受到教师对自己的关注进而迅速安静下来；当学生因为紧张而回答问题不流畅时，教师给予鼓励和期待的眼神，会帮助他稳定情绪、理清思路；而当学生交头接耳干扰课堂秩序时，教师的目光直视和短暂驻留则会起到提醒、制止的作用；等等。

教师的眼神是一种无声的教学语言，其形式和方法大体有注视、环视、巡视、点视、虚视等。眼神表达和运用的艺术应把握以下几点要求:其一,要有明确的目的性和指向性。即教师通过眼神表达喜悦、悲伤、愤怒、疑问、表扬、赞同、反对、期待、鼓励、满意、批评、制止等意向,应当心中有数、示意鲜明,不能含糊不清、模棱两可。其二,要表现出自信,显示出活力。教师的眼神影响着学生的心境和态度,对学生的情绪产生极大的暗示和感染。充满自信和活力的眼神会使学生精神振奋、心情愉悦,进而营造出积极、活跃的课堂氛围;如果教师视线低垂、目光呆滞,则不可能激起学生的学习兴趣和热情。其三,要努力保持目光慈爱、友善、温和、亲切。这种对学生尊重的神色和关怀的态度,有助于缩短师生之间的心理距离,增进学生对教师的好感与信任,从而产生"亲其师而信其道"的教学效果。反之,如果教师的眼神冷漠或轻蔑、傲慢,势必会使学生产生反感甚至抵触情绪,最终影响教学效果。其四,要与学生有目光交流和眼神"对话"。一方面,教师在课堂上要合理分配目光,有意识地移动视线;尽量关注到每一位学生,以避免让学生产生远近、亲疏之感;另一方面,教师在授课过程中要始终使自己的眼神与学生的目光保持接触和互动,这样既可以把握信息反馈,及时调整教学的内容、方法和节奏,又可以随时用眼神对学生发出"指令"和施加影响,以期在这种无声的"对流"中实现教、学同步。此外,眼神的表达与运用还要注意和教师的有声语言、动作、表情等有机结合起来。

在丰富多样的表情神态中,最具吸引力和最令人愉快的当数微笑。跨文化研究表明,面带微笑是世界各地情感沟通的手段。正如印度著名诗人泰戈尔所说,"微笑,是世界上最美丽的语言,当你微笑时,世界爱上了你。"在教育教学过程中,教师的微笑更是具有特殊的意义。教师面带微笑走进课堂,表示态度的和善、精力的充沛和对学生的亲近;而在授课过程中的微笑,则显示出教师对教学内容的自如讲解、对教学方法的娴熟运用、对教学节奏的从容把控,以及对学生思想行为的理解、对课堂教学氛围的满意等。因此,教师的微笑是友好、尊重、信任、沉稳、自信的表现。它是沟通师生情感的桥梁、是温暖学生心灵的阳光、是推进教学进程的润滑剂。从这个意义上说,教师的微笑既是一种富有魅力的人格修养,又是一种高超的教育教学艺术。

教师在教学过程中恰当地运用微笑,要注意以下几点:第一,微笑要做到真诚、友善,发自内心。虚伪的假笑、皮笑肉不笑只能让学生感到做作和反感。第二,微笑要做到自然、甜美,使人愉悦。这种表情神态由嘴、眼睛、眉毛等几方面协调完成。第三,微笑要做到热情有度,恰到好处。表情过于夸张或毫无节制不仅有损形象,而且会使人感到莫名其妙。

(三)思想政治理论课教师的手势动作

手势是由手部动作所表达出来的情感、态度、想法或意向。从传递信息的角度来看,手势的使用甚至比表情神态还要频繁,并且所表达的意义也更为明确、直接。在教育教学实践中,教师规范、得体的手势,不仅可以展露自身良好的精神风貌与职业修养,而且可以组织教学、描述事实、指代事物、吸引注意等,成为重要的教姿教态和得力的教学手段。因此,恰当运用手势动作对于增强理论的阐释力、感染力和说服力,具有十分重要的作用。

一般而言,手势由进行速度、活动范围和空间轨迹三个部分所构成。按照手势动作在课堂教学中的功能,可将其划分为六种类型:一是指示性手势,主要用于明确指示具体人物、事物或数量。它的特点是动作简单、表达专一,一般不带感情色彩。比如,手指轻点屏幕或黑板某一内容或图片,以提醒学生重点关注;伸出拇指和食指并将其张开,攥拢其他三指,表示数字"8"等。二是情意性手势,主要用于表达带有强烈感情色彩的内容。这种手势力度、幅度较大,表现方式丰富,感染力较强。比如,在讲到中华民族伟大复兴的中国梦时,以握紧拳头表示必达的决心,在讲到侵华日军在南京地区制造惨绝人寰、灭绝人性的屠杀暴行时,以拍击桌面表示震惊和愤慨等。三是象征性手势,主要用于表达抽象的概念。以这种手势辅助、配合教师的讲解,运用准确、恰当,则能启发学生的思考与联想。比如,用两个食指勾在胸前拉来拽去,来阐述事物间的相互制约关系;以双手握拳在胸前作撞击动作,来表示事物间的矛盾冲突。又如,在讲述渡江战役时,教师可以右手五指并齐,然后手臂用力前伸,来形容和象征着百万雄师过大江的场面。四是描摹性手势,主要用于模拟事物的形状、情况、特征等,以给学生一种形象、直观、可感的印象。比如,说到高山,手向上伸;讲到大海,手平伸外展等。五是会意性手势,一般在不易明说或不便明说的情况下使用。手掌向下轻压示意学生安静或坐下,食指竖起放在嘴边轻"嘘","不要讲话"等。六是评价性手势,主要用于判断事物的性质或行为的价值。比如,当学生在学习活动中表现出色时,可竖起大拇指或以鼓掌来表示肯定和赞扬等。

恰当运用手势动作是强化课堂教学效果的重要方式,也是教师的一项基本功。其规范性和艺术性的要求是:第一,简洁自然,强调准确性。手势是教师最鲜明、最常用的"教具"之一。尽管手势多种多样、千变万化,但归根到底是为了表情达意,服务于教学需要。因此,对于它的运用首先要求恰如其分、表意准确,使学生能够迅速理解教师的教学意图。同时,手势要舒展、自然,既不要单调、刻板,毫无情趣,也不要过分繁杂,琐碎凌乱。第二,适时适度,避免随意性。所谓适时,就是手势的运用要把握时机,用在关键之处,如需要表达强烈情感、增强语言的表现力,或者阐释抽象的概念、原理,以及突出教学内容的重点、难点等。所谓适度,就是手势的运用要把握频率和幅度。在课堂教学中,如果手势过密、幅度过大、动作夸张,就会使人感到眼花缭乱,注意力分散。第三,手口一致,讲究协调性。一方面,手势的运用要保持全身整体协调、平衡,给人以优雅、稳重之感。另一方面,手势的运用要与有声语言融会贯通,随教学内容和感情的需要而出现。"说一套、做一套"往往会造成学生思维的紊乱。第四,因人而异,体现创新性。手势的运用没有一成不变的固定套路和模式。教师因各自性别、年龄、喜好、气质等方面的差异,以及所面对的教学对象的班级、专业等亦有不同,因而教师在课堂教学中的手势动作也不尽相同。教师应根据以上情况,不断探索和创新,逐步形成自身的教学风格。

三、思想政治理论课教师的情绪情感

情绪和情感都是人对事物态度的体验，是人的需要得到满足与否的反映。一般情况下，情绪和情感两个词可以通用，但在某些场合它们所表达的内容亦有不同。人们常把短暂而强烈的具有情境性、表浅性和外显性的感情反应看作是情绪，如愤怒、恐惧、狂喜等；而把稳定而持久的、具有深沉体验的感情反应看作是情感，如自尊心、责任感、热情、爱恋、美感等。心理学研究表明，人的认识活动受情绪情感的影响和调节。积极的情绪情感是认识活动的动力之一，推动人们去克服困难、达到目的；消极的情绪情感则阻碍人们的认识活动，销蚀人们的活力，降低活动效率，甚至引起错误的行为。这对于思想政治理论课教育教学来说，具有重要的启示意义。教师作为课堂教学的主导者、实施者，学生作为课程的教育对象和课堂学习的主体，师生的情绪情感是相互影响、相互作用的。如何充分发挥积极情绪情感在教育教学中的功能和作用，推动学生认知活动的深化，进而促进认知体系向价值体系和信仰体系转化，是值得思想政治理论课教师认真思考和深入探索的一个重要问题。

（一）教师的情绪情感与教育教学效果

思想政治理论课教育教学过程是师生之间在特定的环境和氛围中所发生的交往与互动过程。在这一过程中，不仅有着知识信息的传递与接受，也伴随着情绪情感的沟通与交流，并且情绪情感贯穿于从"知"到"行"转化的全过程，对其中每一个环节都起到调控与导向的作用。

1. 积极的情绪情感有利于激发学生的学习动机

心理学认为，动机是由目标或对象引导、激发和维持个体活动的一种内在心理过程或内部动力。而情绪情感是动机的源泉和基本成分，并对动机的大小和强弱产生影响。它能以一种与生理性动机或社会性动机相同的方式激发和引导行为。当教师在课堂教学中能给学生带来愉悦、满足和自信等积极的情绪体验时，这种积极的情绪状态便会驱使他们把注意力投入到学习活动之中，从而提高学习效率。相反，如果教师在课堂教学中给予学生的是负面的情绪情感，则很容易使学生感到课堂气氛凝重和情绪紧张、压抑，对学习内容失去热情和信心，学习的驱动力和积极性也会随之下降，结果造成教师讲得越多，学生越反感。一个带着积极情绪情感学习课程的学生，应该比那些缺乏热情、乐趣或兴趣的学生，或者比那些对学习材料感到焦虑和恐惧的学生，学习得更加轻松更加迅速。由此可见，情绪情感是学生学习动机的一个重要指标。这就要求教师关注学生的情绪情感，并注重以积极的情绪情感激发学生的学习动机。

2. 积极的情绪情感有利于促进学生的认知发展

认知是人认识外界事物的过程，或者说是对作用于人的感觉器官的外界事物进行信息加工的过程。它包括感觉、知觉、记忆、思维、想象等智力因素。而积极情绪情感则

是引发以上智力活动的内驱力。一方面,积极的情绪情感能拓展个体的注意范围和认知空间,驱使个体更广泛、更有效地摄取和分析信息,不断习得有利于自身目标实现的知识和经验,为科学认知的构建创造前提条件。另一方面,积极的情绪情感能够引发学生的积极思维。研究者发现,体验着积极情绪的人往往会显示出敏捷的、灵活的、创造性的和对信息持开放态度的思考模式。教学实践也证明,如果教师善于激发学生的积极情绪体验,学生的理解分析能力、创新思维能力、课堂参与程度等都会有显著提高。此外,积极的情绪情感还有助于学生正确、客观、理智地评价所接受的思想政治理论内容,并积极地调节已有认知结构,顺利地完成对新信息、新观念的整合①。

3. 积极的情绪情感有利于培养学生的情感态度

态度是个体对特定的人、观念或事物的稳定的心理倾向。它由认知、情感和意向三个相互影响、协调一致的成分所组成,而当这三个要素不协调时,情感成分往往占有主导地位,决定态度的基本取向与有为倾向。因此,从某种意义说,态度是个人较为稳定的情感倾向,而情感、态度又是一定价值观的体现。思想政治理论课作为一组具有较强政治性和思想性的课程,其根本任务和目的就是要培养学生健康向上的思想情感,确立正确的世界观、人生观、价值观。这既是课程本身的文本目标,也是教学的生成性目标。它要求教师不仅吃透教材内容,以真理的力量说服人,还要发挥情感因素的增力功能,以饱满的工作热情、积极的情绪状态,以及对所授课程理论的确信态度和真情实感,激起学生情感的共鸣。如果教师照本宣科、情感冷漠,甚至对马克思主义理论持怀疑态度,那就不可能真正打动学生。

此外,积极的情绪情感还有利于构建和谐的师生关系,从而进一步强化教师教学的积极行为,并由此形成教与学的良性互动与相互促进。

(二)思想政治理论课教师的情感表达

苏联著名教育家苏霍姆林斯基认为:"只有在情感活动中,学生的道德认识才能深深地根植在他的精神世界里,成为他自己的观点,并在他自己的举止言行、待人接物等方面表现出来,从而形成坚定的道德信念和高尚的道德行为。"②在思想政治理论课教育教学中,教师积极的情绪情感对于学生在认知、情感、态度、价值等方面的正向作用已无可置疑,而教师如何适宜地表达情感并有效地感染和唤起学生的情感,便成为问题的关键所在。所谓情感表达,就是在教育教学过程中,教师借助一定的载体和策略,通过面部表情、语言声调和身体姿态等方式,向学生表达自己的情感特征与情绪变化,以增强教育教学的吸引力、感染力和说服力。"感人心者,莫先乎情"。根据思想政治理论课的性质、任务及大学生的思想特点和接受习惯,教师在课堂教学中的情感表达及感染学生的方法与艺术,可归纳为以下四种:

---

① 程婧,段鑫星:《论积极情绪情感在思想政治理论课教学中的功能及其实现》,《思想理论教育导刊》2017 年第 1 期。

② 苏霍姆林斯基:《给教师的一百条建议》,教育科学出版社,1984,第 163 页。

1. 以理动情

思想政治理论课具有强烈的意识形态属性。虽然它强调"以理服人"，但绝非是干巴巴的"填鸭式"灌输，而是理性与感性、理论启迪与情感激励的统一。情感的功能虽然不能代替说理的作用，但却是说理的"催化剂"和"调节器"，"动之以情"是为了"晓之以理"。情是理的基础，理是情的升华。"以理生情"即是教师针对不同的教学内容，将情感因素融入所讲授的基本原理之中，通过声情并茂、夹叙夹议、旁征博引、史论结合等，激起学生情感的涟漪，使其获得释疑解惑的愉悦感和信服感，最终达到"情由理生、情理交融、寓理于情、以情达理"的教学效果。

2. 以境触情

情感的表达和激发具有情境性。"以境触情"就是教师紧扣教学内容和借助一定的媒介，通过创设富有情感因素的环境气氛和教育情境，来表达自己的情感，并以此触发和激起学生情感的波澜，从而引导学生对相关问题展开深入思考，达成积极的情感共鸣和理论认同。这种情感表达和触发方式要求思想政治理论课教师既注重情境内容的思想性和导向性，还要突出其感染力和吸引力，以更好地配合情境的铺设和情感的表达，进而产生良好的教育教学效果。情境创设的方式是多种多样的，如以语言描绘情境、以图像再现情境、以音乐渲染情境、以实物演示情境、以表演体会情境等。

3. 以疑生情

古人云："学起于思，思源于疑。"思想政治理论课教育教学只有精准击中学生的思想困惑和成长诉求，才能真正做到有的放矢、针对性强，也才能进一步增强理论的吸引力和说服力。"以疑生情"就是以学生普遍关注的热点、难点、疑点问题，设置疑情和引起悬念，并通过启发性、参与式、互动式的教学设计，激发学生的学习兴趣和探究欲望，引导学生在积极的情感体验中展开思考和讨论，寻求解决问题的答案。实施这一方式，要求教师必须了解学生的情感特点、关注他们的成才要求。正如苏联教育家赞可夫所言："教学法一旦触及学生的情绪和意志领域，触及学生的精神需要，这种教学法就能发挥高度有效的作用。"

4. 以行移情

在思想政治理论课教育教学过程中，教师的一言一行、一举一动，都会表现出自己内心的情感和内在的品格，而这种情感和品格又会对学生的情绪情感和品格养成产生潜移默化的影响。比如，教师对待工作的敬业精神、饱含情感的课堂讲授，以及他们身上所展示出的道路自信、理论自信、制度自信、文化自信，会向学生散发出一种人格的魅力而使他们的情感受到感染和熏陶；教师对学生发自内心的关心、体贴和理解、尊重，会使学生感到亲近和愉快。古人云："桃李不言，下自成蹊。"而"以行移情"正是发挥这种"学高为师，身正为范"的榜样力量。这种情感一旦被学生理解，必然会"移植"到课堂教学活动之中，进而使学生"亲其师"而"信其道"。

总之，思想政治理论课教学既是传授知识、理论的认知过程，又是开启学生心灵的情感过程。教师只有把爱与责任扛在肩上,贴近教学内容需要和学生学习特点,适时、适度地表达真情实感,真正做到把热情留给育人、把真情留给学生、把激情留给课堂,才能拉近师生双方的心理距离和情感的互动,使学生在亲和、互信的氛围中"诚学之、笃信之",最终收到寓教于"情"、以"情"动人的最佳效果。

(三)思想政治理论课教师的情绪调控

教学实践证明,教师作为课堂教学活动的主导,其自身表现出的情绪以及由这些情绪所营造的课堂氛围,直接影响着整个教学过程和学生的学习状况,最终影响课堂教学的效率与效果。而这种影响是正面还是负面,取决于教师的情绪状态是否积极。苏霍姆林斯基曾经说过:"情绪的力量往往构成了教学过程中最微妙、最有意义的因素。"心理学研究表明,愉快、适度、平稳的情绪能使人的中枢神经活动处于最佳状态,保证体内各系统协调一致,充分发挥机体的潜能。在积极的情绪状态下,教师的面部表情自然、丰富,常伴以微笑,并且精神振作、思路开阔、思维敏捷,其教学能力和艺术得到有效施展。同时,教师这种积极的情绪还会感染学生,使其学习兴趣和参与意识得到唤醒和激发,从而促进对知识、理论的接受与认同。因此,善于调控自己的教学情绪使之保持积极的状态,是教师开展教学活动必备的能力素质之一,也是教师展示良好的教学形象、建立和谐的师生关系的重要因素。

1.教师在课前的情绪积极、饱满,为课堂教学的展开奠定基调

人们无论从事何种活动,都必须有一个适合的情绪激活水平为背景。加拿大心理学家赫布研究了情绪与工作效率之间的关系,提出了"赫布曲线"——当情绪激活水平很低时,工作效率极低;当觉醒程度逐渐提高时,工作效率随之逐渐提高;当情绪激活到最佳水平时,工作效率达到最高;当情绪激活水平继续提高,情绪开始起干扰作用,工作效率开始下降;当情绪过度紧张时,工作效率降到极低水平。这一规律启示我们,教师在课前自觉、主动地调控情绪,使自己以较好的状态投入课堂教学,有助于提高教学效能、改善教学质量。一方面,教师在课前要"有备而来",即充分把握教学目标、教学内容和学情状况,精心设计教学流程和教学方法,成竹在胸、信心十足方能情绪饱满、讲解自如;另一方面,教师在课前要"轻装上阵",即事先排除或避开干扰自己情绪的不利因素、排解或减少已经出现的负面情绪,努力优化心境,切忌带着沉重的心理负担和低落的情绪走进课堂。

2.教师在课堂中的情绪理智、平稳,为教学过程的顺畅提供保障

思想政治理论课教育教学的对象是风华正茂、思维活跃、求知欲强、情感丰富的大学生,同时,他们又面临着世界范围思想文化交流交融交锋更加频繁、国内社会观念意识日益多元多样多变的客观环境。因此,在课堂教学过程中,难免会突发一些偶然"事件"而波及教师的局面。比如,教师对某一内容的讲解出现口误;课堂"抬头率"不高或学生对某一观点提出质疑、反驳;教学辅助设备发生故障;等等。在这些情况下,优秀的教师能够冷静、理智地调节和控制自己的情绪,努力保持情绪的稳定和正常的教学进

程;而不成熟的教师则往往会由此引发紧张、焦虑、急躁、愤怒、苦闷等不良情绪,进而影响教学进程和师生关系,甚至对思想政治理论课教学丧失热情与信心。正确的态度应当是,豁达与自制。具体而言,对于自身讲解的失误或设备故障,可以幽默、自嘲方式加以纠正,这不仅有利于化解尴尬的局面,也显示出教师的机智与应变。对于学生的质疑和反驳,教师应保持克制、区分对待。苏联教育家赞可夫说过:"老师也是人,但同时他又是教师,而教师这门职业要求一个人的东西很多,其中一条就是要求克制。在你叫喊以前,先忍耐几秒钟,想一下,你是教师,这样会帮助你压抑一下当时就要发作的脾气,转而心平气和地跟你的学生谈话。"如果学生对某一问题有不同的理解与思考,教师应以平等、平和的态度与之探讨,并可引导学生进行课堂互动讨论,以利于深化认知或澄清问题;如果学生的质疑和反驳属于立场性、原则性错误,则教师应理直气壮地指出;同时,对于学生存在的学风问题,教师应本着教书育人的精神给予批评,而不能消极迁就。

3. 教师在课后的情绪愉快、健康,为教学改革的深化夯实基础

思想政治理论课虽然主要是在课前、课中来面对学生开展教学活动,但大量的教学准备工作和教学改革设想,如资源建设、教案设计、课件制作、方法创新、教学研究等,都是在课后来完成的。因此,教师在课后的情绪是否积极,同样会影响到教育教学的质量和效果。这是思想政治理论课教育教学改革得以深化的基础所在。为维护教师的情绪健康,保持愉悦的心态,结合教师的职业特点,提出以下自我管理和调控情绪的思路和方法:一是,坚持以人为本,树立正确的学生观;二是,加强沟通与交流,构建和谐的人际关系;三是,提高自身修养,做到严以律己,宽以待人;四是,当情绪不佳时,有意识地把注意力从消极方面转移到积极的、有意义的方面上来,或者转移到新的环境或活动中,如旅游、读书、散步、听音乐等;五是,学会对不良情绪以适当的方式和途径予以排遣和宣泄,如找人倾诉、放声歌唱等;六是,进行正确归因,及时排除造成不良情绪的因素;七是,善于自我暗示和自我鼓励,尤其是当情绪激动、愤怒或紧张,焦虑时,以心里默诵或轻声警告来抑制和调控自己的情绪,如"冷静些,发怒会使事情更糟""我备课很充分,我一定行"等;八是,培养幽默感,用寓意深长的语言、表情、动作或用自嘲的方式机智、巧妙地表达自己的情绪;九是,遇到问题或烦恼时,不妨换位思考或辩证地看待;十是,客观认识和评价自己,正确处理个人得失。

第五章　新时代高校思想政治理论课的教学调控

　　课堂教学活动是师生双方沟通与交流、互动与反馈的过程。要使这一过程顺畅有序、张弛有致、活跃有趣，从而达成最佳的教学状态和教学效果，要求思想政治理论课教师不仅具备良好的思想政治素质和扎实的马克思主义理论功底，还应具备有效组织和驾驭课堂教学活动的能力，善于根据教学内容要求和学生的学习状态，适时、适度地对教学过程进行引导、约束和调控。这既是教师胜任教学工作的一项基本素质，也是其教学智慧、教学艺术和教学风采的具体展现。除了通过教学方法、教学媒体以及教师自身的情感、仪态等实施课堂调控外，教学语言的优美表达、教学节奏的和谐韵律和教学氛围的用心营造，也是调控课堂教学活动的重要因素。

第一节　新时代高校思想政治理论课教学语言的优美表达

　　教学语言是教师教学的基本功和必要素养。思想政治理论课教师要承担起向大学生传播马克思主义理论、进行社会主义核心价值观教育，完成好"传道、授业、解惑、释疑"的使命和任务，无论课堂教学采用何种形式和方法，都必须借助教学语言这个有力的工具、手段。因此，对课堂教学活动的有效调控，在一定程度上取决于教师组织和表达教学语言艺术能力。

一、教学语言艺术的特点

　　语言是构成思维的物质外壳，是人们在社会生活中按照一定的规则表达思想、交流感情、沟通信息的工具，是人类最重要的交际手段。在这里，所谓教学语言，就是教师根据教育教学目的和任务要求，通过一定的方式方法，在课堂有限的时间内，为向学生传递知识、启发思维、培养能力所使用的口头语言。教学语言是一种专门行业的工作语言。而教学语言艺术则是指教师创造性、艺术性地运用这种工作语言进行教育教学的实践活动。它是教师教学艺术中一个基本的和最重要的组成部分。

　　关于教学语言艺术的特点，研究者们发表了许多见解，但尚未取得一致的结论。综合专家学者的意见,结合思想政治理论课的性质、任务及教学要求,可将教学语言艺术的特点概括为:科学性与时代性;政治性与思想性;主导性与针对性;启发性与灵活性;通俗性与生动性。

（一）科学性与时代性

教学语言的科学性,体现为教学语言的准确性、规范性、精炼性和逻辑性、系统性。一方面,思想政治理论课教学语言要符合党和国家关于马克思主义及其中国化理论成果的传播要求,符合思想政治理论课教材的话语体系和表述方式。在概念的解读、原理的阐释上要用词规范、严谨、简洁清楚,表意准确、鲜明而不含糊其辞、模棱两可。另一方面,思想政治理论课教学语言要符合科学原理或客观事实。在问题的揭示、观点的论证上要重点突出、有理有据、层次清晰、结构合理,而不能东拉西扯,主题不明。

高校思想政治理论课的改革与建设始终与我国经济社会的发展和国际形势的变化紧密相连,并始终围绕党和国家在不同时期中心工作及高等教育的根本目标而展开,其课程设置和内容体系反映着不同时期的社会要求和理论创新,具有鲜明的时代特色。教学语言作为传播思想政治理论课教育教学信息的载体和工具,自然不能僵化、教条和墨守成规,而必须因时而变、与时俱进,这样才能使教学语言更加鲜活、生动,更加贴近实际、贴近学生,也才能进一步增强教育教学的时代感和针对性。

（二）政治性与思想性

高校思想政治理论课承担着对大学生进行系统的马克思主义理论教育的任务,是对大学生进行思想政治教育的主渠道。办好思想政治理论课,事关意识形态工作大局,事关中国特色社会主义事业后继有人,事关实现中华民族伟大复兴的中国梦①。这是思想政治理论课鲜明政治性的体现,也是其灵魂所在。由此也决定了其教学语言及其所表达的内容的政治性,即在事关政治原则、政治立场和政治方向上与党中央保持一致,自觉维护和积极宣传党的路线、方针、政策。如果丢失了政治性,思想政治理论课也就失去了存在的价值。

教学语言的思想性,体现为教学语言的导向性和教育性。思想政治理论课教育教学的根本目的,归根结底在于思想引导和价值引领,因而其教学语言更应突出职业性或角色性要求,即教师在教学语言的组织和表达上应成为精神文明的表率,在具体内容、观点的阐述上要传播正能量,做到文雅、纯洁、富有哲理,有分寸感和民主性、示范性,以理服人而不强词夺理、尊重学生而不恶语伤人。

（三）主导性与针对性

中央宣传部、教育部印发的《普通高校思想政治理论课建设体系创新计划》指出:思想政治理论课是巩固马克思主义在高校意识形态领域指导地位,坚持社会主义办学方

---

① 中央宣传部 中华人民共和国教育部:《中央宣传部 教育部关于印发〈普通高校思想政治理论课建设体系创新计划〉的通知》(教社科〔2015〕2号文件),2015年7月30日。

向的重要阵地,是全面贯彻落实党的教育方针,培养中国特色社会主义事业的合格建设者和可靠接班人,落实立德树人根本任务的主干渠道,是进行社会主义核心价值观教育、帮助大学生树立正确世界观人生观价值观的核心课程①。这一性质和功能定位,决定了思想政治理论课教师在教育教学中的主导作用。而教学语言主导性的强弱,是教师主导作用发挥好坏的一个重要标志。一个优秀的思想政治理论课教师,其教学语言总是积极的、能动的,不仅善于激发学生的学习兴趣、沟通师生之间的情感,而且能够主导教学进程的节奏,引导学生的思维方向,拨动学生的心弦,引发学生的共鸣。同时,要求教学语言的主导性绝不是照本宣科或自言自语,而是在深入理解教材内容和了解学生思想实际的基础上,把教材体系转化为课堂教学体系、把学科语言转化为学生熟悉的语言,这样才能使教育教学有的放矢,学生听得清楚、明白。

(四)启发性与灵活性

教学语言的启发性,在于"用语言把人们的心灵点亮"。思想政治理论课教育教学不仅要向学生传授科学的理论知识,更重要的在于启发学生的情感和思维,学会运用所学的基本原理去分析和解决实际问题。美国哲学家、教育家杜威曾说:"学习就是要学会思维"②。这就要求教学语言必须具有一定的张力和延展性,能够给学生留下想象的空间,激发他们的问题意识,引发多维思考和探究欲望让学生能由"此"及"彼"、由"表"及"里"、由"因"到"果"、由"个别"到"一般",收到"一石激起千层浪"的效果。

与此同时,思想政治理论课教学语言的组织和表达,还要受到教学内容和教学对象的制约和影响。一方面,不同的课程有各自的教学体系和要求,同一课程亦有不同的章节内容和特点,如有的课程理论性较强,有的课程史料比较丰富;有的内容应条分缕析地阐释,有的内容则富有感染地讲述;等等。这就决定了教学语言的组织和表达不能千篇一律、千课同调。另一方面,不同年级的学生有不同的年龄特征,不同学科的学生也各有其思维差异,因而教学语言的组织和表达就要因教学对象的不同而灵活改变,不能千人一面、死板教条。

(五)通俗性与生动性

教学语言作为教与学的主要媒介和桥梁,只有深入浅出,学生才能明白教师所要表达的内容。满口晦涩的概念术语、故作高深,只能疏远师生双方的心理距离,而难以引起学生的情感共鸣。为此,思想政治理论课教师要注重提高自身的语言修养,善于将教材书面语言转化为通俗的口头语言,并借助情感、语音、语调、停顿等一系列手段,增强教学语言的表现力和亲和力。当然,强调教学语言的通俗易懂并不等于用生活中的口语进行教学,更不是过多地使用方言土语。

---

① 中央宣传部　中华人民共和国教育部:《中央宣传部　教育部关于印发〈普通高校思想政治理论课建设体系创新计划〉》(教社科〔2015〕2号文件),2015年7月30日。

② 杜威:《我们怎样思维·经验与教育》,文闵译,人民教育出版社,2005,第71页。

教学语言的生动性，主要体现在两个方面：一是语言表达方式的多样化。在教学过程中，除了直截了当地表述、论证外，教师要善于运用比喻、典故、案例、警句等多种方式，帮助学生理解相关知识、原理。干瘪、枯燥的词汇和一味空洞的说教，难以讲出色彩、讲出生动。二是语言表现风格的趣味性。古人云："教人未见意趣，必不乐学。"教学语言活泼、幽默，旁征博引、妙语连珠，富于理趣、情趣，其生动性和感染力就强，就像磁石一样吸引学生的注意力。但是，决不可为生动而生动、为趣味而趣味，甚至追求噱头，做热热闹闹的"表面文章"，而是要将趣味性、科学性和教育性结合起来。

二、教学语言艺术的功能

教师的教学语言是否具有亲和力、吸引力、感染力和说服力，不仅直接影响着教育教学的实际效果，也关系到教师的教学风格和教学成长。尤其是对于青年教师来说，充分认识和理解教学语言艺术的功能和作用，是成为一名优秀的思想政治理论课教师的重要一环。

（一）教学语言艺术有效传播教学内容

思想政治理论课教学语言的根本任务之一，即是传播教学内容信息，引导和帮助学生系统理解和掌握马克思主义的基本原理。而如何有效地进行传播，则需要在教学语言艺术方面下功夫。教学语言艺术的运用不仅要在所传播的教学内容上进行整合与重组，还要根据教学内容特点和学生的接受习惯，选择与之相适应的语言表达方式，使形式与内容获得统一，并注重以语言的准确性、规范性和逻辑性来体现理论的科学性和说服力，以声情并茂、深入浅出、生动活泼来增强教学的吸引力和感染力，以语音的高低起伏、抑扬顿挫、舒缓急促来唤起学生的注意、激发学生的学习兴趣。很难想象，一个语言平淡乏味、说话逻辑混乱的教师，能够很好地向学生传递知识内容和思想观点。总之，教学语言艺术运用的每一种形式和策略，都是为有效地传播教学内容而采用的。它努力营造浓厚的课堂气氛，排除教学过程中的干扰，保证了教学内容传播的畅通无阻。

（二）教学语言艺术启发学生思维活动

思想政治理论课教育教学并不仅仅是将教材体系转化为教学体系、教材语言转化为教学语言，进而准确、鲜明地传播正确的理论观点和科学的知识、原理，其根本目的在于引导学生将知识体系内化为自身的价值体系、信仰体系和能力素质体系。因此，思想政治理论课在组织好教学内容、设计好教学进程的基础上，应充分发挥教学语言艺术的启发、引导功能。一方面，贴近学生思想困惑和成长诉求，通过理论讲授、思维"助产"、师生互动、对话讨论等教学语言的多种表达方式，使课程教学由书本的课堂变为生活的课堂，变教师的课堂为学生的课堂，变单向灌输为双向交流，变注入式教学为启发式教学。另一方面，贴近社会现实和日常生活，借助教学语言艺术和情感融入，设置问题情境和案例分析，引导学生善于发现问题和解决问题，培养他们的思维能力和分析、判断能力。由此可见,教学语言艺术不仅是教师传播知识的媒介,也是启迪智慧、塑造心灵的基本手段。正如教育家苏霍姆林斯基所说,教师的语言是一种什么也代替不了的影响学生心灵的工具。"教师的语言修养在极大的程度上决定着学生在课堂上的脑力劳动的效率"①。

(三)教学语言艺术沟通师生双方情感

师生间良好的情感沟通对增强学生的学习兴趣、提高教育教学效果有着积极的影响。心理学研究证明,人的任何心智活动,不能截然分割为理智和情感两个领域。唐代大诗人白居易在《与元九书》一文中说:"感人心者,莫先乎情,莫始乎言,莫切乎声,莫深乎义。"思想政治理论课教育教学亦是如此。凡精彩一课必然是充溢着教师的真情实感和哲理启思,也必定引起了学生情感和思想的共鸣。而承载和促进这种共鸣与互动的重要媒介,必定是意高旨远、情理相济、妙趣横生、文采斐然的教学语言。教学语言艺术就是要秉持其严谨规范、通俗简洁、情真理达、语调亲切、生动风趣等特质,营造一个师生情感互融、心理相通的课堂教学氛围,从而使知识、理论的传播转变为教学相长、快乐共享的时光。没有教学语言艺术来拨动学生的心弦,思想政治理论课教学便成为枯燥无趣的"板着面孔"说教了。

(四)教学语言艺术促进教师教学成长

随着网络与信息技术的迅猛发展,无论教学媒体多么丰富、教学手段多么先进,教学语言艺术的地位和作用是难以被完全取代的。因为课堂始终是一种弥散着语言的环境,教学语言仍是构成师生教学活动的重要因素。教学语言艺术已成为综合反映教师的全部教学素养和判断教师教学水平高低的重要指标。然而,在思想政治理论课教育教学过程中,一些教师忽视教学语言艺术或者对其运用不当,存在着内容干瘪、思路不清、逻辑混乱、平铺直叙、语调平淡、缺少启发,以及节奏单一、方言浓重、激情不足等问题,教师讲得很辛苦,学生听得很痛苦。这不仅直接制约着课堂教学效果的提升,也打击了教师特别是一些青年教师的教学自信,影响着他们的教学成长甚至职业生涯发展。为此,研究和把握教学语言艺术不仅是推进教学改革、实现教学目标的要求,也是教师专业发展的必修课。

三、教学语言艺术的运用

教学是一门语言艺术。英国哲学家、教育学家罗素曾说过:"一切学科本质应该从心智启迪开始,教学语言应当是引火线、冲击波、兴奋剂、催化剂,要有撩人心智、激人思维的功效"。也就是说,教学语言不仅应做到清晰、准确地传递学科知识、促使师生在情感上产生共鸣,而且应激发学生思维,促使学生深度思考。这是教育的最终目的,也是

---

① 苏霍姆林斯基:《给教师的建议》(下),杜殿坤编译,教育科学出版社,1981,第289页。

教学语言艺术要达到的最高境界。思想政治理论课教学语言艺术的运用,就是要实现教学语言的优美表达,包括结构美、逻辑美、感召美、风格美、节奏美、音质美等。

(一)教学语言的结构美

教学语言的结构美,在于"言之有序"。任何事物都存有结构。思想政治理论课教育教学也不例外。可以形象地说,它犹如教师站在三尺讲台,在有限的时空里上演的一幕理论"话剧"。要使这幕"话剧"有声有色、引人入胜,并带给学生满满的获得感和愉悦感,需要教师在深入钻研和准确把握"剧本"(教材)内容、要求的基础上,整体设计人物台词、道具使用、矛盾冲突,以及情节的起承转合等"剧情"结构。而这些都是通过语言来串联贯通和有序衔接的。具体来说,就是精心组织教学语言和教学媒体来解读知识、原理,讲好"中国故事";合理设置教学导入、问题情境、案例分析、讨论互动等一系列环节来启发学生思考、突破重点难点;适时掌握节奏的疏密、语调的顿挫、音量的大小来调控课堂氛围、保持师生共振;等等。因此,教学语言结构关乎课堂教学成败。只有结构严谨、布局合理、前后连贯、井然有序,教学进程才会自然、顺畅、推导有致、层层展开、环环相扣,而学生也才会听得兴致勃勃、津津有味、直呼"过瘾"。

(二)教学语言的逻辑美

教学语言的逻辑美,在于"言之有理"。思想政治理论课教学语言艺术的运用,其目的是有效传播真理、启发学生思维。它要求教师不仅系统地掌握马克思主义的科学原理,夯实自身理论功底,还要善于将马克思主义的科学原理向学生讲清楚、说明白,并引导学生运用马克思主义的科学原理分析和解决实际问题。前者是"言之有理"的前提,否则,以其昏昏难以使人昭昭;后者则是"言之有理"的结果。而要实现这个结果,教学语言的组织表达就必须富有逻辑性。德国哲学家黑格尔曾经说过:"任何学科都是应用逻辑"。为此,在实际教学过程中,教师要注意将学术语言、教材语言准确地转化为学生容易接受的口头语言、教学语言,遵循知识、原理的内在逻辑,确切地表述概念、科学地进行判断、严密地论证论点,做到思路清晰、层序分明、前后连贯,句句扣题、步步深入、井井有条,不语无伦次、不猛然跳跃,这样才能字字珠玑,循循善诱,持之有故,言之成理。如果教学语言颠三倒四、逻辑混乱、词不达意,就如同"茶壶里煮饺子——有货倒不出",科学理论的穿透力和说服力就难以有效体现和发挥。

(三)教学语言的感召美

教学语言的感召美,在于"言之有情"。在思想政治理论课教育教学中,教学语言的感召美可具体表现在两个方面:一是教师对教学语言的艺术表达而产生的情感共鸣。它要求教师把情感融汇到对教材思想内容的深刻理解和认识之中,使教学信息穿上情感的外衣,即用情感去"标示"它,通过教学语言的精练隽永、生动活泼、抑扬顿挫、坦诚真挚,使之形成与教学内容相吻合的一条情感曲线,从而达到动人心弦、撩人情怀、启人心智的教学效果。二是教师对科学理论体系的坚定信念而产生的心灵震撼。这是指教师通过教学语言的艺术表达而表现出对马克思主义及其中国化理论成果的真学、真懂、真信、真用和坚持中国特色社会主义道路自信、理论自信、制度自信、文化自信。这种情感上的强烈认同和坚定态度,既是教师自身的人格魅力,也是其教学语言艺术的情感力量,这无疑会对学生的心灵、行为起到积极的触动和感召作用。

(四)教学语言的风格美

教学语言的风格美,在于"言之有趣"。教学语言风格是教师的教学语言特色。它的形成是一个教师在教学艺术上趋于成熟的重要标志。古人云:"启其蒙而引其趣"。思想政治理论课教学语言可有多种风格,但无论何种风格,均应"言之有趣",并能够激发学生的学习兴趣,有利于增强教育教学的实际效果。这里的"有趣",除了保证教学语言观点正确、逻辑严密、措辞精当、含义准确外,还应注意把握以下三点:一是,简练、明白。所谓简练,就是教学语言简洁清楚、干净利落、抓住要害、突出重点,不拖沓冗长、不啰唆重复;所谓明白,就是教学语言通俗易懂、深入浅出、主次分明、有的放矢,不故作玄虚、不含糊其辞。二是,生动、形象。即教师要努力发掘教学内容中的情感因素和现实生活中的典型案例,善于把深奥的事理形象化、把抽象的事物具体化,寓理于情,寓教于例。三是,幽默、睿智。幽默是智慧的闪现,也是语言的最高境界。教学语言机智灵活、庄谐并举、富有启发,才能把枯燥的概念、原理变得饶有趣味,达到"化平淡为神奇"的教学效果。

(五)教学语言的音质美

教学语言的音质美,在于"言之有色"。声音是思想和意义的代表,教学语言是通过声音而表现出来的。教师只有将"内部言语"转化为"外部语言"才能被学生所感知和接受。而教学语言的音质如何,不仅直接关系到教学信息的清晰和准确传达,也影响着声音的悦耳动听和学生的学习兴趣。因此,教学语言艺术的运用还要注重在"有声有色"上下功夫。一般来说,音质包含音量、音调和音色三方面的内容。首先,在思想政治理论课教育教学中,教师的教学语言要使用标准的普通话,做到发音准确、吐字清晰,符合语法规则,不用方言土语、不带地方乡音,这是构成音质美的首要条件。其次,根据学生的多少、教室的大小调控语言的音量,同时语速快慢适度。如果音量过高、语速过快,容易使学生听觉紧张、疲劳,而音量偏低、语速过慢,则会使学生听起来费力和焦虑。最后,声音的变化要善于随教学内容和学生的状态而变化,使教学语言抑扬顿挫、有张有弛、错落有致,富有节奏感和流畅性,从而增强教学的生动性和感染力。而平铺直叙、语调单一,往往使人感到呆板、乏味,昏昏欲睡。

第二节　新时代高校思想政治理论课
教学节奏的张弛有致

"节奏"一词源自音乐术语,原指音乐中交替出现的有规律的强弱、长短的现象。《礼记·乐记》中说:"节奏,谓或作或止。作则奏之,止则节之。"而今"节奏"一词被广泛运用于诸多领域之中,喻指事物均匀的有规律的进程。辩证唯物主义基本原理告诉我们,世界上的万事万物都有一定的存在形式,并按一定的节奏变化发展着。思想政治理论课教育教学也不例外。一名优秀的思想政治理论课教师,总是自觉地调节教学节奏,使整个课堂教学活动张弛有致,富有艺术魅力,从而引导学生达到最佳的思维状态。

一、教学节奏的表现形态

教学节奏是教学过程中最基本的运动形式。它反映了课堂教学进程的快慢、缓急、强弱、张弛等,是在教师的主导下,由教学双方共同配合而有规律、有秩序进行的课堂活动。实践证明,合理地调控课堂教学节奏,对于营造良好的课堂教学氛围,牵动学生的学习兴趣,促进学生积极思维,进而实现教学过程和教学效果的优化,具有不可低估的作用。教学节奏按其表现形态,可分为外显节奏和内蕴节奏两大类。

(一)外显节奏

外显节奏即教学节奏的外在表现形态,主要是指教学过程中的语言节奏和情感节奏。

1. 语言节奏

语言节奏包括有声语言节奏和无声语言节奏。有声语言节奏是指教师用口头语言所显示出来的有秩序、有节拍的变化和运动,具体表现为语音的高低强弱、语调的抑扬顿挫、语速的轻重缓急、语句的断连疏密、语流的循环往复等。戏剧念白的"十六字诀"是教师课堂教学语言节奏的一个很好借鉴,即"快而不乱、慢而不断、高而不喧、低而不闪"。但凡有经验的思想政治理论课教师,都善于根据不同的教学内容,合理地调节自己的口头语言节奏,以实现内容与情感的有机统一。例如,宣扬爱国主义,则慷慨激昂、声音洪亮;讲述悲惨历史,则语速平缓、语调低沉;对一些结论性的话语,音量要大一些,以引起学生的重视;列举实例时,音调则可柔和一些,以求生动[1]。无声语言节奏主要包括书面语言节奏和体态语言节奏。课堂教学中的书面语言主要是板书。作为一种视觉语言符号,板书节奏讲究层次分明、重点突出、有序呈现,以给学生一种和谐的审美感受,同时注意与口头语言节奏的整体和谐。体态语言如微笑、手势、身姿、服饰等。古人

---

[1]　贾伟伟:《思想政治课教学节奏及其调谐探讨》,《宿州学院学报》2005年第4期。

云：“诚于中，形于外。”许多优秀的思想政治理论课教师正是通过恰当的各种体态语言的辅助，来有效地表情达意、传递信息、促进师生互动、增强教学效果的。

2. 情感节奏

情感节奏是指教师根据不同的课程及其教学内容，在情感表达上所展示出来的欢快或沉重、崇敬或憎恨、舒缓或急迫、庄重或诙谐、高昂或低沉等有规则、有秩序的变化。教师喜怒哀乐的情感变化，会使学生的情感受到感染，从而引起心理上的共鸣。

（二）内蕴节奏

内蕴节奏即教学节奏的内部表现形态，主要包括教学的内容节奏、行程节奏、思维节奏等。

1. 内容节奏

课堂教学内容是教师讲授的主旨。思想政治理论课教学内容节奏的调控，应力求做到：其一，突出重点、详略得当，切忌面面俱到、主次不明。对重点内容，要浓墨重彩、重锤敲打；对次要内容，则应轻描淡写、和风吹拂。其二，抓住难点、深入浅出，切忌难易不分、无的放矢。教师要根据教学内容、教学对象的实际情况，准确把握教学难点，做到深浅相宜、张弛有度。对于难以理解的部分，要注重启发、化难为易，以增强学生的学习信心；对于浅显的内容，则应简略带过或让学生自学，以免学生感觉淡而无味、丧失兴趣。其三，寻找焦点、虚实相间，切忌平铺直叙、单一呆板。思想政治理论课教学要善于捕捉学生普遍关注的重大理论或现实生活中的热点、焦点问题，坚持理论与实际相结合，既有理论讲授，又有案例讨论。教学过程只有虚实结合、曲折起伏、跌宕多姿，才能激发学生的学习兴趣和热情。

2. 行程节奏

行程节奏是指教学速度的快慢行止。节奏过快，会使学生紧张疲劳、“消化不良”；节奏过慢，会使学生思维松散、“缺乏营养”。

3. 思维节奏

思维节奏是指师生思维的疏密、张弛、明隐等有节奏的变化。构成节奏的疏和密，将影响到学生的思维状态。密而不疏，学生思维长时间处于亢奋状态，容易疲劳；疏而不密，学生思维过于松弛，注意力难以集中。只有疏密相间，才能使学生思维产生有节奏的变化[①]。

二、教学节奏的调控原则

音乐因为有节奏而动听，舞蹈因为有韵律而优美。同样，课堂教学活动因为有节奏而和谐有序。要实现对课堂教学活动的合理调控，必须遵循一定的原则。除了前面已述及的教学语言抑扬顿挫、教学环节整体和谐外，还应把握教学速度快慢相宜、教学形

---

① 胡兴松：《节奏调谐艺术》，《中学政治教学参考》1997 年第 2 期。

式动静相生、教学信息疏密相间、教学过程起伏有致、教学情感浓淡有度、教学内容难易有阶等。

(一)快慢相宜

这里的"快"和"慢"是就教学进程的速度而言的。教学速度过快、过慢的两种极端倾向,或者一堂课前松后紧、头重脚轻或前紧后松、虎头蛇尾的现象,都是不和谐的教学节奏。而根据课程教学目的和教学大纲要求及教学信息的难易程度和学生的认知水平状况,合理分配各教学环节消耗的时间,当快则快,宜慢且慢,在快与慢的节奏变化中才能使教学进程如行云流水、顺畅自然。在具体教学过程中,要使教学节奏真正做到快慢相宜,应充分注意以下几点:一是,教学速度的调控要目标明确,突出重点、突破难点,按照"主多次少""难多易少"的原则分配教学时间,切忌巨细无遗、平均用力;二是,了解学生的认知特点和接受习惯,根据教学内容的变化和课堂各种信息反馈,因势利导,适时变换快、慢节奏;三是,无论使用快节奏还是慢节奏,既要保证学生的思维跟上讲课的进度,又要给学生的学习活动造成适度的紧张,以使他们的思维活动保持兴奋和积极的探究状态。

(二)动静相生

这里的"动"和"静"是就教学活动的形式而言的。前者是指课堂教学活动的一种活跃状态,如引导学生积极参与、踊跃发言和热烈讨论、分组辩论等;后者则是指课堂教学活动的一种相对安静状态,如学生聚精会神听讲、深入思考问题等。教学实践表明,课堂教学活动的动静交替,有助于学生消除疲劳、保持注意,提高教学效率和效果。如果课堂教学活动始终处于"动"态或"静"态,则课堂氛围就可能或因学生过度兴奋而失控,或因过于寂静而沉闷。为此,教师在组织和调控教学活动时,要重视动静的合理搭配与有序转换,使之有动有静、动静结合。比如,教师在进行理论讲解之后,可组织学生讨论、分析现实案例;或者先由案例讨论导入教学,再由教师展开对相关理论的阐释;等等。这种动静相生的教学安排和调控,既调整了学生的思维节奏和活动情绪,保持课堂的勃勃生机,也有助于加深学生对相关理论问题的理解和培养他们分析、解决实际问题的能力。当然,脱离教学实际需要,一味追求动静交替、花样翻新的做法,则是不可取的。

(三)疏密相间

这里的"疏"和"密"是就教学信息的密度而言的。"疏"即间隔大、速度慢;"密"即间隔小、速度快。在我国书法理论中,有"字画疏处可使走马,密处不使透风"的美学观念,强调的即是一种疏密有致的节奏美。课堂教学活动同样讲究"疏"与"密"的原则和艺术。这就是说,课堂教学也要注意"布白留空"、疏密相间。在教学过程中,教师要通过时间分配的多少和信息交流的快慢来调控教学节奏的疏密间隔,既要从大多数学生的认知状况出发,保持在课堂单位时间里向学生传递一定的信息量,又要照顾到学生的接受能力和心理感受,有意留出让学生自己回味思考的时间,造成一种"心求通而未得""口欲言而未能"的愤悱状态,以激发学生求知和探究的欲望。同时,还要根据教学内容的深浅、难易调控信息传递的疏密,即比较浅显易懂的内容可适当增加传递的密度,而较为深奥难解的内容则应放慢节奏,分散处理、各个击破。总之,疏密协调、缓急合理,做到有层次、有章法、有主次,才能形成一种韵律和谐的美感节奏,使学生按有张有弛的心理节律,以旺盛的精力和思维活动,更好地接受教学信息。

(四)起伏有致

这里的"起"和"伏"是就教学过程的态势而言的。常言说:潮有涨落,山有峰谷。课堂教学过程也是如此。它如同小说和影视作品的情节一样,有开端、发展、高潮和结局的变化流程。这个流程张弛起伏、跌宕有致、富于变化,才能引人入胜、扣人心弦。具体来说,教学流程的开始是教学内容的导入和启动,教学流程的发展是教学内容的展开和深入,教学流程的高潮是重点难点的突破和解决,而教学流程的终结则是教学内容的巩固和小结。学生在一堂课中的学习积极性呈现的是一个波形状态。这就要求教师对各个环节进行精心设计和周密安排,既有新颖别致的合理导入又有教学内容的逐步推进,既有知识理论的讲解阐释又有现实案例的互动讨论,既有相对平和的情绪氛围又有紧张活跃的思维高潮,由此形成整个教学流程的起伏节奏。一味地平铺直叙或始终处于激情状态,都有损于课堂教学过程的完美韵律,也有失教育教学的吸引力和感染力。

(五)浓淡有度

这里的"浓"和"淡"是就教学情感的色彩而言的。课堂教学活动总是伴随着一定的情感流动。思想政治理论课教育教学的目的,不仅在于将教学体系转化为学生的知识体系,更重要的是将知识体系转化为学生的信仰体系。因此,它绝非毫无情感和面无表情的机械灌输,而是蕴含着鲜明的情感色彩和节拍。这就要求教师善于发挥情感因素的增力功能,借助适当的方式和手段,形成鲜明的情感节奏使学生在与教师的情感沟通与和谐律动中融入特定的教学情境,在积极、丰富的情感体验中接受思想理论教育。课堂教学中的情感节奏不单表现为情感表达的强弱和持续时间的长短,还表现为通过教师的语言和教态来进行不同情感的转换。前者是以教学语言的抑扬顿挫、高低起伏,体现爱憎分明、轻重缓急、或庄或谐的节奏;后者则以教师的表情、手势和姿态的变化,表达欢快或严肃、喜悦或愤怒、激昂或低沉的韵律。需要特别强调的是,教学的情感节奏要把握分寸、恰到好处,犹如绘画中的色彩一样,浓淡相宜、相得益彰。同时,师生之间的情感节奏合拍、共鸣,才会收到理想的教学效果。

三、教学节奏的调控要求

懂得音乐的人常把节奏比喻为音乐的"骨骼"和"脉搏"。换句话说,节奏不仅是音乐的基础,更是音乐的生命。作为音乐中最具活力的表现要素,节奏影响和制约着旋律。它通过组织旋律使整个音乐作品有序呈现和丰富表达，弥补了旋律的单调、贫乏。同样音乐素材组成的旋律，在不同节奏的组织下，可以产生不同的表现效果。思想政治理论课教育教学亦如一曲音乐，其节奏和谐与否直接影响着课堂教学进程和教学质量。因此，必须充分发挥教师的主导作用，根据教学内容、教学对象及课堂氛围等，及时调控教学节奏，以实现课堂教学效益的最大化。

（一）教学节奏的调控要因课而异

所谓因课而异，是指教学节奏的调控要与课程的教学目的、教学内容和教学形式相适应。思想政治理论课是一组具有特定定位、特定内涵、特定任务的课程。而每一门课程各有其内容要求和重点、难点。比如，根据中共中央宣传部、教育部印发的《新时代学校思想政治理论课改革创新实施方案》规定："马克思主义基本原理"，主要讲授反映马克思主义世界观和方法论的最基本的原理，帮助学生深刻领会、准确把握马克思主义的根本性质和整体特征，学习掌握贯穿其中的马克思主义立场观点方法，提升运用马克思主义基本原理分析世界的能力，增强对人类社会发展规律特别是中国特色社会主义发展规律的认识和把握，树立共产主义远大理想和中国特色社会主义共同理想。"毛泽东思想和中国特色社会主义理论体系概论"，主要讲授中国共产党把马克思主义基本原理同中国具体实际相结合产生的马克思主义中国化的两大理论成果，帮助学生理解毛泽东思想、邓小平理论、"三个代表"重要思想、科学发展观、习近平新时代中国特色社会主义思想是一脉相承又与时俱进的科学体系，引导学生深刻理解中国共产党为什么能、马克思主义为什么行、中国特色社会主义为什么好，坚定"四个自信"。"中国近现代史纲要"，主要讲授中国近代以来争取民族独立、人民解放和实现国家富强、人民幸福的历史，帮助学生了解党史、国史、国情，深刻领会历史和人民选择马克思主义、选择中国共产党、选择社会主义道路、选择改革开放的必然性。"思想道德与法治"，主要讲授马克思主义的人生观、价值观、道德观、法治观，社会主义核心价值观与社会主义法治建设的关系，帮助学生筑牢理想信念之基，培育和践行社会主义核心价值观，传承中华传统美德，弘扬中国精神，尊重和维护宪法法律权威，提升思想道德素质和法治素养。高等职业学校结合自身特点，注重加强对学生的职业道德教育。"形势与政策"，主要讲授党的理论创新最新成果，新时代坚持和发展中国特色社会主义的生动实践，马克思主义形势观政策观、党的路线方针政策、基本国情、国内外形势及其热点难点问题，帮助学生准确理解当代中国马克思主义，深刻领会党和国家事业取得的历史性成就、面临的历史性机遇和挑战，引导大学生正确认识世界和中国发展大势，正确认识中国特色和国际比较，正确认识时代责任和历史使命，正确认识远大抱负和脚踏实地①。因此，对于每一章节或每一节课来说，教师应首先明确：要达成教育教学目的和要求，着重传授哪些知识、原

---

① 中共中央宣传部　教育部：《中共中央宣传部　教育部关于印发〈新时代学校思想政治理论课改革创新实施方案〉的通知》（教材〔2020〕6 号文件），2020 年 12 月 22 日。

理？帮助学生澄清哪些认识误区或思想困惑？这些知识、原理的特点是什么？以何种语言、情感和方法、手段来表现更为有效？教师只有明确教学的目的和意图、分析教学的重点和难点、找到恰当的教学形式和表达方式，才能从整体上把握教学进程的主次缓急，进而形成张弛有度、重点突出、和谐顺畅的教学节奏。

（二）教学节奏的调控要因序而定

所谓因序而定，是指教学节奏的调控要与教学过程各个环节的要求相适应，能够体现清晰的教学思路和流程。教学过程是教学活动的启动、发展、变化和结束在时间上连续展开的程序结构。也就是说，各个环节的呈现不是杂乱无章的，而是有其自身的秩序和特定的功能。因此，各个环节不应是一个基调、一种节拍，而应在力度、速度、密度以及激情度等方面有所侧重、有所区别，以形成井然有序，错落有致，此起彼伏的教学节奏。具体而言，每节课的教学内容有一定的容量，教学时间亦有一定的限制，这就要求教师在突出教学重点、难点的基础上，熟悉各个环节及内容的地位、作用和顺序，明确哪个环节是导入或铺垫、哪个环节是展开或讲解、哪个环节是互动或高潮、哪个环节是应用或提升等，这样才能合理地安排教学内容和分配教学时间，并控制教学的深度、快慢、疏密以及语言和情感节奏，既做到轻重缓急、层次分明，又做到跌宕有序、舒展自如，不仅可以提高课堂教学效率，而且有助于增强教学效果。

（三）教学节奏的调控要因人而变

所谓因人而变，包括两个方面：一是，教学节奏的调控不能强求千人一面，而应根据教师自身的优势与特长，体现不同的教学个性与风格。比如，有的教师善于旁征博引、循循善诱，犹如淙淙流水、沁人心脾；有的妙语连珠、风趣幽默、引人入胜；有的则如重槌擂鼓、触人心弦，声声敲在学生心坎上。二是，教学节奏的调控要充分考虑学生的实际状况及特点，符合教育教学规律。课堂教学是教师和学生的共同活动，而学生作为活动的主体之一，其年龄特征、接受习惯、学科差异、思维方式、已有认知、思想困惑、成才诉求等，均会影响教学节奏的调控。比如，同样的教学内容或问题，对文科专业学生讲授的深度、互动的范围与理工科专业会有所不同；对于较为浅显或学生在中学即有涉及的知识、原理可加快进度、节奏，而对内容复杂、深奥或学生普遍困惑的社会热点问题，则应放慢节奏、启发引导。总之，只有充分发挥教师的主导作用，精心设计和组织教学活动，以通俗易懂的语言、生动鲜活的事例和新颖活泼的形式，努力贴近学生实际，适应学生学习特点，才能激发学生学习的积极性和主动性，也才能使教学节奏产生师生共鸣的良好效果。

（四）教学节奏的调控要因势而制

所谓因势而制，是指教学节奏的调控要根据学生的课堂反应和情势状况，随时进行灵活调整。思想政治理论课教师在具体授课过程中，按照课前设计的方案掌握教学节奏，是完成教育教学任务的重要基础和保证。同时，也要充分认识到，面对情感丰富、思维活跃的教学对象和纷繁复杂、风云变幻的客观形势,无论事先安排如何周到细致,整个课堂教学过程难以尽在教师预设和掌控之中。这就要求教师一方面要善于"察言观色",注意学生的课堂反应,及时调整教学节奏。比如,当发现学生兴致低落、反应不够积极时,可适当放慢节奏,通过课堂提问、讨论互动,促使学生集中精力,或以生动、形象的视听刺激,活跃课堂气氛,激发学生的学习热情。另一方面,教师要对课堂突发的学情善于"随机应变",巧妙地调控教学节奏。比如,当有学生对所讲授的理论质疑问难时,教师可抓住契机,放缓节奏,因势利导,或延伸拓展、深化讲解,或顺水推舟、引发讨论;当学生对某个问题普遍难解时,教师可通过适宜调整教学内容、变动教学程序或改变教学方法等,灵活地调控教学进展和节奏。

综上所述,教学节奏调控艺术是教师教学水平和教学造诣的综合体现。需要再次强调的是,课堂教学节奏的科学、有效调控,必须与教学内容相适应、与教学过程相同步、与认知规律相一致、与思维规律相谐振、与教学实际相协调。

第三节 新时代高校思想政治理论课教学氛围的用心营造

"氛围"一词,一般解释为周围的气氛和情调。课堂教学氛围可理解为课堂教学过程中所产生的气氛。它是师生双方在课堂教学活动中,围绕教学目标,通过一定的方式和相互作用而形成的某种稳定的综合心理状态,包括积极的情感体验及对待教学活动的态度和行为。现代教育心理学和教学论的研究告诉我们,课堂教学的实际效果不但取决于教师如何教、学生如何学,还取决于由此而构成的教学环境与氛围。这种在教学过程中所体现出来的教学底蕴,是一种显著的或潜在的课堂影响因素。良好的课堂教学氛围能够更加突出教学主题,让学生感受到教学活动的魅力,并激发他们的主体意识和参与热情,使他们在严肃与活泼、紧张与愉悦中对教学内容印象深刻。良好教学氛围的营造是一种活生生的教学艺术,教师除了通过自身的学识水平和人格修养、优美的教学语言表达和教态展示,以及对教学方法和教学节奏的有效调控外,善于运用启发、提问、讨论等手段,也是营造和调控教学氛围的有效策略。

一、课堂教学启发艺术

教学启发艺术思想及实践在中外教育史上可谓源远流长。在我国,"启发"一词源于孔子的"不愤不启,不悱不发",宋代思想家、教育家朱熹对此注解说:"愤者,心求通而未得之意;悱者,口欲言而未能之貌。启,谓开其意;发,谓达其辞。"孔子之后,我国最早系统而全面地专门论述教育和教学理论的专著《学记》,进一步阐发了教学启发艺术思想,提出"君子之教,喻也。道而弗牵,强而弗抑,开而弗达。道而弗牵则和,强而弗抑则易,开而弗达则思",所谓"喻",即启发、诱导而使人感悟、明白道理。也就是要善于引导学生,而不是牵着学生走;严格要求学生,但不使学生感到压抑;启发学生思考而不是代替学生达成结论。

在欧洲,首先倡导教学启发艺术思想的是古希腊哲学家苏格拉底。他认为,教师的功能在于助产知识、导引知识;教师的任务不是臆造和传播知识,而是做一个新生思想的"产婆"。在哲学研究和讲学过程中,他经常采用谈话、问答的方法使学生获得知识。这一教学方法被后世人称为"产婆术",即教师不直接把结论教给学生,而是引导学生独立思考,自己得出问题的结论。德国教育家第斯多惠对教学启发艺术思想的理论化做出了重要贡献。他尤其强调"教学的艺术不在于传授本领,而在善于激励、唤醒和鼓舞""一个坏的教师奉送真理,一个好的教师则教人发现真理"。

高校思想政治理论课教学不仅要向学生系统讲授马克思主义理论知识、传播社会主义核心价值观的基本内容,更重要的是引导学生对科学理论和核心价值的认同、接受和内化。因此,启发学生的思维就成为课堂教学启发艺术的主旋律,也是营造良好教学氛围的核心所在。而要启发学生的思维并取得实效,关键在于善于创设问题情景。心理学研究表明,思维总是在一定的问题情境中产生的,思维活动就是不断地发现问题和解决问题的过程。所谓问题情境,就是教师围绕教育教学目的,通过一定的方式和手段有意识地创设的具有一定困难或冲突;能够促使和引发学生质疑、探究的学习情境。思想政治理论课教学以问题作为载体和导向,不仅符合学生认知规律,而且也抓住了课堂教学启发的"魂魄"和根本。

(一)创设问题情境要目标明确、重点突出

教师在设计问题时,要认真考虑其教学目的是什么,通过该问题欲引导学生思考什么,对学生在知识、能力、情感等方面产生何种影响;这样才能做到有的放矢,节奏性、针对性强。同时,还应注意到,每一章节往往涉及多个理论知识点和学生存在的思想困惑,如果教师不分主次轻重、事无巨细、面面俱到,问题设计一个接着一个,不仅造成目标分散,也会使学生感到疲劳。为此,教师要在吃透教学内容的基础上,了解和把握学生的疑惑,提炼出能够反映教学重点、难点的典型问题,设计成循序渐进、环环相扣的问题链,进而启发和诱导学生寻求问题的答案。

(二)创设问题情境要变单向传递为双向互动

教师在设计问题时,要注重激发学生的主体意识,发挥学生学习的主体作用。在思想政治理论课教育教学过程中,学生不是被动接受"灌输"的容器,而是积极探究和自我教育的主体。创设问题情境就是要努力营造一种让学生"活"起来、"动"起来的课堂教学氛围,使教育教学成为师生之间、学生之间平等探讨和双向交流的过程。因此,教师切不可从自身出发假定问题的存在,以自己的思维代替学生的思维,而应从学生的角度发现问题,并以学生最易接受的方式创设问题情境。实践证明,那些与学生的成长诉求相贴近、与已有的知识经验相联系,而学生普遍关注又不能充分解决的问题,极易引起他们的认识冲突和探究欲望,使学生进入"心求通而未解""口欲言而不能"的"愤悱"状态。

(三)创设问题情境要因人循序、适时合度

教师在设计问题时,要注意学生间的个体差异,把握好教学启发的有利时机。一方面,学生班级之间因专业类型、知识结构、思维方式的不同,决定了教师实施教学启发的重点与难点、内容与方法等有所差异,因而要求问题情境的创设不能千篇一律、一成不变。同时,学生的思维发展总是从具体到抽象、从个别到一般、从简单到复杂的,因而创设问题情境还应注意符合教育教学规律和学生学习特点,循序渐进、因时制宜、因势利导。另一方面,启发思维的问题设计在深度的难易、速度的快慢、量度的多少等方面要把握尺度、恰到好处,以使课堂教学启发活动富有节奏感和逻辑性。

二、课堂教学提问艺术

课堂提问既是一种重要的教学方式,也是调控课堂教学氛围的有效手段。适时而恰当的教学提问,不仅可以检查学生对所学知识、理论的掌握及应用情况,而且能够集中学生的注意力,激发学生积极参与教学活动,使思维进入紧张的竞技状态,促进学生认知发展及培养学生发现问题、分析问题和解决问题的能力。教学提问用于整个课堂教学过程之中,成为联系师生思想活动的纽带和启发学生思维的钥匙,直接影响着课堂教学的质量和效率。在思想政治理论课教学过程中,精心设计易于激发学生思考问题,并讲究教学提问的技巧与艺术,是增强课堂教学效果的一个关键环节,也是教师教学水平的重要体现。

(一)教学提问要具有目的性

从专业的角度来看,教师的提问是为课堂教学服务的。设置提问是为获得教学反馈或是突破重点、难点,是为唤起学生的有意注意或是激发学生的深入思考,是为导出新的知识内容或是培养分析问题的能力等,教师必须心中有数、目的明确,这样才能确保提问有效进而教学有效。如果教师突然起意、随便发问,所提的问题未经斟酌、指向不明,往往会使学生感到茫然无措,思维缺乏方向而不知如何作答;同时,也打乱了课堂教学的逻辑性和节奏感。因此,设计什么样的问题、提问什么样的学生,以及把握什么时机和用什么样的方式进行课堂提问,都是应该认真思考和研究的。

(二)教学提问要具有针对性

这主要体现在两个方面:一是,教学提问要紧紧围绕课程的教学目的及任务,针对课堂教学主题和具体内容要求而设计。为此,教师要抓住教学内容的重点、难点和学生的疑点,将提问设置在关键处。偏离了教学主题和具体内容的提问,都是盲目的和无效的教学活动,甚至会误导学生的思维。二是,教学提问要密切联系教育对象的思想实

际,针对大学生普遍关注的重大理论问题和现实问题而设计;同时,注意贴近学生的学习特点和接受习惯,考虑不同专业学生的思维差异,对不同的对象所提问题的角度、方式等应有所区别。

(三)教学提问要具有启发性

在课堂教学过程中,学生的思维往往是从问题开始的。启发学生的思维,锻炼学生分析问题和语言表达能力,乃是教学提问艺术的最主要功能。美国心理学家布鲁纳说:"向学生提出挑战性的问题,可以引导学生发展智慧。"这就需要教师精心设计问题,并将教学提问作为激励学生积极思维的信号。一般来说,富于启发性的问题具备三个条件:一是,教材中没有现成的答案,学生必须通过以往的知识经验或联系实际,经过深入思考才能得出问题的结论;二是,能够激发学生的探究兴趣和参与热情,引导学生拓展思维和深化对问题的理解;三是,有两个以上的思考层次,缺乏逻辑层次的问题不能触发思维的兴奋,更不足以训练思维能力。

(四)教学提问要具有层次性

一方面,提问虽然贯穿于课堂教学的全过程,但提问的时间应有层次和节奏。比如,授课伊始的提问,意在唤起学生注意,导入新的内容;授课期间的提问,或为拓展思维,深化理解,或为联系实际,强化应用;总结归纳时的提问,则应突出重点内容,升华教学主题。另一方面,提问的具体类型和方式虽然是多种多样的,但问题的难易应有层次和梯度。如果问题的坡度设计得不适当,预期的教学效果往往会打折扣。这就要求教师在剖析教学内容、把握重点难点的基础上,认真研究学情,根据学生的知识水平、思想实际和学习特点,找准诱发他们思维的兴趣点,让学生感到所提出的问题既不是高不可攀,又不能唾手可得,而是在教师的启发下,经过自己的思考才能拾级而上、层层深入,最终找到问题的正确结论。

(五)教学提问要具有灵活性

课堂教学过程是一个动态的变化过程,学生答问中可能会出现这样那样的问题。这就要求教师根据课堂情况的变化,机智、灵活地提问。其一,要适当变换提问的形式,使其具有新鲜感,以引起学生深思、多思的兴趣。如果整堂课均采用某种单一的提问方式,学生难免会感到乏味而造成学习上的"疲倦",从而失去有意注意,使教学的效度下降,甚至趋向无效。其二,要善于转换提问的角度,多运用疏导性、铺垫性提问。尤其是当学生回答不出或者回答不正确时,不妨把问题换成"活问"的方式提出,即让思路"拐一个弯",从问题的侧翼或者反面寻找思维的切入点。

此外,学生是教学过程的主体,必须让学生积极参与,才能收到良好的效果。因此,课堂教学提问应面向全体学生,而非偏爱部分学生。

三、课堂教学讨论艺术

在思想政治理论课教学法体系中,课堂教学讨论占有重要的一席。它是在教师的指导和参与下,学生以集体或小组的形式,围绕某一教学主题各抒己见、平等探讨、相互启发,通过交流而拓展思维、深化学习或联系实际、解决问题的一种教学活动。作为一种教学方法,课堂教学讨论无疑体现了"教师为主导,学生为主体"这一教学思想。在教学讨论和交流过程中,学生在查阅材料、罗列事实的基础上,努力进行概念、原理的演绎推理、归纳整合来证实自己的观点,并从不同的角度思考问题和求解答案。这就把"要我学"变成了"我要学"。因此,课堂教学讨论既是教师有意识地引导学生进行的一种自主性、协同性的思维探索活动,也是激发学生的学习兴趣和参与热情,营造良好的课堂教学氛围的有效手段。

将课堂教学讨论艺术运用于思想政治理论课教育教学之中,首先要把握讨论的契机,突出讨论的针对性,绝不能为了互动而互动、为了讨论而讨论;要做到启发与诱导相结合,激发人人参与,而不是仅仅针对少数学生;要营造宽松、平等、民主的课堂氛围,鼓励学生发表不同见解,而不能搞"一言堂"。尤其需要强调指出的是,课堂教学讨论的形式按照不同的标准可以有多种类型,但无论采取何种具体方式和组织策略,课堂教学讨论要紧紧围绕教学主题,明确讨论的目的,突出学生的主体地位,引导学生在参与讨论的过程中加深对相关理论的认识和理解,获得积极的情感体验,培养独立思考、善于思考的良好习惯,以及认识问题、分析问题和解决的能力,逐步将知识体系转化为自身的价值体系和信仰体系。

要达成以上目标,关键在于对课堂教学讨论的有效管理与控制。根据课堂教学讨论的进程,可划分为以下三个环节:

(一)讨论预先控制

讨论预先控制即对讨论开始之前的动员和准备工作所进行的管理与控制。其主要内容包括:公布讨论题目,提出讨论要求,引导学生明确教学讨论的意义,激发学生的探究欲望和学习兴趣;指导学生围绕问题查询资料、拓展思路、提炼观点和编写讨论发言提纲等。教学实践表明,课堂教学讨论的氛围及质量如何,与事先动员和准备情况关系密切。

(二)讨论过程控制

讨论过程控制即讨论开始后对活动中的人和事进行指导与管理。在这一进程中,作为思想政治理论课教师,要清醒地认识到自己作为"主导者"的角色与责任,既要注重激发学生的主体意识和参与热情,鼓励学生表达自己的观点和见解,又要善于引导问题讨论,启发学生全面地、辩证地分析问题,学会透过现象看本质。对于大多数学生存在的模糊认识,教师不能简单地加以否定,而应进一步补充材料、信息,提出针对性的问题,通过深入讨论帮助学生共同澄清,走出认识误区;对于教学讨论中出现的某些原则性错误,教师应旗帜鲜明地及时指出并加以纠正。

(三)讨论事后控制

讨论事后控制即讨论结束后教师对活动情况及问题观点的归纳与总结。这是课堂教学讨论不可或缺的一环。恰到好处的事后控制不仅能够带领学生对所讨论的问题及其所涉及的知识、理论进行回顾和强化,而且通过总结、归纳可以进一步引导学生理顺思维,促进认识的深化和升华。

第六章　新时代高校思想政治理论课教学方法体系的改革

大力推进新时代高校思想政治理论课教学方法改革,是加强和改进思想政治理论课建设的切入点和突破口,是提高思想政治理论课教学水平和整体教学质量的重要途径,是当前高校思想政治理论课建设综合改革创新的重要任务,因此要认清形势,找准依据,从思想政治理论课教学内容出发构建教学方法体系,实现教与学的相统一。

第一节　新时代高校思想政治理论课教学方法体系改革的形势

作为一种反映国家意志的社会活动,高校思想政治理论课教育教学始终都是在一定的时代背景下展开的。正确认识和科学判断国内及国际形势,提出相应的思路对策和解决办法,始终是我们党的优势和传统。正确分析国内国际形势,是制定和执行正确的政治路线和方针政策的重要依据,同时也是改革和构建高校思想政治理论课教学方法体系的前提条件。进入 21 世纪,我国的国内和国际环境发生了广泛而深刻的变化,这给思想理论教育教学工作带来了新的机遇和挑战。当前,国际国内新的形势对高等学校思想政治理论课教育教学提出了新的任务和要求。

一、高校思想政治理论课教学方法体系改革的新机遇

当前,世界多极化和经济全球化的趋势在曲折中发展,科技革命日新月异,综合国力竞争日趋激烈,各种思想文化相互激荡。我国改革开放进一步深入,社会经济成分、组织形式、就业方式、利益关系和分配方式日益多样化。如何引导大学生正确认识当今世界错综复杂的形势,把握国际局势的发展变化和人类社会的发展趋势;如何引导大学生正确认识国情和社会主义建设的客观规律,增强在中国共产党领导下全面建成小康社会、加快推进社会主义现代化的自觉性和坚定性;如何引导大学生正确认识肩负的历史使命,努力成为德、智、体、美、劳全面发展的中国特色社会主义事业的建设者和接班人,是必须认真研究解决的重大而紧迫的课题。只有正视国内外形势带来的机遇和挑

战,高校思想政治理论课教学方法的改革才能取得实效。

（一）经济全球化的新形势

经济全球化的新形势,为思想政治理论课教育教学内容和方法改革提供了新的源泉。进入 21 世纪,经济全球化的冲击几乎遍及了人类社会的每一个领域。经济全球化就其内容来说主要包括贸易全球化、金融全球化、生产全球化和科技全球化,其实质就在于资源在全球范围内趋向于直接流动和配置,这其中不仅包含着物质要素,同时也包含着信息、知识、精神产品等属于文化范畴的要素的流动,开放性和多样化已成为当今时代的重要特征。我国积极主动地融入经济全球化,把产业结构的战略性调整作为主线,目的是根据自己的产业基础和资源条件来合理配置资源,发挥比较优势,更多地形成新的支柱产业,在国际市场上占有更多的份额,增强竞争力,实现经济的可持续发展。经济全球化也为各类人才的成长提供了更加宽阔的舞台。

从客观上来讲,经济全球化有利于中国特色社会主义文化建设和发展。中国特色的社会主义文化的核心和灵魂是马克思主义。马克思主义从来都是一个开放体系,它从来都是在各种文化思潮的相互激荡中发展的。在经济全球化中,必然伴随着其他国家许多先进文化的传入,这就促使我们开阔视野,吸取精华,将其更快地融入社会主义文化体系之中。随着经济全球化趋势的进一步发展,人们的开放意识、主体意识、竞争意识和平等意识逐渐增强,人们的观念将迅速现代化,思想将进一步解放,也必然带来更多的教育内容,如开放观念、全球观念、爱国主义和民族精神、法律意识、协作精神、"国际人"目标等经济全球化所要求的教育内容,进而丰富高校思想政治理论课教育教学的内容,为高校思想政治理论课教育教学方法的改革提供新的途径。

经济全球化有利于思想政治理论课教育教学的发展。经济全球化加强了中外在经济、政治、文化等方面的交流与联系,增加了中外接触与交流的机会,有利于我们学习借鉴和吸收国外先进思想政治教育的理论,丰富我国思想政治教育内容。经济全球化带动了各种科学知识的迅速传播和发展,有利于我们借鉴和吸收世界各国的进步思想道德和文化遗产,扩大人们的知识视野,生活方式也更加文明、科学,为思想政治教育内容和方法的改革和发展提供了新的源泉。经济全球化有利于我们借鉴和吸收国外先进的思想政治教育教学管理方法,促使我们把思想政治教育的优势与现代企业管理方法相结合,增强思想政治教育方法的现代性、科学性。经济全球化有利于我们借鉴和吸收国外思想政治教育的一些成功经验和有效方法,推动思想理论教育方式、方法、手段的现代化,推动思想理论教育的传媒载体、文化载体、管理载体、活动载体等加快发展,促进思想政治教育方法的创新与发展。经济全球化有利于当今大学生树立开放思想,勇于接受挑战,吸收各种先进的思想文化观念,加强自己的品德修养,形成现代化的价值观念。

（二）中国社会发展的新阶段

中国社会发展进入了新的历史阶段,为高校思想政治理论课教学方法改革提供了强大动力。改革开放四十多年来,我国利用经济全球化提供的良好外部环境,积极参与到世界经济贸易的竞争与合作中,通过积极融入全球经济之中加速发展自己,取得的经济增长速度,远远超过世界经济平均增长速度,经济总量位居世界第二,我国进入了全面建成小康社会的新阶段。中国改革开放和全面建成小康社会取得的巨大成就,充分显示了社会主义制度的优越性和强大的生命力,"两个一百年"奋斗目标的历史交汇点,都为思想政治教育和高校思想政治理论课教育教学提供了强大的物质基础和安定团结的政治环境。

中国改革开放的巨大成就和全面建成小康社会的健康发展,彰显了社会主义制度与资本主义制度的比较优势,中国改革开放所取得的巨大成就证明了党的路线方针的正确性,证明了马克思主义理论的巨大活力。中国改革开放四十年的历史发展证明:改革开放是决定当代中国命运的关键抉择,是发展中国特色社会主义、实现中华民族伟大复兴的必由之路;只有社会主义才能救中国,只有改革开放才能发展中国。第一,我国改革开放的巨大成就和健康发展,增强了思想政治教育内容的说服力和感染力,对坚定大学生的理想与信念,对思想政治教育的实效性会产生极大的促进作用。第二,坚定了思想政治教育工作者的信心。中国改革开放的巨大成就和健康发展,我国安定团结的政治局面使思想政治教育工作者有一个比较宽松的环境从而安心从事本职工作,排除不利因素的干扰,坚定了思想政治教育工作者的信心。第三,我国改革开放是全面的、全方位的是经济、政治、文化和社会各方面的改革和协调发展的改革开放。中国实行的政治体制改革和民主政治建设、建设法治国家的政策措施,顺应了时代发展的潮流,适应了现代社会发展的客观要求,增强了思想政治教育内容的时代性与说服力。

(三)信息网络化的新技术

信息网络化的新技术,为高校思想政治理论课教学方法的改革提供了技术手段。20世纪90年代,国际互联网的出现,开创了以计算机技术应用为核心的信息网络时代。随着国际互联网的飞速发展,它将设置在世界各地的上亿台计算机连接在一起,构成一个巨大的、高速运行的全球计算机信息网络,它消除了时空的阻隔,跨越国界,把整个世界联为一体。互联网的发展使传播媒介更加丰富,它以高效快捷的传播速度,丰富多彩、图文并茂的内容,同步双向互动的交流方式,廉价的办公手段,吸引了大量的网民。

信息网络是现代高科技发展的产物。信息网络化以其开放性、多元性、虚拟性、交互性、平等性、超越时空性等特点,给现代信息传播方式带来革命性的变化。随着互联网的出现,各种思想信息在网上跨国界交流,不同的政治立场、文化观念、道德标准、价值取向和生活方式以及各种暴力信息云集网上,它们对社会成员的思想道德发展产生了重大的影响。计算机互联网作为开放式的信息传播和交流工具,对思想理论教育教学来说是一把"双刃剑",利用好则是有力的思想理论教育的新武器,成为思想理论建设的新阵地,利用不好,将是不良思想侵入的突破口,成为整个思想理论教育工作的薄弱环节。

在互联网的交互式交往环境中,思想政治教育者与教育对象的地位、身份、年龄等均被屏蔽,从而使交流双方缩短了心理距离,各种观点、情感交流更加具有真实性、直接性。思想政治教育客体亦能从单纯的对象、被动接受者变为主动参与者。信息网络化的超越时空性,将思想政治教育转变为一种不受时空限制的即时性行为,打破了传统思想政治教育的地域和时间限制和不可逆的接受关系。因此,高校思想政治理论课教学工作者,要善于运用信息网络技术和网络信息化手段,创新高校思想政治理论课教育教学方法,在任何时候、任何地方,运用多种方式开展思想政治教育,提高思想政治教育的效果。信息网络化为高校思想政治理论课教学方法的改革提供了强大的技术手段和快捷畅通的教学方式。

二、高校思想政治理论课教学方法体系改革的新挑战

(一)社会转型多元化的新课题

社会转型的新变化,给高校思想政治理论课教学方法提出了新挑战。当代中国进入了全面建成小康社会的关键时期和深化改革开放、加快转变经济发展方式的攻坚时期,随着经济体制深刻变革、社会结构深刻变动、利益格局深刻调整、思想观念深刻变化,社会思想意识异常活跃,呈现出多元、多样、多变的发展态势,也给我国的社会结构以及人们的思想观念、思维方式、行为方式、生活方式等带来了深刻变化。其主要表现在两个层面:第一是在社会层面,社会生活日益呈现出多样化态势;第二是在个体层面,主要是个人主体性不断增强。社会主义市场经济条件下社会和个人发展的新特点,使现代思想政治教育的对象、目标、内容、方法等都要与时俱进地随着经济的转型而转型。

(二)意识形态多样化的新挑战

意识形态的多样化,给高校思想政治理论课教学方法提出了新挑战。当今世界是一个开放的世界,当今的中国也形成了全方位、多领域的全面开放格局。对外开放不仅推动了经济的快速发展,也促进了各种思想文化的交流与渗透,使我国意识形态领域日益多样化,呈现出一元主导与多元并存的发展趋势。但是,社会主义思想政治教育的本质在于坚持马克思主义和社会主义意识形态的主导地位。所以,意识形态领域的多样化发展,势必对高校思想政治理论课教育教学产生重大冲击。

(三)信息网络化的新要求

进入信息时代后,网络对大学生思想观念和行为方式的影响越来越强烈、越来越广泛。对高校思想政治理论课教育教学方法和手段提出了挑战。如网络教育、多媒体技术因互动性强、信息量大、形象生动而受到学生的欢迎,而传统的老师讲、学生听,一支粉笔、一张嘴上课的方式对学生失去了吸引力,这就对教师提出了熟练掌握并运用现代教学手段的要求。又如,随着网络技术的广泛运用,学生、老师处在同一个接受新知识和新信息的起点上,教师的个人信息量与学生群体相比并不占优势,传统的教师对上课

信息的独占性地位受到挑战,教师控制课堂内容和信息的能力大为减弱,这也对教师的素质提出了更高的要求。同时,由于网络的相关法规还不健全,管理还不够有力,技术支撑还不过硬,也由于青年人自制力较弱,好奇心较强,思想观念还不成熟,使得一些大学生面对互联网上的海量信息,无所适从,不辨鲜花和毒草,跟着感觉走。这就需要我们的思想理论教育教学内容多一些对国家安全意识的灌输,使人们认识到在接受西方国家的先进技术的同时,要增强安全意识,要有危机意识,时刻提高警惕。所有这一切,都对高校思想政治理论课教育教学内容和方法的改革提出了全新的要求。

(四)"两个一百年"对教师的挑战

立足"两个一百年"奋斗目标的历史交汇点,高校思想政治理论课教师面临新的发展机遇和挑战,习近平指出:"未来30年,我们培养的人要能够完成'两个一百年'的伟业。这就是教育的历史责任。"[①]"办好思政课,就是要开展马克思主义理论教育,用新时代中国特色社会主义思想铸魂育人。"[②]"全面建成小康社会、实现第一个百年奋斗目标之后,我们要乘势而上开启全面建设社会主义现代化国家新征程,向第二个百年奋斗目标进军,这标志着我国进入了一个新发展阶段。"[③]进入新发展阶段,立足"两个一百年"奋斗目标的历史交汇点,培养能够完成全面建设社会主义现代化国家、实现第二个百年奋斗目标伟业的有用人才,是高校思政课教师担负的历史责任和时代使命。因此,"办好思政课,要放在世界百年未有之大变局、党和国家事业发展全局中来看待。"[④]当今世界正在经历新一轮大发展大变革大调整,我国正处于实现中华民族伟大复兴的关键时期,这为高校思政课教师完成时代赋予的重任既带来新的发展机遇,也带来新的挑战。高校思政课教师要胸怀"两个大局",善于抓住新的发展机遇,主动迎接新的挑战,在不断推动思政课改革创新,持续提升自身素养中"铸魂育人"。

第一,高校思政课教师要抓住"两个大局"提供的机遇,不断增强讲好思政课的信心和底气。信心问题,是思政课教师讲好思政课需要解决的"最重要的问题"。当代中国正处于近代以来最好的发展时期。全面建成小康社会、第一个百年奋斗目标如期实现,"我国制度优势显著,治理效能提升,经济长期向好,物质基础雄厚,人力资源丰厚,市场空间广阔,发展韧性强大,社会大局稳定"[⑤],党和国家事业取得历史性成就、发生历史性变革,中华民族伟大复兴迎来了更加光明的前景,中国特色社会主义理论和实践发展开辟了新境界,我们党对执政规律、社会主义建设规律、人类社会发展规律的认识和把握不断深化,这一切都为高校思政课教师增强讲好思政课、耕好"责任田"的信心和底气提

---

① 习近平:《思政课是落实立德树人根本任务的关键课程》,人民出版社,2020,第5页。

② 同上书,第6页。

③ 《习近平在省部级主要领导干部学习贯彻党的十九届五中全会精神专题研讨班开班式上发表重要讲话强调深入学习坚决贯彻党的十九届五中全会精神确保全面建设社会主义现代化国家开好局》,《人民日报》2021年1月12日。

④ 习近平:《思政课是落实立德树人根本任务的关键课程》,人民出版社,2020,第5页。

⑤ 习近平:《正确认识和把握中长期经济社会发展重大问题》,《求是》2021年第2期。

供了有力支撑。与此同时,世界百年未有之大变局与中华民族伟大复兴战略全局相互交汇、彼此融通,我国同世界的联系更趋紧密、影响更趋深刻,世界日益成为你中有我、我中有你的命运共同体。在此时代条件下,高校思政课教师要胸怀"两个大局",科学把握重要战略期带来的新变化和新特征,以更好教育引导学生正确认识世界和中国发展大势、正确认识中国特色和国际比较、正确认识时代责任和历史使命、正确认识远大抱负和脚踏实地,增强"四个自信",做到"两个维护",坚定理想信念。

第二,高校思政课教师要直面"两个大局"带来的挑战,切实增强"铸魂育人"工作的主动性和实效性。世界百年未有之大变局下,人们思想意识多样多变的特征越发明显,不同思想意识交融交锋的现象依然突出,有人宣称"20世纪将以社会主义的失败和资本主义的胜利而告终",还有人妄称社会主义中国也将随着"多米诺骨牌效应"而倒下。统一思想、凝聚力量之艰巨任务前所未有。毋庸置疑,新冠肺炎疫情全球"大流行"使这个大变局加速变化,国际经济、科技、文化、安全、政治等格局都在发生深刻调整。尤其是世界范围内两种意识形态、两种社会制度的发展演进正发生着大的变化,"发生了有利于马克思主义、社会主义的深刻转变。"①这使西方国家在意识形态领域对青年特别是大学生的争夺更趋激烈,高校日益成为意识形态斗争的前沿阵地,高校思政课教师面临的意识形态斗争形势更加复杂,肩负的维护国家意识形态安全任务更加艰巨。与此同时,中华民族伟大复兴战略全局下,高校思政课教师培养担当民族复兴大任的时代新人的责任也更加重大。全面建设社会主义现代化国家新征途上,解决好人民日益增长的美好生活需要和不平衡不充分的发展之间的主要矛盾,成为影响中华民族伟大复兴战略全局的关键因素。这些都对高校思政课教师"铸魂育人"提出新的挑战,要求高校思政课教师既要围绕学生、关照学生、服务学生,充分满足学生成才发展的迫切需要,又要不断提高学生政治觉悟、思想水平、道德品质、文化素养、创新能力,引导学生成长为信念坚定、本领扎实、能担大任的社会主义现代化事业建设者和接班人②。

(五)大学生成长的新变化

大学生成长的新变化和新特点,既给高校思想政治理论课教学方法带来了新机遇,又给思想政治理论课教学方法改革提出了新挑战。高校思想政治理论课教育教学方法的改革,除了密切联系国内外形势的发展变化以外,更要紧密联系当代大学生的思想实际、心理状况、成长特点和生活实践,帮助大学生解决思想困惑,提高思想认识,正确处理生活中可能遇到的矛盾和问题。当代大学生心理状况的鲜明特点主要有:第一,心理压力较大;第二,情感丰富强烈,但不稳定;第三,自我意识强烈,但自我评价片面。当代大学生在思维方式和信息接收方式上也显示出新的特点,他们的思维具有灵活性、跳跃性、创造性、开放性等特点,喜欢独立自主地进行思考和判断,不愿意接受现成的理论说

---

① 习近平:《习近平新时代中国特色社会主义思想基本问题》,人民出版社,2020,第269页。
② 黄蓉生,谢忱:《新时代加强高校思想政治理论课教师队伍建设的根本遵循》,《思想教育研究》2021年第2期。

教,更喜欢在相互探讨的过程中被说服。影响当代大学生思想活动的因素日趋多样,大学生的思想关注点日趋宽泛和分散,思想文化需求日趋多样。在信息接收方式上,网络已成为大学生主要的学习、交流、获取信息的载体。同时,随着高等教育大众化进程的加快,当代大学生的群体构成日益呈现规模扩大、来源多样、组织多型等特点,这也决定了他们的思想政治观念存在差异性和多样性。教师一定要了解学生遇到的热点、难点问题及他们的所思所想,并且认真加以梳理和研究,这样的教学肯定会受到学生的欢迎。只有深入了解大学生的思想实际、心理状况和生活实际,思想政治理论课的教学才有针对性和说服力。①

第二节　新时代高校思想政治理论课
教学方法体系改革的依据

高校思想政治理论课也是科学文化教育,马克思主义和思想品德方面的理论知识当然属于文化范畴。从这个意义上说,对大学生进行马克思主义理论教育和思想品德教育也是文化教育。但是它又不是一般意义上的单纯的科学文化教育,而是通过这些理论知识的教育达到学生转变思想的目的。它是一种专门的思想教育和品德教育,其根本目的在于使学生树立科学世界观、人生观、价值观。

一、新时代高校思想政治理论课教学方法特征、价值

(一)教学方法的一般含义

理解教学方法的一般含义,是熟练掌握和有效运用教学方法的前提和基础。教学方法首先是一种方法,在日常用语中,方法一般是指人们有目的地进行某种活动时采用的程序、手段或途径,是主体接近、达到或者改造客体的工具或者桥梁。做任何事情,都要讲究一定的方法,方法得当,事半功倍,方法失当,事倍功半,说明的是在做事情时运用好的方法的意义和价值。从哲学层面来看,黑格尔指出:"方法也同样被列为工具,是站在主观方面的某个手段、主观方面通过它而与客体相关。"同时,方法是从"对象本身去采取规定的东西",是"对象的内在原则和灵魂"。② 黑格尔的论述指明了方法的真正含义。方法是手段或者工具的主观方面,是人的主观能动性作用于手段或者工具的策略体现。过河需要使用桥或者船,治病需要使用药物,做饭需要炊具,这里的桥或者船,药物或者炊具,是我们为了达到目的而使用的手段工具,即方法的"物的方面",并不是方法本身。真正的方法是我们怎么利用桥或者船过河,怎么服用药物治病,怎么使用炊

---

① 雷儒金:《高校思想政治理论课教学方法改革研究》,博士学位论文,武汉大学2012,第40-51页。
② 黑格尔:《逻辑学》(下),杨一之译,商务印书馆,1982,第532-537页。

具做饭,是人运用这些工具或手段的"主观方面",即利用这些工具或者手段的主观策略,这些主观策略才是方法。方法不同,尽管采用同样的工具或手段,其产生的结果可能完全不同。比如庖丁解牛,其解牛所用的刀就是工具,同样的刀,在不懂牛体结构的人手里,可能没等解完牛刀就钝了,而在对牛体结构了然于心的庖丁手里,却可以游刃有余,解牛十九年也无须磨刀。

黑格尔关于教学方法的观点对于我们进一步理解教学方法具有积极的启示。教学方法是联系教师、学生和教学内容三者的必要中介和重要桥梁,是完整的教学过程的重要环节和因素,在动态的教学过程中,为实现教学任务,将已经制定好的教学内容来围绕教学目的加以呈现的行为方式和使用的手段,就是通常我们说的教学方法。教学是否成功、教学目标能否实现、教学效果的好与坏、教学效率的高与低,都与教学方法的选用是否得当有着直接的关系,教学方法有着很强的实践意义,极大地影响了教学效率和教学效果。

在学术研究和实际运用中,我们常常容易将教学方法与教学策略、教学手段、教学模式混为一谈,这种混淆极大弱化了教学方法本身独有的特点和本质规定性。明确教学方法的本质规定是我们展开思想政治理论课教学方法研究的逻辑起点和理论基础。首先,教学策略是教学方法的主观方面。教学目标的实现和教学任务的完成离不开有效的教学策略。对于在教学过程中要使用的书本、多媒体、案例等工具和教学环境、教学时机等,需要教师以教学目标为导向,充分发挥主观能动性,做出周密的策略安排。第二,教学目标、教学内容、教学环境与条件等是教学方法的客观方面,教学方法的科学选择要合乎这些客观方面的要求和逻辑。第三,单纯追求完美的教学方法不具有实际意义。教学方法有效与否的影响因素是复杂、动态的构成,教学方法的有效性与教学目标的契合度、与教学内容的匹配度、与学生心理的认同度、与教学条件的适合度、与教师运用方法的娴熟度都有着密切的联系。第四,没有万能的和一成不变的教学方法,教学的目标不同、内容不同、对象不同、环境不同,所运用的方法也不尽相同。

(二)高校思想政治理论课教学方法

高校思想政治理论课教学方法,是指为实现思想政治理论课教学目标,完成思想政治理论课教学任务,在完整的思想政治理论课教学过程中,教师采用的各种方式、手段、工具等的总和。思想政治理论课教学目标能否实现、能否取得预期的教学效果,在很大程度上取决于教师所采用的教学方法。在本论文中,其研究的主旨主要是深入研究思想政治理论课教师应该如何"教"的方法,总结教学方法运用的内在规律来帮助思政课教师科学、艺术、有效的运用教学方法,不断提高教学的水平。对于一名思政课教师来说,其最需要掌握的就是在教学过程中如何"教"的方法,而这种"教"的过程不仅是纷繁复杂的,更是不断动态变化的。因此,本书中虽然研究"教"的方法,但是从教学的本质上来说,不存在割裂了"学"的"教",离开了学生的"学",教师的"教"也就是失去了存在的意义和价值。从总体上说,教师的教与学生的学的统一,其统一的实质是师生间的交流与互动。离开了交流和互动,教学就是空有形式、毫无实质的"假"教学。基于此,在整个论文的研究中,虽然重点关注的是教师的教学方法,但同时也兼顾了对于学生学法的研究。

(三)高校思想政治理论课教学方法的基本特征

基于思想政治理论思想性、政治性和理论性特征和其特殊的政治道德指向功能、思想引导与价值引领功能,使思想政治理论课教学方法具有了指向性、制约性、综合性的基本特征。

1. 高校思想政治理论课教学方法的指向性

思想政治理论课的特殊性质决定了其教学方法的指向性,思想政治理论课教学方法应指向学生对马克思主义信仰的坚守上,体现在学生思想品德的提高和社会主义核心价值观的践行上。作为立德树人的关键课程,思想政治理论课的课程属性不同于以传授理论知识为主的知识课程,也不同于以传授人操作技能的实践性课程,而是在传授马克思主义理论知识的同时更加注重对学生施加有目的、正向的影响,引导大学生将马克思主义理论知识体系转化为自身的信仰体系,树立正确的世界观、人生观和价值观,不断提升思想政治素质和品德情操。思想政治理论课关注的不仅仅是学生掌握了多少理论性知识,其更为关注点学生内在的思想品德结构和外在的行为表现,解决好"为谁培养人"和"培养什么人"的根本问题。同时,高校思想政治理论课教学方法指向性特征还体现在其是为实现思想政治理论课的教学目标服务,思想政治理论课教学方法的改革与发展应始终围绕着完成思想政治理论课教学任务,提升思想政治理论课教学实效这一根本目标进行。

2. 高校思想政治理论课教学方法的受制约性

思想政治理论课教学方法的受制约性指教学方法的选择和运用不是任意的,必须依据教学目标、教学内容、教学条件的实际情况有目的、有选择的合理选择和运用,同时应兼顾学生心理和自身的特点来能动地选择和运用教学方法。不注重教学方法的受制约性,就会导致教学方法"无的放矢"。具体而言,这种受制约性主要体现在以下四个方面:其一,受教学目标的制约。思想政治理论课采用什么样的教学方法,首先取决于教学目标。高校思想政治理论课的教学体现在"知、情、意、行"四个方面,这四个不同层级的目标需要与之相适应的教学方法;其二,是受教学内容制约。教学内容是对教学目标的具体落实,思想政治理论课教学内容具有鲜明的政治性、思想性和理论性的,这就需要在教学中采用的教学方法应既有理论性又有生动性,既有说服力又有吸引力;其三,是受教学条件的制约。教学条件分为教学场地、硬件设施等物质性条件和学生知识背景、认知方式、情感心理等主观条件。任何教学方法的有效运用都需要创设必要的条件、顺应实际的条件。其四,是受人的因素的制约。这种制约一方面来自教师自身,一方面来自学生。从教师自身因素来说,教师的理论学识、品德情怀、性格特征、教学专长、精力体力都会对教学方法的实际运用效果产生很大的影响,另一方面,学生的知识背景、心理状态、主观需求、认知兴趣、特点和方式等各不相同,教学方法也需要根据学生的特点进行适当调整,以不断提高针对性。

3.高校思想政治理论课教学方法的综合性

思想政治理论课教学过程本身就包含着多种矛盾,具有复杂性、多样性的特点,同时,教学实际情况也是不断变化的,这也需要思想政治理论课教师根据教学实际情况灵活地将多种教学方法相结合,综合运用,这就体现思想政治理论课教学方法的综合性特征。对于"综合",我们需要注意的是,这种综合并不是多种教学方法的简单相加,也不是教学方法适应教学内容的简单拼凑,真正的综合应该理解为一种"互补生成",这种"互补生成"一方面是意味着教师在进行教学前的准备和教学过程中,其关注的焦点不是单纯的教学内容、教学进程、在什么阶段运用什么样的方法,其应该关注的是如何从整体上把握教学内容和学生、学校的实际;另一方面"互补生成"体现在应该注意教学过程的互动性,思想政治理论课教学离不开师生之间的互动和教学方法与内容间的互动,也离不开师生与教学内容和教学方法的互动,在这种复杂的、动态的互动过程中,必然需要思想政治理论课教学方法的综合化。

二、高校思想政治理论课教学方法的价值

在一个完整的教学过程中,包含着复杂多样的各种因素。其中,教学方法是最外显的和最丰富多彩的因素,是对教学质量影响最显著的构成因素,是思想政治理论课教学改革最根本的落脚点和永恒的热点。没有科学有效的教学方法,思想政治理论课教学内容就失去了传递的途径和表现的形式,思想政治理论课教学目标的实现就会变得遥不可及,思想政治理论课教学效果也会大打折扣。

(一)中介与桥梁价值

教学方法是联系教师、学生和教学内容三者的必要中介和重要桥梁,直接反映出教师教学水平的高低。在完整的教学过程中,教学方法选择的恰适性直接与教学是否成功、教学目标能否实现、教学效果的好与坏相关。教学方法有时体现为教师的一种态度,有时体现为一种教学手段,有时体现为一种教学模式,但在根本上是一种教学的能动的心智操作,通过这种能动的心智操作,使得教学目标、教学内容、教学对象、教学环境等有机地统一和结合起来。通过深入的理论研究与实践的探索,可以肯定的是,并没有放之四海而皆准的普适性的教学方式或方法,正确的教学方法的选择需要教师充分的发挥主观能动性,根据教学目标、教学内容、教学对象、教师自身特点、教学条件、教学组织形式等来选择恰当的教学方式与方法。教学方法是实现教学目标的手段,是提高教学质量的"内在资源",具有重要的中介价值和桥梁作用。一方面,思想政治理论课教学方法承载着教师的教育理念和教学思想,是其在对思想政治理论课教学实践规律的认识和总结上逐步形成的,不仅体现着教师的教学能力和教育技术,同时也是完成教学

任务、实现教学目标的基本途径。思想政治理论课教师正是通过这样或者那样的教学方法将其所要讲授的内容传达给学生,完全相同的教学内容和学生,为什么不同的老师上课会产生截然不同的教学效果? 除了教师自身因素(形象、年龄、经验等)外,一个重要的原因就是选择和运用的教学方法是否科学、恰当、适合、有效。另一方面,思想政治理论课的教学方法要保证教学内容的贯彻和教学效果的呈现。

在思想政治理论课教学过程中,教师该如何选择教学内容、以什么样的方式展开教学内容、怎样与学生互动、怎样提高教学的吸引力等等都需要一定的方法。同时需要注意的是,在教学过程中,教师处于主导地位,是教学进程的发起者和推动者,这也决定了在教授法与学习法中,教授法处于主导地位。但是,这并不意味着可以忽略学生的学习法,为了顺利展开教学活动,使教学更有针对性和可行性,需要教师的教学方法兼顾学生的学法、依据学生的学法。

(二)提升思想政治理论课教学效果的关键因素

思想政治理论课教学方法的选择是否合理、是否科学、是否得当,到底该用什么来衡量? 这涉及思想政治理论课教学方法评价的根本问题。评价教学方法的一个重要因素就是,是否有利于思想政治理论课教学效果的提升,是否能有效地增强思想政治理论课教学的针对性,是否能提高大学生的获得感、增强认同感。提升思想政治理论课教学效果,成功的教学方法是关键因素,衡量教学方法改革是否成功、有效,一个重要的衡量指标就是看这种教学方法能否通过最短的时间,投入最小的精力来达到提高教学实效的目的。课堂教学是教学过程中最主要的环节,以教学方法改革促进教学效果提升不仅是可行的而且是必行的、必然的。我们应该明确的是,教学方法的改革发展过程本身就不是一蹴而就的,其发展和完善需要一个过程,而通过教学方法的改革来提升教学效果也不是"立竿见影"可以实现的。思想政治理论课教学能取得什么样的教学效果,既取决于教学过程中各要素的相互配合程度,也受制于其他能够影响大学生的思想品质形成的多种因素。社会环境的变化、家庭环境的影响,朋辈群体的相互影响,甚至是一些偶然事件或者突发事件,都能干扰一个人思想品德和行为[1]。

二、高校思想政治理论课教学方法体系改革的基本原则

2019 年 3 月 18 日,习近平总书记在学校思想政治理论课教师座谈会上明确提出了推动思想政治理论课改革创新,应坚持"八个相统一"。这"八个相统一",回应了当前思想政治理论课建设过程中面临的重大问题,从理论与实践相结合上深刻回答了我们该如何推动思想政治理论课守正创新。"八个相统一"不仅是对思想政治理论课建设成功经验的科学概括,同时也深刻揭示了思想政治理论课教学的内在规律性,必然应成为新时代高校思想政治理论课教学方法改革创新的基本原则,是新时代高校思想政治理

---

① 陈梦圆:《高校思想政治理论课教学方法研究》,博士学位论文,东北师范大学,2019,第 18—22 页。

论课改革创新的方法论。

（一）坚持政治性和学理性相统一

高校思想政治理论课在教学过程中，既要坚持政治性，又要兼具学理性，这就要求思想政治理论课教师在教学过程中所采用的方法既要坚持价值引领的政治方向性，又要用深厚的理论来阐释政理。

思想政治理论课具有鲜明的政治属性，它致力于培养社会主义建设者和接班人，是落实立德树人根本任务的关键课程。这是它的本质属性，如果失去了这个属性，它就不称其为思想政治理论课了。因此，必须坚持思想政治理论课教育教学的政治性，不能有丝毫的动摇和含糊。但是，讲政治也要讲道理，要以理服人，而不能以力服人，更不能以势压人。要以透彻的学理分析回应学生，以彻底的思想理论说服学生，用真理的强大力量引导学生。这既是由我们的政治本身所要求的，也是由我们的大学和大学生的特点所要求的。从政治本身来说，我们的政治体现的是人民的利益，是正义的道理。同时，大学是知识分子汇聚的地方，是讲理性和学理的地方。我们面对的大学生虽然还处在学习阶段，但已经有很强的理性思维能力，并注重学理的把握。因此，要坚持政治性，注重学理性，以政治来统领学理，以学理来阐释政治。[①]

坚持价值引领的政治性教学方法是思想政治理论课教学顺利开展的根本保证，坚持正确的政治导向，在大学生树立科学的世界观、人生观、价值观过程中发挥关键作用。思想政治理论课教学内容的学理性阐释为思想政治理论课教学的政治导向性提供了坚实的理论基础和保障。正确处理好政治导向性与思想政治理论课知识性的关系是思想政治理论课教学过程中首先要解决的重要问题。政治性是主导，学理性是从属，两者相统一是思想政治理论课不同于其他专业理论课的根本特征。如何在思想政治理论课教学中坚持政治性和学理性相统一的教学方法？要求思想政治理论课教师在教学中要研究理论、深挖理论，通过透彻的学理分析来回应学生的知识需求，通过彻底的思想理论来解决学生的思想困惑，通过真理的强大力量来引导学生形成正确的三观。离开了政治性与学理性相统一的教学方法，思想政治理论课就会活泼有余而严肃不足，浅显有余而深度不足，不可避免地陷入媚俗化、浅显化，而这样的教学只会让学生在课上觉得热闹有趣，下了课就会觉得毫无收获、学过就忘。

（二）坚持价值性和知识性相统一

思想政治理论课与任何课程一样，具有知识性。其教育内容主要以知识的形态呈现，同时其教学方式也往往表现为向学生的知识传授。知识是人类认识世界取得的成果，是支撑文明的基石。知识本身具有价值，即求真的价值，科学性价值。因此，知识传授本身是有一定价值意义的，有助于培养人们的科学精神和社会成员对知识的尊重。思想政治理论课中有大量的知识，在教学过程中向学生传授这些知识是完全必要的。

---

① 刘建军：《论高校思想政治理论课教育教学的"八个统一"》，《教学与研究》2019 年第 7 期。

但是,思想政治理论课与其他课程特别是专业课程有着重大区别,它主要不在于传授知识,而在于通过知识的传授来培养学生的价值观,在于帮助学生形成正确的世界观、人生观和价值观,树立科学的理想信念。如果说思想政治理论课既具有知识性又具有价值性,那么在这里知识是载体,价值是目的。价值性是更为重要的,它集中体现着思想政治理论课的性质。要寓价值引导于知识传授之中,通过发挥大学教育中知识传授的优势,实现当代大学生的正确价值观塑造。① 这就需要在思想政治理论课教育教学中,巧妙地找到并把握好知识传授与价值观塑造的结合点,坚持价值性和知识性相统一。

首先,从思想政治理论课教学实际来看,单纯地以传递某种价值观为目的来进行的教学活动是根本无法引起学生的求知欲和探索欲的,这样的思想政治理论课堂肯定是呆板无趣的,只有以知识为工具来支撑学习内容,才能引发学生的学习兴趣,使进一步延伸学生的思维训练和价值判断成为可能。其次,在思想政治理论课教学过程中,如果不用特定数量和质量的知识来承载带有特定目标的价值观,思想政治理论课所要传递的“道”就失去了所赖以载之的“文”,势必带来思想政治理论课实效低下甚至无效。想要大学生明确该做什么、该怎么做,以让大学生知道为什么要这么做为前提,因此,以知识的力量去感召和征服大学生,不仅是可为的,更是应为的。第三,在大学阶段,大学生处于三观的快速建构阶段,其精神世界常常会发生两种甚至多种思想和价值体系的激烈交锋,往往会出现这样或那样的思想和价值上的困惑,极其容易受到不良环境的影响而出现认知上的偏离、思想上的偏差和价值坚守上的脱轨。只有通过持续的、不间断的、有效的正向学习,才能不断地促进大学生思想素质、道德素质、政治素质的提升,解决大学生思想上、认知上、行为上出现的问题和困惑。

在思想政治理论课教学中坚持价值性和知识性的统一,要求我们在教学的过程中要始终坚持社会主义核心价值观的引领,将对大学生价值观的引导融入对大学生进行理论知识的传授之中,使学生在不断学习马克思主义理论知识的过程中感受到真理的力量,既在提升知识上有收获,又能不断提升用马克思主义理论分析问题和解决问题的能力。

(三)坚持建设性和批判性相统一

思想政治理论课既具有建设性,又具有批判性。所谓建设性,是指正面教育,站在党和国家立场上传导社会主义主流意识形态。改革开放以来,我们党鉴于“文化大革命”中所谓“大批判开路”的弊端,而形成了“以正面宣传”为主的方针,着眼于主流意识形态的建设和发展,着眼于对广大人民群众的正面宣传和引领,而不再搞以往的那种急风暴雨式的大批判斗争,是完全正确的。这对于引导社会舆论,维护社会稳定,营造宽松的干事创业的氛围,发挥了重要的作用。但是,“正面宣传为主”和注重建设性并不是放弃意识形态斗争,并不是只讲建设而不讲批判。正面宣传如果不与反面批判相结合,

---

① 刘建军:《论高校思想政治理论课教育教学的“八个统一”》,《教学与研究》2019 年第 7 期。

就不能真正发挥正面宣传的主导性作用。其实,批判性是马克思主义的理论品格,是以马克思主义为指导的社会主义意识形态的本质属性,也是高校思想政治理论课的题中应有之义。必须直面各种错误观点和思潮,开展有理有据的理论批判,揭露其政治本质和理论错误。只有这样,才能更好地保障思政课正面教育的作用①。

思想政治理论课教学方法的发展需要坚持建设性和批判性的统一。建设性体现在不断对思想政治理论课教学方法进行改革和创新,批判性体现在不断对教学方法进行反思和调整。从外部的发展动力看,好的教学方法必然是随着教学内容、教学环境、教学载体、教学手段的不断变化而不断改革、调整和发展的;从内部的发展动力看,只有通过不断地对现有教学方法进行批判性反思和调整,思想政治理论课教学方法才能不断得以优化,提升针对性和实效性。同时,建设性与批判性应统一于具体思想政治理论课教学方法运用过程中。比如随着现代信息技术的发展和自媒体技术的发展,微课、慕课、翻转课堂等教学手段和方法既是建设性的发展,同时也在具体教学的过程引入了热点问题讨论、项目研究展示、疑难问题剖析等具有批判性的内容,这样的思政课堂才能真正地吸引学生、增强学生的获得感。

(四)坚持理论性和实践性相统一

理论与实践的统一是马克思主义的基本原理。这一原理贯彻和体现于党的思想理论和宣传教育工作之中,也体现在高校思想政治理论课教育教学之中。高校思政课既有理论性,又有实践性。所谓"理论性",是指思政课内容具有很强的理性属性,特别是马克思主义理论及其中国化理论成果作为思政课教学的核心内容有着突出的理论性。因此,思政课教育在一定意义上是一种理论教育。但这并不是说思政课只能单纯地讲理论,更不是空洞地就理论讲理论,而是必须贯彻党的理论联系实际的原则,高度重视教学内容和方式方法的实践性。一方面,要注重理论与实践的对接,从理论与实际的统一中去讲授理论内容;另一方面,要注重实践教学的方式方法,让学生走向社会,把思政小课堂同社会大课堂结合起来,教育引导学生立鸿鹄志,做奋斗者②。

在思想政治理论课教学过程中坚持理论性和实践性相统一的教学方法是由思想政治理论课本身的性质和特征决定的。较强的理论性和鲜明的实践性是思想政治理论课的重要特征之一,这也必然要求讲授这门课程的方法既是注重理论性的又是坚持实践性的,只有这样坚持知行统一的教学方法,才能真正地兼顾大学生知、情、意、行四个方面,使科学理论的学习、道德情感的培养、意志品质的提高最终体现在行为能力的提高和实际的行动中。具体而言,在思想政治理论课教学过程中坚持理论性和实践性相统一,主要体现在以下几个方面:首先是要注重深挖马克思主义理论形成和发展的实践背景,并以此为基础来系统深入地讲解马克思主义理论知识,使学生能够置身于马克思主

①　刘建军:《论高校思想政治理论课教育教学的"八个统一"》,《教学与研究》2019 年第 7 期。
②　同上书。

义理论产生的大的时代背景下,来体会马克思主义理论的实践性本质,真正感受到马克思主义理论的产生既源于实践,又指导实践;第二是要结合当今时代发展的现实来讲清楚马克思主义理论与时俱进的本质。在我国社会主义实践过程中,将马克思主义的基本原理同中国的国情和实际相结合,在不断总结中国革命、建设和改革中的实践经验和历史经验过程中形成了毛泽东思想和中国特色社会主义理论体系,这是我们新中国成立 70 多年来创造一个又一个壮举的思想和理论武器,在教学过程中,要通过讲授一代代中国人在社会主义现代化建设中进行的艰苦卓绝的努力,使学生切实感受到自己肩上的重任和光荣的历史使命,自觉学好本领投身到中国特色社会主义现代化建设的伟大实践中。第三,要密切关注社会现实,关注学生需要,不断提升理论讲授的针对性。思想政治理论课既有较强的理论性又有极强的实践性,在授课过程中,教师要结合当今社会的时代背景讲精讲透习近平新时代中国特色社会主义思想,并结合学生关心的社会热点问题和疑难问题来给予深刻的理论剖析和合理的解答,使学生在不断求知中自觉地去深入学习理论并提升自身分析问题、解决问题的能力。同时,可以结合学生在学习和生活中出现的实际问题来帮助学生正视问题,解决问题,不断引导学生树立正确的三观,将自身发展与国家发展联系起来。

(五)坚持统一性和多样性相统一

在意识形态工作和思想政治教育中,我们长期以来坚持价值导向的一元性与价值取向的多样性相结合,注重统一思想与包容多样相统一。高校思政课同样具有统一性和多样性,这不仅体现在教学内容上,而且体现于教育教学的多个环节上。习近平指出,既要落实教学目标、课程设置、教材使用、教学管理等方面的统一要求,又要因地制宜、因时制宜、因材施教。[①] 一方面,思政课是国家统一设置的课程,具有鲜明的政治性和主导性,因而必须坚持思政课课程设置的规范性,教学目标与要求上的规定性,教材编写的权威性,以及教学管理上的统一要求,这是保证思政课性质和要求的基本前提和保障。另一方面,要充分考虑教育教学实施过程和方式方法的多样性。根据学生各个方面的特点和要求,以多样化的方式来实施教育教学,这是提高思政课教学针对性和实际效果的现实要求。思政课的重大难点之一,就是它以最大的统一性来面对最大的多样性。因此,如果不能把统一性和多样性有效结合起来,就很可能陷入众口难调的困境。要允许并提倡广大教师在教育教学方式与方法上进行多样化的探索和创新,以满足不同学生的不同需要,切实提高教学实效性[②]。

坚持立德树人的教学方向和目标,是思想政治理论课教学应坚持的统一性标准。在这个教学目标的指导下,高校思想政治理论课在全国高校使用统一教材,确保了教学内容的统一性。这就要求为实现教学目标服务,清晰展现教学内容的思想政治理论课

---

① 习近平:《在学校思想政治理论课教师座谈会上的讲话》,《人民日报》2019 年 3 月 19 日。
② 刘建军:《论高校思想政治理论课教育教学的"八个统一"》,《教学与研究》2019 年第 7 期。

教学方法也要具有统一性。这种统一性主要体现在两个方面:其一,是从教学内容和教学目标看,思想政治理论课在教学方法上存在着共通的普遍适用的教学方法,比如讲授法、灌输法、启发法等等,科学运用这些方法,有利于思想政治理论课教学目标的实现和教学内容的入脑入心。这种思想政治理论课教学方法的统一性原则,也确保了多种多样的教学方法同向而行,共同为实现立德树人的根本目标服务。其二,思想政治理论课教学方法的继承性体现了教学方法历史发展的统一性。尽管随着新技术的出现和教学环境、载体的变化,微课、慕课等借助于网络、多媒体的教学新形式如雨后春笋般大量出现,但是传统教学方法依然发挥着重要的作用,我们应坚持思想政治理论课教学方法的继承发展原则,注重对传统教学方法的传承与优化。这种继承发展,也是教学方法统一性的体现。同时,我们不能忽视的是,每一个大学生都有各自的特点和不同的需求,他们的文化背景、思维方式、价值判断标准都是不尽相同的,如果我们单纯地要求教学方法的统一性必然是不能满足学生的不同需求的,这就要求我们在坚持教学方法统一性的基础上还要坚持教学方法的多样性原则,实现统一性与多样性相统一。在习近平总书记的重要讲话中,确立的"因地制宜、因时制宜、因材施教"的多样性标准加强思想政治理论课教学,不断提升思想政治理论课教学的针对性就是教学方法多样性原则的具体体现。教学有法,法无定法,新的形势下,不同层次的学校、不同的教育对象,教学方法应当更加灵活和多样,同时应提倡多种教学方法的组合和优化。

(六)坚持主导性和主体性相统一

思政课既具有教师的主导性,又具有学生的主体性。思政课是教师与学生互动的教学过程,教师是教学过程的主导者,在教育教学中起着引导的作用;学生是教学过程的对象和意义所在,其目的是提高学生的思想政治和道德素质,因而必须尊重学生的主体性。实际上,这里讲的是教育主客体的关系,即教育者与受教育者的关系。但并没有停留在传统的主客二分的认识上,而是吸取了双主体理念的合理因素,体现了教育主客体关系处理上的时代性。不论是教师的主导性,还是学生的主体性,都是主体性。同时,又没有陷入不分主次、没有区别的双主体陷阱,而是强调了教师的主导性。习近平指出:"思政课教学离不开教师的主导,同时要加大对学生的认知规律和接受特点的研究,发挥学生主体性作用。"[1]意思很清楚,就是要尊重学生的主体性,研究并遵循学生的认知规律和接受特点,更好地发挥教师的主导作用,提高教学实效性。[2]

教师首先要发挥主导作用,这种主导作用的发挥是教学工作顺利开展的基础和前提,选择什么样的教学方法,采用什么样的教学方式都是由思政课教师来根据教学内容、教学目标等因素来选择和运用的。同时,要充分发挥学生的主体作用,深入研究并遵循大学生的认知规律、主要需求和接受特点,充分关注学生学习积极性的调动和主观

---

① 习近平:《在学校思想政治理论课教师座谈会上的讲话》,《人民日报》2019年3月19日。
② 刘建军:《论高校思想政治理论课教育教学的"八个统一"》,《教学与研究》2019年第7期。

能动性的提升,采用课堂讨论、情境展示、启发互动等灵活多样的方法,使学生在自主自愿地参与到教学过程中,实现"要我学"到"我要学"的转变。思想政治理论课教师在授课过程中,采用的教学方法要兼顾教师的主导性和学生的主体性,承认和肯定学生的主体性,并不意味着否定教师也是课堂的主体,在整个教学过程中,教师只有充分的发挥自身的主体性,才能实现对教学过程的掌控和主导,这样才能从根本上保证思想政治理论课教学沿着正确的方向顺利进行,同时在教学过程中,教学应灵活运用一切有利于调动学生学习积极性的教学方法,充分尊重学生的主体性,坚持教学方法主导性与主体性的统一。

(七)坚持灌输性和启发性相统一

所谓灌输性,是指思政课教育教学要有正面而系统的理论传授,向学生传授马克思主义基本理论和党的理论创新成果;而启发性,是指教师在教学过程中,要善于启发学生的思考,调动学生的学习积极性,使学生通过自己的思考得出正确的结论。这是"学"与"思"的关系,两个方面都是必要的,缺一不可。首先,要肯定灌输的必要性,学生头脑中不可能自发地形成系统的科学理论,而必须经过系统的学习。马克思主义理论博大精深,如果没有系统的传授,学生是难以在短时期内有所掌握的。不仅思政课如此,其他课程也莫不如此。当然,在教学与学习过程中,较大信息量的传授和学习,毕竟不是轻而易举的,会给学生带来很大压力。如果有的老师不懂教学艺术,搞死记硬背和"填鸭式"硬灌,就会使学生感觉痛苦。所以,思政课教学要注重启发性教育,引导学生发现问题、分析问题、思考问题,在不断启发中让学生水到渠成得出结论。这样一方面调动起他们的积极性,减轻了他们在知识学习上的压力,同时也有利于提高教育教学效果①。

高校思想政治理论课的政治性和思想性特征决定了讲授思政课应坚持灌输性和启发性统一的教学方法。坚持灌输性和启发性相统一,正确理解理论灌输方法是前提。理论灌输方法是"教育者有目的、有计划地向受教育者进行马克思主义理论教育,引导受教育者逐步树立科学的世界观、人生观、价值观的方法。"②长期以来,学界对于灌输方法一直存在着较多的质疑、否定和批判的声音,究其原因,是因为将灌输简单地等同于洗脑、禁锢、生塞硬灌甚至迷惑和欺骗,认为专制的、鼓动的、强迫的、非理性的方法来传授道德内容就是在进行道德灌输。实际上,这样看待灌输不仅是极其片面的,更是十分错误的。正确的理解灌输,应从源头上首先理解列宁在《怎么办?》一书中指出的:"工人本来也不可能有社会民主主义的意识。这种意识只能从外面灌输进去。"③列宁认为,基于当时无产阶级群众自身所处的现实的残酷的生存条件,无产阶级群众是根本无法自发形成阶级政治意识,自悟社会主义思想的。只有通过"从外面"灌输社会主义意识,引导工人群众建立无产阶级世界观的理论体系和社会主义思想意识,才能使工人运动从

---

① 刘建军:《论高校思想政治理论课教育教学的"八个统一"》,《教学与研究》2019年第7期。

② 陈万柏,张耀灿:《思想政治教育学原理》(第二版),高等教育出版社,2007,第220页。

③ 列宁:《列宁选集》(第一卷),人民出版社,1995,第317页。

自发上升为自觉,灌输的主要目的是引导工人群众掌握一种科学的世界观和正确的方法论。其实,作为马克思理论教育的基本方法,正是依靠有效的灌输,我们才能用马克思主义的理论武器来武装群众,始终坚守马克思主义意识形态主流阵地,坚持中国特色社会主义道路。当代大学生,是中国特色社会主义事业未来的建设者和接班人,身处各类思潮暗流涌动、社会多元发展的时代,如果没有坚定的马克思主义信仰和政治立场,其后果是十分危险、不堪设想的。而这些我们希望学生在思想观念上确立的内容不可能在大学生的头脑中自发生成,这就要求我们在思想政治理论课教学中,毫不动摇地坚持灌输原则和方法,旗帜鲜明地用科学理论武装大学生的头脑,用正确的舆论引导大学生。当然,成功的灌输离不开正确的方法,这种正确的方法就是不断提高"灌"的艺术性,坚持灌输与启发相统一,充分注重启发性的教育。在思想政治理论课教学中要始终注重启发性的教育,引导学生充分发挥主观能动性,在教师一步步地引导下自己去发现问题、分析问题、思考问题,在不断启发中让学生积极思考、主动参与,水到渠成地得出结论,使学生在春风化雨、滋润心灵中提高掌握和运用科学理论的能力。坚持灌输性和启发性相统一的思想政治理论课课堂,既不是"洗脑课"也不是"说教课",而是生动的"说理课"和"铸魂育人课"。

(八)坚持显性教育和隐性教育相统一

思想政治理论课教育教学长期以来主要是一种显性教育,因为它本身是公开的正式的课程,它的教学方式也是比较正规的课堂教学方式,既具有实践教学等方式,也具有明确的思政教育特点。对思想政治理论课来说,显性教育无疑是重要的,不能否认的,这是与我们党的思想政治教育的"旗帜鲜明"的原则相适应的。我们讲思想政治理论课理直气壮,没有必要躲躲闪闪,更不能吞吞吐吐。这是问题的一方面;另一方面是,我们要认识到,思想政治理论课教育教学也具有一定的隐教性,要高度重视隐性教育的作用,并使其与显性教育相配合。隐性教育有其独特的长处,它可以减少学生的逆反心理,使学生在不知不觉中受到教育。为此,就要挖掘其他课程和教学方式中蕴含的思想政治教育资源,实现全员全程全方位育人。特别是要发挥其他专业课程在育人中的作用,将思想品德教育渗透在各门课程中,体现于校园文化以及其他教育环节中,最终形成高校育人的合力①。

作为思想政治教育的两种形态,显性教育和隐性教育在思想政治教育方法体系中一直处于比较重要的位置。显性教育注重通过旗帜鲜明的、积极引起被教育者注意的外显性教育活动,来传达教育内容,实现教育目标。隐性教育与之相反,主要通过了无痕迹的、不被受教育者觉察的内隐性的教育活动,使被教育者在浑然不知中接受了教育。坚持显性教育和隐性教育相统一,是提高思想政治理论课教学效果的重要抓手。从宏观层面来看,思想政治理论课显性教学是完成教学内容的主渠道,主要以课堂为依

---

① 刘建军:《论高校思想政治理论课教育教学的"八个统一"》,《教学与研究》2019 年第 7 期。

托,以系统化、规范化、专门化的方式进行,其强调的是教学的明确性和有组织性。显性教学方法在实现思想政治理论课教育目的、完成教学任务中的重要作用是毋庸置疑的,关于显性教学的方法研究和种类也是最多的,但是,这并不意味着我们仅依靠课堂和显性教学方法,就可以实现全部的教学目标,隐性教学方法的重要价值同样不可忽视。众所周知,学生思想政治素质的提高、科学世界观、人生观、价值观的养成是一个长期的过程,也是一个多方面因素综合作用的结果,离不开课内的显性教学培育,也离不开感化、移情、感染等隐性育人方法,这些方法虽然润物无声、潜隐无形,但其对学生正向的感染和熏陶作用往往更为细腻、深入而持久。同时,我们还应注意的是,思想政治理论课教师本身的人格魅力和道德示范作用本身就是很好的隐性教育资源。一位对学生充满爱、愿意付出爱,具有坚定信仰和深沉的家国情怀的充满人格魅力的教师,自会"桃李不言下自成蹊",将其信仰、智取、希望移情于学生的心灵之中。①

第三节　新时代高校思想政治理论课教学方法体系的主要内容

高校思想政治理论课的教学方法是实施思想政治理论教学内容,完成思想政治理论课教学目标,提高思想政治理论课教学效果的核心和关键环节。要改革和构建思想政治理论课教学方法体系,必须首先弄清高校思想政治理论课教学方法体系的内涵与特点,明确高校思想政治理论课教学方法体系的分类意义与标准,分析各种高校思想政治理论课具体的教学方法的利弊得失,并随着高校思想政治理论课教育教学实践的发展和人们对高校思想政治理论课教学规律认识的不断深化,使高校思想政治理论课教育教学方法体系不断得到充实、丰富、发展和完善。

一、高校思想政治理论课教学方法体系的内涵与特点

任何教学目标的实现和教学活动的开展,都离不开合理的教学方法。方法是实现目标的载体,合理使用方法才能有效达到目标。没有方法的教学活动是不存在的。

(一)高校思想政治理论课教学方法体系的含义

所谓教学方法就是为了达到教学目的,师生进行有序的相互联系的活动的多种方式所构成的系统。它包括教师教的方法和学生学的方法及其相互之间的有机联系,是在教学的过程中,教师和学生为完成教学目的和任务所采取的途径和程序总和。从教学过程的角度看,是指教师和学生在教学过程中,为达到一定的教学目的,根据特定的教学内容,双方共同进行并相互作用的一系列活动方式、步骤、手段、技术和操作程序所

---

① 陈梦圆:《高校思想政治理论课教学方法研究》,博士学位论文,东北师范大学,2019,第52-57页。

构成的有机系统。它内含着这样几个有机联系的层次或要素：第一，必须指明教学活动的目的方向；第二，必须有达到目的方向所要通过的途径；第三，必须有达到目的方向所必须采取的策略手段；第四，必须有达到目的方向所运用的工具；第五，必须有运用工具所必须遵照的操作程序。从教学活动的具体需求来看，教学方法的内在结构是由语言系统、实物系统、操作系统、情感系统等子系统构成的有机系统。教学方法得当与否，是教学内容得以有效贯彻，决定教学质量的重要保证。

高校思想政治理论课教学方法是指思想政治理论课教学过程中，为提高大学生的思想道德素质和科学文化素质，培养大学生马克思主义理论素养及其运用马克思主义的立场、观点和方法分析解决问题的能力，帮助大学生树立正确的世界观、人生观、价值观，教师所采用的各种方式、手段、工具等的总和。从广义上讲，思想政治理论课教学方法是师生双方为了教学活动的顺利进行、实现思想政治理论课教学任务和目的而采取的一切途径、方式、方法和手段的总称。它既包括教师对教法的选择和教学程序的设计，又包括教学组织形式和教学语言、教学艺术风格；既包括思想政治理论课教学中的哲学方法、一般方法和心理学方法，也包括在教学过程中具体采用的教学方法；既包括教学过程各个阶段所采用的理论教学方法和实践教学方法，又涵盖思想政治理论课教学工作各个环节的方法，如教学管理方法、教学评价方法、教学研究方法和教育技术方法等。从狭义上讲，思想政治理论课教学方法是指思想政治理论课教师在教学过程中，为了完成思想政治理论课的教学任务而采取的对大学生进行世界观、人生观、价值观、道德观教育的具体教学方式、方法和手段。

思想政治理论课教学方法体系不是从广义上而是从一般方法论上来阐释思想政治理论课教学方法的基本特点、基本原则、基本要求，具体的教学方法和实施途径，重点是阐述思想政治理论课教学实践中一系列行之有效的具体理论教学方法和实践教学方法体系，是思想政治理论课各种教学方法按照一定的标准和原则集合在一起构成的方法体系总和。

（二）高校思想政治理论课教学方法体系的特点

思想政治理论课教学方法体系是对思想政治理论课教学实践规律的认识和总结，它与一般教学方法是特殊和一般的关系，是一般的教学方法在思想政治理论课中的应用和继承。思想政治理论课课程设置的特殊教育功能要求其教学方法体系除了具备一般课程教学方法的特点之外，还应该适合思想政治理论课承担的政治思想和品德教育的独有的特点。

1. 理论与实际相结合的特点

理论与实际相结合是实事求是思想路线的要求，是马克思主义学风的体现。思想政治理论课教学方法中实行理论与实际相结合，是保持其生命活力的关键，也是提高思想政治理论课教学质量和效果的根本要求。理论与实际相结合的科学依据来源于认识与实践的辩证关系，因为无论什么理论，归根到底来源于实际，对理论的学习和把握也就不能脱离实际。这也是由思想政治理论课教学性质所决定的,高校思想政治理论课既具有理论性,又具有应用性,是强调理论与实际相结合的教学方法,一方面是为了防止在思想政治理论课教学中脱离实际讲理论的教条主义倾向,另一方面也是为了防止在思想政治理论课教学中以实际代替理论的经验主义倾向。

理论与实际相结合、理论与实际相统一并非一蹴而就、一成不变的,是个动态的发展过程。因为现实的实际情况总是在不断变化发展的,理论与实际的发展不同步、对不上号、理论超前或者滞后于实际的现象会经常出现。因此,在思想政治理论课教学和教学方法的选择中,要始终坚持理论与实际相结合,把思想政治理论课教学内容同历史上中国革命与建设的实际,同当代中国改革开放和现代化建设中的实际,同大学生世界观、人生观、价值观问题及其思想实际有机结合起来,引导学生对理论与实际情况不一致的问题进行客观分析、深入研究,以消除理论与实际间的反差,提高学生用马克思主义理论说明问题和解决问题的能力。

从总体上讲,思想政治理论课教学内容的讲授和教学方法的选择,要特别注意联系五个方面的实际:第一,联系理论本身形成和发展的实际。要讲清楚理论产生和发展的背景、条件、根源和创新点,深刻认识与时俱进是马克思主义理论的固有品质,增强理论观点的说服力。第二,联系当前的国际国内的社会实际,帮助大学生了解国内外形势的发展,理解和掌握党和政府所采取的路线、方针、政策。第三,联系大学生身边的实际。帮助大学生正确处理生活中可能遇到的矛盾和问题。第四,联系大学生的思想实际。帮助大学生解决思想困惑,提高思想认识。尤其是对大学生所普遍关注的国内外重大现实问题,要做到心中有数,尽量结合现实讲授。第五,联系教师本身的实际。教师只有真信真懂真用真情,才能使思想政治理论课既有现实性、时代感,又有感染力、说服力。

2. 灌输与启发相结合的特点

课堂教学法是高校思想政治理论课教育教学的基本形式和主要方法。这种课堂讲授是一种理论灌输方式。在高校思想政治理论课教育教学中,进行系统的马克思主义的理论灌输,这是由思想政治理论课的政治性和方向性原则所决定的,也是符合世界观、人生观、价值观形成的基本规律的。

一段时期以来,我们一谈到"灌输",就把它看作一种僵硬死板的方法,这是一种误解。其实,任何先进的思想理论并非人们天生具有,而只能是在后天的社会生活中通过一定形式的社会实践活动来获得的。作为马克思和恩格斯创立的代表人类先进思想的理论结晶的科学社会主义的理论体系,当然更不可能在群众的头脑中自发产生。因而,重视对工人阶级的政治理论教育,是马克思主义的一贯原则,并且这种教育只能在革命的实践中才能实现。

在高校思想政治理论课教育教学中"灌输"马克思主义,并非是要强"灌"硬"输"。它与那种"填鸭式""满堂灌"的教学方法不同。要使所灌输的内容同大学生产生心理上思想上的共鸣,这就必须采取灌输与启发相结合的教学方法。这是与马克思主义一贯主张思想教育只能贯彻疏导方针,不能搞强制压服是一致的。如果说,灌输式教学是思想政治理论课方向性原则的要求,那么,启发式教学则是其思想性与科学性原则的要求,也是符合学校教学的目的和学生学习活动规律的。启发式教学是调动学生学习的主动性,激发其学习潜能,培养其独立思考和研究能力的教学方法。启发式教学更能促进学生消化所学知识并使之向能力转化。在高校思想政治理论课教学中,必须善于运用启发式教学,对一些较为抽象的理论,往往采取由浅入深、环环相扣、层层深入的讲授方式,以便学生理解和接受。这种教学方式,是由具体事例引出抽象原理和普遍真理,使学生的思想认识由浅入深、逐步深入,因而产生较大的启发作用和教育意义。

3. 原理抽象阐释与案例形象具体相结合的特点

原理阐述是理论型课程教学的基本方法,是对课程体系中的基本概念、原理、定律、规律和基本的理论观点进行逻辑推理、严密论证、系统阐述的方法。高校思想政治理论课教育教学的内容博大精深,是集科学性、思想性、阶级性、实践性于一体的逻辑严密的理论体系。其中包含有许多基本概念、基本原理、基本规律和基本的理论观点,这些基本的理论内容,不仅需要全面地了解认识,而且应该准确地掌握运用。因此,在思想政治理论课教学中采用原理阐述的讲授方法是非常必要的。这种方法注重概念的准确界定、原理的科学论证、理论的逻辑推演、体系的完整一致,其优点是能培养学生严谨的治学态度,提高其逻辑思维能力,使其具有扎实的理论功底,便于学生准确完整地理解和掌握高校思想政治理论课教育教学的基本理论内容。

所谓案例形象具体的教学方式,就是通过选择具有典型代表性的具体实例,借助形象思维,帮助学生认识和理解某一基本原理或思想观点的教学方法。形象思维是通过生动具体的感性形象和观念形象,借助联想、类比、想象等方法,对形象信息进行加工处理,以认识和反映客观事物的思维方法。形象思维具有直观性、具体性、生动性、整体性和相似性的特点,能将具体事物的形象活灵活现地展现在人的脑海中,使人如亲临其境,能直接形成对事物整体形象的认知。形象思维大多以事物与事物、现象与现象之间的相似性为基础,展开联想、类比、想象,通过个别事物的形象,认识同类事物的共性特征,还能给人以美的享受,具有艺术感染力。运用案例从感性材料入手进行生动形象的讲述,有助于概念、原理和观点等抽象理论的阐发、说明和理解,比那种就概念讲概念、就原理讲原理的教学效果要好得多。采用案例形象具体的教学方式,能促使思想政治理论课教学更多地关注现实社会和生活实际,避免脱离实际的本位主义;能加强师生间的双向交流,有针对性地解决学生的思想问题,教学形式灵活,便于学生参与,避免了那种传统的单向式的,甚至照本宣科式的教学模式。

4. "以理服人"与"以情感人"相结合的特点

"以理服人"是指以理性的态度,使用概念、判断、推理等逻辑的思维方法和辩证的思维方法来表达思想观点或者意愿态度。"以情感人"是指在表达思想观点或者意愿态度时,要投入真情实感,与教育对象之间要有情感交流,使情与理自然地结合起来。从理智和情感二者的特性和作用看,理智具有控制情感、主导思维活动的作用。人的思维活动包含着理性思维和非理性思维两种因素,理智属于理性思维范围,情感属于非理性思维范围。从本质上讲,理性的动物是有理智、也是有情感的动物。

我们强调思想政治理论课教学要采取"以理服人"与"以情感人"相结合,就是强调不要人为地割裂理智与情感的辩证关系,要遵循其协调合作的规律,自觉地驾驭调控,充分发挥理智和情感综合产生的积极效应。在思想政治理论课教学中,正确处理理智与情感的关系,教师首先应自觉以理性和理智为主导。这不仅是因为理智本身对于人的重要性,而且是由思想政治理论课教学内容的科学性、思想性、理论性所决定的。没有理智的主导作用,教师不能理智地表达教学内容,就无法使学生对思想政治理论课教学内容有系统的深层次的理解和把握,也无法使学生自觉地运用和坚持马克思主义,自觉地辨别和抵制各种错误思潮的影响冲击。

以理性思维为主导,并不意味着人的非理性思维和人的情感无足轻重。丰富的情感和高尚的情操是一个人综合素质的表现,因此,对大学生进行情感教育是素质教育,也是思想品德教育的重要内容。在思想政治理论课教学中强调情感投入,就是要充分发挥思想政治理论课教学在情感教育中的作用。教师的情感投入实际上也是情感教育法的具体运用。它体现了多种形式的情感教育方式。情感教育是指通过创设各种情境、调动人的情感,使教育对象从中受到感染熏陶的方法。它包括"以情动人""以情启情""以境育情"等多种形式。思想政治理论课教学中教师的情感投入可以达到这几种形式的综合运用。思想政治理论课教学中,教师若不投之以"情",不仅无法调动和培养学生的情感,不能与学生进行必要的情感交流,更不可能达到"以情动人""以情启情""以境育情"的教育效果。①

二、新时代基于内容视角的高校思想政治理论课教学方法体系运用与优化

以什么样的教学内容施教于学生,犹如把什么样的精神种子种在学生心田里,对于"培养什么人""为谁培养人"具有决定性意义。以什么样的方式方法进行教学活动,犹如用什么样的器械、工具和装备开展生产,势必影响生产效率和质量,制约着"怎样培养人"。② 思想政治理论课教学研究的一个核心问题就是要厘清思想政治理论课应该"教什么"和"怎么教"的问题,这就关乎在思想政治理论课教学中如何从内容的视角来科学运用和优化教学方法的问题。教学内容问题是思想政治理论课教学的基本问题和核心问题之一。思想政治理论课教学活动的顺利开展,离不开教学主体、教学对象、教学内

---

① 雷儒金:《高校思想政治理论课教学方法改革研究》,博士学位论文,武汉大学,2012,第82—88页。
② 白显良:《思想政治理论课改革创新的方法论》,《光明日报》2019年4月19日第11版。

容、教学方法、教学手段、教学环境等各个要素的相互连接和相互作用。而在这些要素中，教学内容是最为核心的关键性因素。思想政治理论课教学目标的实现、教学任务的达成，必须借助于具体的教学内容的讲授、教学主体向教学对象内容的传递来实现。教学方法、手段、策略的达成，也必须要借助于具体的教学内容的讲授、传递来实现。因此，在探讨思想政治理论课教学方法运用和优化的过程中，我们首先要厘清的就是教学内容与教学方法的关系问题，并进一步探讨如何使我们的教学方法更好地为思想政治理论课教学内容服务。

（一）思想政治理论课教学方法与思想政治理论课教学内容高度契合

思想政治理论课教学方法具有教学内容的规定性，有效的教学方法必须要突出思想政治理论课不同教学内容的教学特色，与思想政治理论课教学内容高度契合。

1.围绕思想政治理论课教学内容的性质选择教学方法

每一门学科都有自身特殊的矛盾及其矛盾运动，而集中表现出自身的特殊性，这种特殊性使一个学科独立和区别于其他学科，具有其自身的性质和特点。不同学科因其性质和特点不同，教学内容不同，常常需要采用不同的教学方法。从哲学的角度来看，教学内容与教学方法的关系可以看成是辩证统一的内容与形式的关系。从一定意义来说，教学内容和教学方法之间存在着本质的必然的联系，教学内容与方法不可分割，教学方法是教学内容的一种特殊运动形式，在以教学内容和掌握这个内容的基础上得出相应的教学方法。在教学活动中，教师选择教学内容的方法也已经是教学方法的一个组成部分，同时，教学内容的性质决定了教师该采用什么样的具体教学方法来呈现教学内容，教学内容的性质不同，则应该采取不同的教学方法与之相适应。具体而言，一堂课的教学重点、难点、教学目标、教学案例等是通过教学活动要呈现的教学内容，那么，围绕教学内容所选用的教学方法就应该是这堂课的教学形式。教学内容的性质直接决定了其需要什么样的教学方法来呈现。如果忽视教学内容的性质随意的采用教学方法来展开教学活动，就会"竹篮打水一场空"，不仅不能完整、恰当地呈现教学内容，还容易使学生产生反感和抵触的情绪，不利于思想政治理论课教学目标的实现。思想政治理论课教学要想提高课堂教学效率，提升教学的吸引力，获得较好的教学效果，吃透、厘清教学内容是前提。在思想政治理论课教学中应坚持"内容为王"，只有吃透教学内容，准确抓住教学内容的性质和特点，才能科学有效的运用教学方法，促进和实现教学方法的优化。高校思想政治理论课建设和发展依托于马克思主义理论一级学科，马克思主义一级学科具有鲜明的意识形态性、思想理论性和实践性等特点，这也就决定了思想政治理论课教学内容的意识形态性、思想理论性和实践性，具有这个性质，我们采用的教学方法就不能像自然科学类课程常用的实验法、观察法等，也不能用艺术类学科常用的示范法和练习法，而必须契合自身的特点比如理论教授法、案例教学法、启发式教学法等来展开教学。

2.围绕思想政治理论课教学内容的特点选择教学方法

思想政治理论课虽然是一门公共课,但是其并不是某一门单一的课程,而是由"思想道德与法治""毛泽东思想和中国特色社会主义理论体系概论""马克思主义基本原理概论""中国近现代史纲要"和"形势与政策课"构成的课程体系。作为培养中国特色社会主义事业合格建设者和可靠接班人,落实立德育人根本任务的主干渠道,思想政治理论课具有超越其他高校一般课程的巩固高校意识形态、坚持社会主义办学方向的重要阵地的举足轻重的地位,这也凸显了思想政治理论课政治性要求的特点和鲜明的意识形态属性。作为帮助大学生树立正确世界观人生观价值观的核心课程,思想政治理论课教学在关注学生掌握马克思主义基本原理的同时,更关注学生是否能把学到的知识真正地"内化于心"和"外化于行",这就决定了思想政治理论课教学内容又兼具了理论教育性、情感认同性、注重实践性等特点。因为这些特点,使思想政治理论课教学方法不仅应有一般教学方法的共性,又有其鲜明的特殊性。同时,思想政治理论课教学过程中无论是向学生传递知识还是价值标准,都是思想政治理论课教学内容要传递的信息。在这个信息传递的过程中,整个教学活动是包含着教学载体、教学手段、教学主客体、教学评价和教学环境等在内的一个复杂的动态的过程。这一特点也决定了思想政治理论课的教学方法决不能是单一的、静态的、简单的方法,而应该成为一个多样的,动态的、发展的教学方法体系和系统。通过对思想政治理论课实际教学活动的深入研究我们也可以发现,教学过程中许多实际问题的有效解决,往往是多种教学方法综合运用和共同起作用的结果。

3.教材体系向教学体系转化与教学方法选择

思想政治理论课教材是党和国家意志的重要载体,具有严密的逻辑性、科学性和鲜明的意识形态属性。党的十九大之后,为进一步贯彻和落实习近平新时代中国特色社会主义思想进教材,教育部组织一批专家深入学习党的理论创新成果,按照理论创新的逻辑、实践创新的逻辑、学科发展的规范、学理阐述的要求编写了2021版思想政治理论课新教材,这套新编教材同样包含了《马克思主义基本原理概论》、《毛泽东思想和中国特色社会主义理论体系概论》、《中国近现代史纲要》、《思想道德修养与法律基础》(《思想道德与法治》)四本书,构成了新时代高校思想政治理论课完整的教材体系,为实现用中国特色社会主义最新理论成果武装大学生头脑,培养社会主义建设者和接班人服务。同时,我们也明确地意识到,教材无论编写的多么完美,仅仅依靠其本身让学生来自学是很难实现其作用和功能的。而学生能自学思想政治理论课教材的可能性也是极小的。因此,教材体系的育人作用和功能必须依靠教学体系来发挥。思想政治理论课正是通过教材体系向教学体系的转化过程中来实现教学目标。思想政治理论课教师对于教学体系的设计、运用和学生对于思想政治理论课教学内容的学习领会和消化运用的效果越好,教材体系的作用和功能就发挥的越好,在教材体系向教学体系转化的过程中,教学方法对整个转化过程起主导作用。在实现教材体系向教学体系转化的过程中,思想政治理论课教师不是直接将教材内容简单灌输给学生的"搬运工"和低阶的"传输者",而是需要充分发挥主观能动性将教材内容整合、梳理、提取和补充的"编剧"和高阶的"再创造者"。学生是教学方法的能动的作用者和直接的体验者,教材体系向教学体系转化的最终教学目标能否实现,以教学方法能否真正发挥作用,促进教材内容真正内化为学生的情感认同和成为实践指引为衡量标准。在教材体系向教学体系转化的过程中,采用科学有效的方法,可以起到事半功倍的作用。具体的做法如下:

首先,吃透教材是转化的前提。任课教师拿到一本教材,首先要深刻把握教材的教学目的和教学的基本要求,厘清教材的逻辑起点、主线和框架,明确教材的重点,厘清教材的难点,并能够创造性地将教材内容与党的理论创新的最新成果和社会热点、时事内容相融合。

其二,备透学生是转化的基础。教学方法最终要作用于学生,教学方法有效与否,最终也要依赖于学生的评价和反馈。从教材体系向教学体系转化的过程中,学生不是被动的、死板的、僵化的对象,教师要深入研究学生的特点和学习的期待,针对学生的特点选择合适的教学方法,根据学生的期待和思想疑点问题来展开教学理论的讲授,将教学内容与大学生期待了解的社会热点问题相结合,与大学生思想认知中存在的实际问题相结合,与大学生提高思想理论素养的内在需求相结合,充分调动学生的学习积极性,真正解决学生学习和生活中出现的实际问题,为学生理论素养的提高、人格修养的完善、正确三观的形成提供科学的指导和价值指引。

其三,明确教学重心是转化的重要环节。教师的教学过程是实现马克思主义基本原理和马克思主义中国化理论成果"进课堂"的过程,在教学中,教师不应将教学重心仅仅局限于理论知识的讲解传授,同时应注重对学生进行正确的价值引导,注重学生对于马克思主义科学方法论的学习,注重训练学生用科学理论分析现实问题和解决实际问题的能力,同时要帮助学生自觉地将科学理论内化为自身的思想道德素质,外化为行为规范。

其四,教材语言转化是关键。思想政治理论课的说服力、感召力很大一部分来自教师的语言力度,教师语言运用的技巧将直接影响到课堂的教学效果。思想政治理论课教材由于其自身鲜明的意识形态性和较强的理论性特点,决定其教材语言具有一定的文件化特色和抽象性特征。这样的教材语言对于学生而言是较为枯燥无味和晦涩难懂的。因此,教师在教学的过程,不能简单地复述教材语言,而应该注意选用通俗易懂、贴近生活、贴近学生实际的语言和表达习惯,把深奥的理论讲得形象生动、明了透彻。同时,在教学语言的选择上,教师应及时地学习、补充和更新自己的语库,创新话语方式,将贴近时代的,贴近学生生活的语言包括一些适合的"网红"流行语扩充到自身的语库中,使教学语言具有亲和力和吸引力,既"上得了课堂,又接得了地气",力争运用学生喜闻乐见的语言,通过深入浅出地讲解,使教材内容鲜活生动起来。

其五,多种方法综合发挥作用是转化的关键。在教材体系向教学体系的转化过程中,是不可能有一种方法,可以适用于所有思想政治理论课程,适用于所有学生的。四门课程各自有自身的理论性特点,各学科专业的学生有不同的知识背景和认知特点,如果想"一劳永逸"地只使用一种方法、一本教案、一套课件来应付教学,肯定不能取得令人满意的教学效果。不同的方法有不同的作用,思想政治理论课教师应运用多种方式方法,发挥综合作用,更好地完成思想政治理论课的教学任务。

其六,教学手段现代化是转化的保障。随着时代的发展和科技水平的提高,互联网和信息科技已经成为思想政治理论课教学方法改革的重要助推力量。在教材体系向教学体系转化的过程中,应该注意将信息化技术和设备引入到思想政治理论课教学的实践中来,实现教学手段的现代化。多媒体设备、数字化影像设备和微信、微博、短视频、直播等越来越多地被应用到思想政治理论课教学活动中,极大地拓宽了思想政治理论课教学的渠道,以开放多元的表现形式丰富了教学内容的呈现形式,使有限的课堂教学时间和空间得以拓展,使单一的教学情境变得丰富、立体、逼真、有趣,增强了教学内容的吸引力,让学生能够在全新的情境教学法中产生更大的情感认同,获得更大的激励,这些方法都可以极大地提升教材体系向教学体系有效的"转化率",使思想政治理论课教学获得实效。

4.思想政治理论课教学内容的基本分类

思想政治理论课教学内容的综合性和广泛性决定了思想政治理论课教学方法选择的多样性。教学内容不同,应采用不同的教学方法。在已取得的关于教学方法的研究成果中,对于教学方法分类问题的研究是比较深入和丰富的。有的学者从方法论的角度将思想政治理论课教学方法分为哲学方法、一般方法和具体方法;有的学者按照四门课程概括出来适用四门课程的方法分类;有的学者将教学方法划分为思想政治理论课教学的基本方法和拓展方法两个层次;还有的学者将教学方法分为以传授间接经验为主的第一课堂的教学方法和以间接知识和转化间接知识为直接知识的第二课堂的教学方法;等等。

基于思想政治理论课教学内容对于教学方法的重要影响作用,尝试打破四门课程教材体系的限制,在深入挖掘和整合思想政治理论课四门课程内容的基础上,以提升学生的"政治理论认同""思想情感和价值认同""行为认同"为主线,将思想政治理论课教学内容划分为理论原理性知识、与大学生成长成才联系密切的知识和教学实践三方面内容,并针对每类内容提出了一套与之相契合的教学方法。其中,理论原理性知识内容的教学是基础,与大学生成长成才联系密切知识的教学是关键,教学实践是提高,三者相辅相成,共同推动教学内容入脑、入心、入行为,促进学生在思想政治理论课堂真学、真懂、真信。需要说明的是,思想政治理论课是涵盖了理论性、政治性、思想性、知识性、历史性和实践性于一体的综合性课程体系,对于其教学内容的划分也仅仅只是从大的类别角度来进行的概括性分类,并以此为基础上来探讨具有针对性和适用性的教学方法,但是这并不意味着适用此类教学内容的教学方法具有绝对性和专属性。也就是说,一个类别的教学内容,更多使用的是与之相配套的几种教学方法,但是绝不是仅仅使用这几种方法就足够了,思想政治理论课大部分教学内容尤其是较为复杂的教学内容的完整呈现和完美讲授,往往是以一种教学方法为主,多种教学方法综合运用的结果。

(二)理论原理性内容教学方法的运用与优化

坚守理论性是思政课课程性质和教学目标的内在要求。思想政治理论课教学中,理论原理性知识内容主要包括了马克思主义基本原理的相关理论、马克思主义中国化的理论与实践创新成果和人的全面发展理论三大理论板块,实质上揭示了三大规律:第一,自然界和人类社会发展的普遍规律。第二,中国特色社会主义发展的规律。第三,人的全面发展的规律。① 我们说要坚持用科学的理论培养人、武装人,到底什么是科学的理论? 马克思主义的基本原理就是科学的理论,也是思想政治理论课必须要教给学生的有力的"思想武器"。在理论性原理知识的教学过程中,应该让学生了解马克思主义的创立与发展过程,理解马克思主义的当代价值,同时掌握马克思主义的立场、观点和方法。身处新时代,我们在对学生进行理论讲授时,要着重讲清楚当代中国的马克思主义——习近平新时代中国特色社会主义思想,使学生明确其基本精神、内容和要求,增强对中国特色社会主义理论的理论认同和情感认同,并转化为改造主客观世界的物质力量。只有这样,理论才能真正发挥指导作用,并随着实践的发展而发展。这些理论原理性知识和其揭示的普遍规律是思想政治理论课教学内容的重要组成部分,基于理论原理性知识内容自身的性质和特点,应不断对利用多媒体的讲授法、专题式教学方法和以现实问题为导向的问题式教学方法进行改进和优化。

1. 利用多媒体的讲授法的运用与优化

讲授法一直以来是思想政治理论课所运用的主要教学方法之一,最早是由捷克著名教育家夸美纽斯提出,并在其后一直沿用,直到今天仍被看作是一种重要的教学方法。利用多媒体的讲授法是指高校思想政治课教师运用口头语言,配合使用多媒体课件,通过叙述和PPT展示思想政治理论课教材中涵盖的马克思列宁主义、毛泽东思想、中国特色社会主义理论和习近平系列讲话精神等重要思想观点、概念,阐明、论证事物发展规律、陈述事实,深入剖析思想政治理论课理论原理性知识的教学方法。利用多媒体的讲授法具有其他教学方法不能比拟的优点:适合思想政治理论课大班额的授课模式,可以同时向多人传授知识而不受人数的限制;对上课的场地和器械要求较低,普通的大学课堂都能完成教学;教师与学生之间可以无障碍地进行知识的传授和情感的交流,教师在上课的过程可以直接观察学生的反应,并根据授课的情况随时调整授课进度和节奏,灵活处理教学中出现的情况和学生学习中遇到的问题。利用多媒体的讲授法,是一名合格的思想政治理论课教师必备的教学基本功,思想政治理论课从产生以来就一直沿用讲授法,随着科学技术的发展,多媒体教学早已经在大学课堂中普及。原来的

① 骆郁廷:《高校思想政治理论课的"变"与"不变"》,《思想理论教育导刊》2013年第4期。

一位老师、一本教案、一块黑板、一支粉笔、三尺讲台的教学形式因为有了多媒体的辅助变得鲜活而丰富。教师在课前把要讲授的理论原理性内容做成了一张张多媒体课件,在讲授的过程中配合使用,不仅可以使抽象、灰色、高深的理论变得具体、生动而形象,还可以对学生的大脑形成一种声音+图形图像+文字+动画+视频等多种媒体信息的立体、丰富的刺激,这样可以最大限度地激发、延伸学生的大脑潜能,提高学习效率,从而增强了教师单纯依靠一支粉笔和一块黑板教授理论的感人力、说服力和吸引力,使学生从被动的接受者转变为能动的学习者,从而提升了理论原理性知识的学习效果。在高校思想政治理论课课程中,每门课程都涉及理论原理性知识的教授,尤其是"概论"和"原理"课的理论原理性知识点更加地丰富,思想政治理论课教师要善于科学运用和不断优化多媒体的讲授法,具体应注意以下三个问题:

其一,理论原理性知识讲授不等于理论讲的越多越深越好。大学生思想政治理论课内容既不同于文件解读,又不同于纯理论著述,它是通过具体的阐释来说明基本观点,这不是抽象的理论阐释,而是形象的事实解读。大学生思想政治理论课的内容要考虑实际效果,而经验证明他们对系统理论把握不多,能够掌握基本观点已实属不易。在这种情况下,理论讲授不是越多、越深、越系统就越好,而是要考虑学生能接受多少。[1]理论往往是枯燥、难懂的,如何把它讲得生动、清晰,需要授课教师精心设计课程导入、课程展开、教学重难点、素材选用等各个环节,并将理论问题与学生关心的问题和社会热点问题相结合来进行讲授,使学生在学习的过程中受到正确理论的启发和引领,学会用马克思主义立场、观点和方法来分析问题,不断提升自身解决问题的能力,这才应该是理论讲授所要最终达到的目的和追求。如何把理论讲解的既"接地气"又不失深度呢?这里提供一个经过教学实践证明了的好方法:近年来,华中科技大学开设的思想政治理论选修课《深度中国》因为有了"好厨师""好配方"和"好工艺",为学生奉献了色香味俱佳的一堂堂思政课大餐,赢得了学生们的喜爱和追捧,只能容纳200多人的教室不仅每节课座无虚席,而且在过道和门口也会挤满听课的学生。这样鲜美的思政课大餐究竟是如何"烹饪"的呢?一个很重要的因素就是在讲授知识的过程中一直遵循"先把大道理分解成小道理,再将小道理升华为大道理"的基本逻辑。

其二,多媒体课件不是教材内容或者板书的替代品。"没有精炼的多媒体课件,是'教材搬家';'精炼'到只有标题的多媒体课件,那是'电子板书'。"[2]多媒体技术作为现代教学过程的一个组成部分,是架构教师、学生和教材三者之间的桥梁,其功能对课堂教学应该是"锦上添花",而不是"顾此失彼""喧宾夺主"或者"取而代之",从而冲淡或者弱化课堂中的"教"和"学"。[3]多媒体课件是思想政治理论课教师创造性智力成果的

---

① 王立仁,姚菁菁:《系统化维度的大学生思想政治教育内容、方法、实效论说》,《东北师大学报》(哲学社会科学版)2017年第4期。

② 武星亮,甘霞:《高校思想政治理论课多媒体课件制作的基本原则》,《思想理论教育导刊》2011年第5期。

③ 薛志清:《关于高校思想政治理论课多媒体课件制作使用的探究》,《电化教育研究》2014年第6期。

体现,反映了一个教师的教学风格、才情风格和理论修养。一个成功的多媒体课件,是教师在深刻体会理论原理性知识内涵和外延的基础上精炼和归纳的,精心提取出教材和教学内容来组成制作的多媒体课件的元素,配以大小适中的文字和贴切的图片,同时应注意背景的选择和课件整体画面的颜色搭配,使其在第一时间可以抓住学生的眼球,吸引学生的注意力。此外,多媒体课件可以集成音乐、视频等多种教学元素,开发和利用好这些元素也应是思想政治理论课教师应掌握的制作多媒体课件的基本功。

其三,正确把握教师讲授和多媒体课件运用两者关系是关键。首先,生动、正确地讲授是前提和基础。在讲授的过程中,思想政治理论课教师的教育观念、教学能力直接关系到课堂教学的有效性。在这里,切忌把讲授法理解为一种单纯机械地"填鸭式"的满堂灌,教师虽然是课堂教学活动的主要实施者,但却不能把学生仅仅看成教师讲授过程中被动地参与者,如何在讲授中充分调动和发挥学生的主动性和能动性,使学生参与到思想政治理论课课堂中来,才是真正考验思想政治理论课讲授能力的关键。单纯知识性内容的讲授是不能满足学生需要的,在讲解中授课教师应融入一些贴近学生生活和学生需求的元素,采用更多的技巧和生动的话语来使讲授更有吸引力。其次,多媒体课件是辅助讲授的工具。思想政治理论课教师在讲授的过程中要适度科学的辅之以多媒体课件,但是不能成为"照屏宣科"的复述者,更不能成为播放多媒体课件的放映员。有一些教师上课的时候过度依赖多媒体课件,整个教学思路和教学环节的设计不是在自己的头脑中而是全部做到课件上,在讲课的过程中,眼睛需要一直扫视着课件的内容才能讲课,这样不仅降低了教师在学生心目中的专业形象,而且教师无暇顾及在讲授过程中与学生眼神直接的交流,更不能用目光扫视全班来控制课堂,不仅不能提高实际的教学效果,反而起到了反作用。更为严重的是,一些教师由于对多媒体课件的过度依赖,如果课堂突遇停电或者电脑故障导致不能使用多媒体课件时,正常的教学活动都无法开展,只能让学生自学,这样的教师是很难令学生喜爱和信服的。

2.专题式教学方法的运用与优化

随着思想政治理论课教学方法改革的逐步深入,专题式教学的模式得到广泛的应用,其教学效果得到普遍认同。专题教学是在教材基础上的再创造,它要求教师充分发挥教学自主权,积极采用现代化的教学手段,把握最新理论动态以及实践最新教学理念,紧扣教学目标,以教观点、教方法为己任,进行"少而精"的教学,灵活地安排教学内容。[①] 专题式教学法具有重点突出、主题鲜明、教学针对性强的优点。前文已经对于四门思想政治理论课的课程内容进行论述,四门课程各有其特点,内容上各有侧重点,对于其中的理论原理性知识,要求思想政治理论课教师一方面要以提升教学效果为着力点,根据内容和教师自身的研究专长,结合学生在学习中关注的疑难问题和社会上出现的重大时事热点问题,对教材中的重大理论问题进行深入研究;另一方面,在教学设计

---

① 杨丽娟:《〈思想道德修养和法律基础〉课实施专题式教学的必要性》,《思想政治教育研究》2007 年第 6 期。

和实际的教学过程中,综合考量理论原理性知识内容的深度、广度和难度,对其进行重新编排和归纳,进一步提炼课程重点和难点,将其整合形成若干专题开展教学活动。

关于理论原理性知识的专题设置,应注意以下三个方面:

一是专题的实质要注重从教材体系到教学体系的整体性。科学的专题设计和设置不是一位思想政治理论课教师自己就能完成的任务,各教研室在设计本门课程专题时应发挥教师的合力,在教师事先独自梳理和深刻理解理论知识的前提下进行集体的研讨、分析。同时不同教研室的教师也应树立思想政治理论课四门课程一体化的整体意识,在设计专题的时候,避免相同知识点的无用重复,使不同课程之间的教学专题与专题之间有清晰的逻辑关系,始终围绕"什么是马克思主义,为什么要始终坚持马克思主义,怎样坚持和发展马克思主义"这一主线来展开专题式教学。同时,我们要注意的是,专题式教学不是简单的专题堆砌,而是基于教材体系的逻辑架构并在深入研究的基础上经过精心设计的整体教学。各个专题之间有着内在的逻辑关联。① 因此,在思想政治理论课教学中,我们应充分发挥不同学科背景教师的合力,发挥教研室和教学团队的集体优势,精心设计每一个专题,实现思想政治理论课教学的"工艺精湛、配方新颖和包装时尚"。

二是专题的设置要坚持以问题为导向。专题式教学应以问题为核心来推进,问题既包括学生学习、生活中出现的实际问题,尤其是一些思想上的实际问题,同时也包括一些重大的理论热点时政问题,专题式教学坚持在教学中融入问题,以"问题"为抓手来设计和开展教材,才能有针对地给予学生以需要的理论和原理,从而在以理服人的基础上进一步激发学生的学习热情,增强学生运用科学方法解决实际问题的能力。在教学活动中,将教学目标、学生成长的需要、学生思想困惑破解与教学内容设计紧密结合来设置专题展开教学活动是以问题为导向的专题式教学方法的精髓。专题设计注重问题意识与问题导向的强化,使学生在学习的过程中既掌握了理论,又解决了思想困惑,解决实际问题的能力也获得相应提升,极大地提高了课程的吸引力。

三是专题的设置是一个不断变化发展的过程。思想政治理论课专题式教学应采取一种弹性的专题教学模式,在教学的过程中,不是一个专题设置好了,教师只要完全按照专题的设计进行讲解就"万事大吉"了,因为教学对象是发展中的大学生,教学环境、教学资源、教学载体和教学内容都是在不断的发展变化中的,这就需要思想政治理论课教师随时根据学生学习中出现的新问题和新情况来及时调整和不断丰富专题的教学内容,使专题式教学活动能"因事而化因时而进因势而新"。在这里我们也提供一个比较成功的例子供大家参考:长安大学樊小贤教授创新了一种"10+5+X"的弹性专题教学模式,在教学实践中收获了很好的教学效果。"10"是指教研部从教材体系教学大纲出发,紧密围绕马克思主义的基本立场、基本方法和基本观点确定 10 个需要讲深讲透的教学

---

① 孟宪生,李忠军:《全国高校思想政治理论课教学方法改革年度发展报告(2014)》,高等教育出版社,2014,第 32 页。

专题;"5"是指每位教师结合教学大纲和自己的研究专长确定 5 个左右的教学专题;"X"是指学期开始和授课期间面向学生进行两轮大范围的教学调查,根据调查结果确定 3~5 个教学专题。① 这种专题设计增加日常专题式教学活动的灵活性,使教学更贴近实际、贴近生活、贴近学生,受到了学生的欢迎和好评。

　　3. 研讨式教学方法的运用与优化

　　1997 年,湖南师范大学郭汉民教授为了提高学生能力和综合素质,在教学中充分发挥学生的积极性和主体作用,打破原有的教师"一言堂"和"满堂灌"的教学方法,探索出了一套全新的旨在培养能力和发挥学生主体作用,挺高学生自学能力、创新能力和科研能力的"研讨式五步教学法",并将这套方法在湖南师范大学历史系九五级、九六级文科基地班的《近代湘籍名人研究》课堂教学和九六级教育班的《中国近代思想史》课堂教学中进行了使用和推广。这种研讨式教学法很快成为一种令学生神往的全新的教学方法,学生们充满热情地投入到学习中,甚至一些原先没有选这门课的学生中途也纷纷来旁听。上过这门课程的学生们普遍觉得这样教学方法让他们充满的学习热情,受益匪浅,纷纷向其他的老师推荐在教学中也运用这样的教学方法②。由此,一种全新的教学方法——研讨式教学方法产生和发展起来。什么是研讨式教学方法呢? 不同的学者虽然有不同的理解,但是其本质是相同的:研讨式教学方法,分为研究和讨论两方面内容,同时是在研究基础上的讨论与讨论基础上的深入研究的结合,研讨式教学方法通过在教师一定理论原理性知识讲解的基础上,由教师引导学生充分发挥自身的主体作用,对相关的理论问题进行自我学习,自我研究和自我提高,并以讨论的形式深化对知识的理解,从而主动汲取知识、培养能力、锻炼思维、提升自学和科研能力的一种教学方法。尽管在今天的思想政治理论课课堂,我们使用的讲授方法已经不同于之前教师绝对主导的"一言堂"和"满堂灌",但是对于相对枯燥的理论原理性知识的教学,如果从始至终以讲授法来展开教学,也会使学生丧失学习兴趣,觉得理论原理性知识的学习是枯燥无味的,虽然在其中我们可以穿插前面提到的专题式教学方法,但专题式教学最终也是要通过专题知识的讲授来完成的,基于此,在理论原理性知识的教学过程中,引入研讨式教学方法就显得既重要又必要。研讨式教学方法具有如下四个方面的显著特点:第一,研讨式教学方法的"双主体性"特征。在研讨式教学的过程中,教师成为起主导作用的主体,学生成为起关键作用的主体,教师与学生之间不再是"你讲我听,你教我学"的主导与被主导的关系,而是学生积极参与教学活动,师生共同完成学习任务。第二,研讨式教学以激发学生探究问题的内在驱动力为教学的最终目标。在研讨式教学方法运用的过程中,学生通过查找资料搞调研、挖掘深层次理论、撰写研讨报告等过程,逐渐提升了研究、思考问题的能力。第三,研讨式教学方法的多样性与灵活性特征。不同的教

――――――――――

　　① 李忠军,孟宪生:《全国高校思想政治理论课教学方法改革年度发展报告(2013)》,高等教育出版社,2012,第 83 页。

　　② 郭汉民:《探索研讨式教学的若干思考》,《湖南师范大学社会科学学报》1999 年第 2 期。

学内容可以运用不同的研讨方法来展开教学,比如研究的过程可以根据理论原理性知识的难易程度来决定是由学生个人完成还是由学习小组完成,讨论的方式可以根据教学实际情况采用小组讨论、全班选出代表汇报展示等形式来进行。同时,研讨式教学在教学目标、组织形式、教学的载体与空间等方面具有灵活性,这种灵活性可以为教师教的潜能和学生学的潜能发挥营造出宽松的内部和外部环境。第四,研讨式教学不仅关注学生知识能力的培养,同时关注学生思想道德素质的提高。在研讨的过程中,学生需要组成若干个小组来完成教师布置的研究任务和提出的研究问题,这就需要同学之间通力合作,取长补短,师生之间的交流增多,教师高尚的人格、严谨的治学态度、敬业的工作精神等都会潜移默化地对学生产生积极的正面影响,这些都有利于学生。不仅获得了知识,培养了能力,同时提高了自身的品德和修养。在思想政治理论课理论原理性知识的教学过程中,适时事宜地采用研讨式教学方法,可以为教学方式过于沉闷、单调的思想政治理论课注入鲜活的力量,具体在运用的过程可以遵循以下的几个步骤:

第一步,组建小组。该任务可以交由班级完成,限定小组人数最多为6人,设组长1人。以寝室为单位组建,按学号顺序分配也可,学生自愿组合也行。以30人为1班为例,共组建5个研讨学习小组。

第二步,确定选题。选题由教学班级数量和教材章节分配完成,以4个班级为一个教学班为例,一个班级承包教材中两章,从中选择研讨学习主题,根据实际教学情况,一般采取1班负责第三、四章;2班负责第五、第六章;3班承担第七、第八章;第九、第十章交由4班完成。

第三步,课下准备。研讨学习小组在组长的带领下,以分工协作形式完成研讨主题材料收集、整理,并形成课堂汇报PPT及其讲稿。

第四步,课上汇报。以一个汇报人、多个汇报人或集体汇报的形式,利用5分钟的时间在课堂上进行汇报,汇报一般安排在教学章节讲授过程中,因此要求汇报小组提前完成汇报材料的准备工作,汇报人的选择尤为重要,他不仅要呈现选题内容,还要将小组准备阶段工作做出介绍。

第五步,评分记分。研讨学习小组汇报前各小组组长要提交纸质版分档评分材料,即组长依据课下准备阶段组员学习表现、所承担工作的重要性、小组任务完成情况等将小组组员(除小组长外)分成A、B、C三个档次,并让每位同学在小组排序分档的纸质材料上签字后提交,汇报后,由任课教师对学生发言等进行评分,即小组最高档的分数,其他成员依次降30%记分。[①]

(三)与学生个人成长成才联系密切的内容教学方法的运用与优化

高校思想政治理论课不仅要向学生传播知识体系,更在于对学生进行价值引领。

---

① 王旭东,宋佳:《推进〈中国近现代史纲要〉实践教学小组汇报路径探析》,《佳木斯职业学院学报》2020年第8期。

如何使思想政治理论课教学中与学生个人成长成才联系密切的内容真正地在学生心中落地生根,为学生成长成才之路点亮一盏指路明灯,是思想政治理论课教学必须要思考和解决的问题。作为高校思想政治教育的主渠道和落实立德树人任务的关键课程,思想政治理论课的根本任务是为中国特色社会主义建设事业培养德智体美劳全面发展的接班人,成为一个德智体美劳全面发展的人,也是学生成长过程中要追求的目标。成为社会主义建设者和接班人,与学生成才的过程同向而进,高校思想政治理论课教学的重要内容之一就是对学生的思想、道德、行为进行正确的引导,为学生成长成才助力,这个育人和育才的过程是相统一的过程,需要我们寻找到"怎样培养人"的好途径,运用好的方法。这种方法应区别于理论原理性知识的教学方法,一些理论原理性知识需要我们坚定不移地去灌输和学习,而一些关于学生的价值、道德规范方面的问题是需要引导教育的。在这里,我们对启发式教学方法、"创设情境"的参与式教学方法、案例式教学方法及思想政治理论课教学的心理学方法进行梳理和探讨。

1.启发式教学方法的运用与优化

高校思想政治理论课必须坚持启发式教学,这是从高校思想政治理论课的目的、任务出发的,是由高校思想政治理论课教学过程的特点决定的,也是高校思想政治理论课教学对象特点的要求。[①] 何为启发式教学? 历史上孔子最早提出了关于启发式教学的经典性论断:"不愤不启,不悱不发。举一隅不以三隅反,则不复也。"宋代理学家朱熹也十分重视"启发诱导",在他的《论语集注》中《述而》篇对孔子的启发式教学经典论断进行了详细的注解:"愤者,心求通而未得之意;悱者,口欲言而未能之貌。启,谓开其意;发,谓达其辞。"这一论述进一步指明了启发式教学,"启"是开启学生的思维,充分调动学生的学习积极性和主观能动性,"发"是引发学生的思考,使学生自己领悟知识、认知和发现问题,主动掌握解决问题的方法。启发式教学就是教师在教学过程中充分发挥主导作用,充分利用教学手段和资源,引导学生积极、主动的思考问题,充分发挥学生主观能动性,自觉掌握知识及运用知识方法和提升解决问题能力的有效教学方法。启发式教学一直以来是我们大力倡导和推行的教学方法,科学有效地运用启发式教学方法,应做到以下几个方面:

首先,启发式教学以了解学生思想、行为、学习实际情况为前提。老师讲得再好,也无法代替学生的学习。一个优秀的思想政治理论课教师,其作用不是代替学生思考,而是激发学生思考、教会学生思考。如何才能有效地激发学生思考,教会学生思考? 首先,要对教学对象有一个全面清晰的把握。这里提供几个途径:其一是对授课班级在课前进行一次摸底式的问卷调查,问题可以设置为学生思想、行为、对于本门课程的认识与期待、希望通过本课程的学习能够解决的问题和困惑等几类;其二是对授课班级在课程教学中段进行一次教学情况问卷调查,问题可以设置为学生对于教学的评价与期待,

---

① 刘艳军,田建湘:《高校思想政治理论课教学改革研究与实践》,中国书籍出版社,2016,第87页。

学习中没有解决的问题,关心的相关社会热点问题等;其三是对授课班级的部分学生进行访谈,深入了解学生的内心和真正需求;其四是利用课后与授课班级辅导员和班主任进行交流,进一步在生活中了解学生。

其次,启发式教学要充分发挥教师的主导作用和学生的主体作用。在启发式教学过程中,实现了教师主导作用与学生主体作用的有机结合。启发的过程实际上就是教师主导作用发挥的过程。教师应该运用讲解、提问、互动、答疑、讨论等多种形式来启发学生的思维,充分调动学生的智力和非智力因素。同时,教师主导作用的发挥目的是充分调动学生的主观能动性,激发学生主体作用的发挥。启发式教学强调学生是学习的主体,把发展学生能力作为出发点和落脚点,引导学生积极参与教学活动,提高学生的创新思维和创新能力,激发学生内在的学习动力,使学生通过主动思考获得知识,发展能力。

第三,启发式教学方法是一个不断发展的动态的丰富的方法体系,启发的实质在于内容而不偏重于形式。衡量教学是否具有启发性的标志? 主要有三点:一是学生在教师的引领下能积极主动地理解教材或章节中的知识,达到本堂课的教学目标;二是学生能举一反三,触类旁通,掌握同教学内容相似的知识和技能;三是学生能学到理解知识和掌握技能的方法。如能做到这些,即便教师采用了讲授法,也是启发式教学①。同时,我们需要强调的是,启发式教学方法不是一种具体的教学方法,它是体现在各种教学方法之中的根本的教学方法,换句话说,各种教学方法,都是启发式教学方法的具体体现。② "启发式教育法"也是全世界教育教学方法的"根本大法",是教育教学方法的"根",各种各样的教育教学法都是从这个"根"上生长出来的枝叶和花果③。具体而言,启发式教学方法的表现形式有很多,比如在讲授法中授课教师在解决的过程中也会使用启发法,在问题导引型教学方法中授课教师在抛出问题时也会尝试着启发学生思维,引导学生去追寻问题的答案。以问题启发法为例我们来进一步感受启发式教学方法的巨大魅力。古语云:"学贵有疑,小疑则小进,大疑则大进;疑者,觉悟之基也。一番觉悟,一番长进。"质疑可以使教师的教学更有的放矢,可以引导学生深入理解教学内容,可以促进学生主动探究、敏于发现,可以激活学生的思维。越是敢于质疑的学生,其主体作用越能得到充分的发挥。在思想政治理论课教学中,尤其是针对与学生成长成才极为密切的知识内容时,单纯的告诉学生应该怎么样,需要怎么做,什么是对的,什么是错的,不充分调动学生的主动性和积极性,其结果只能是"左耳听右耳冒",学生听了个热闹之后什么也没有收获。只有有针对性地结合教学内容中学生存在的共性问题和实际需要提出问题、设置悬念,牢牢抓住学生的注意力,引发学生主动思考,激发学生的学习动机和学习兴趣,才能收获较好的教学效果。需要注意的是,问题启发绝不等于简单

① 吕则柳:《高校思想政治理论课启发式教学研究》,硕士学位论文,云南师范大学,2009,第29-30页。

② 阎治才:《我国高校马克思主义理论教育的历史发展和基本问题研究》,吉林人民出版社,1995,第56页。

③ 刘永和:《"启发式教育法"是教育教学的"根本大法"》,《辽宁教育》2013年第8X期。

的提问,问题的设置应该是教师精心准备和有针对性地设置的,首先需要教师深入地研究教学内容和教学对象,设计出具有启发思考价值的问题,以"思想道德与法治"课为例,其教学目标是帮助学生树立正确的世界观、人生观和价值观,通过促进学生思想品德修养,来实现其政治认同、思想认同、道德认同的基本目的,进而追求政治、思想、道德上的信仰体系的建立,使之成为社会主义合格建设者和可靠接班人。[①] 学生期待通过"思想道德与法治"课的学习,来获得人生问题的解决之道和获取人生智慧,期待思想品德水平的提升,期待通过学习增加自身对中国特色社会主义道路、理论、制度的认同和信心,这些期待就是教师设置问题的关键点。此外,像是对比启发法、联系启发法、情境启发法、举例启发法等都应该是思想政治理论课教学需要深入研究并结合教学内容积极运用的有利于增强教学实效的好方法。

第四,启发式教学不能只关注启发"形式的热闹"而忽略"实际的效果",造成"有启无发""启而不发""启不透发不足"。教师"启"的目的是引起学生的"发",最佳的效果应该是"一石激起千层浪,两指弹出万般音",如果扔下的石头仿佛扔到了水泥地上,没有一点浪花,就是"有启无发""启而不发"。在正常的教学过程中,教师基本上都会遇到"有启无发""启而不发"的现象,这就需要教师以足够的耐心和更加细致的讲解来慢慢引导学生。比如讲到"为什么要信仰马克思主义?"这个问题时,教师刚开始的提问可能同学们不会马上回应或者回答的仅仅是表面上浅显的理解。这时如果教师直接将教材上的内容一股脑儿地"照本宣科"讲给学生,不仅不会收到期待的教学效果,反而有可能引起一些学生的反感和抵触,这时候就需要教师一步一步地慢慢深入。信仰马克思主义首先要了解什么是马克思主义? 什么是信仰? 这时就需要教师进一步的来引导学生,可以给学生讲解一些有科学信仰和没有科学信仰的真人真事,让学生在对比启发中认识到树立科学信仰对于一个人的重要意义,可以给学生们生动展示马克思贫困而战斗的一生,给学生讲马克思在中学毕业时写下的《青年在选择职业时的考虑》,给学生讲马克思因为抨击当局被法国驱逐,放弃普鲁士国籍后颠沛流离,但依然壮志不减,战斗不止……学生们在这样的讲授启发中会深刻感受到马克思和他的信仰一样光辉伟大,这就会激发起学生学习马克思主义的渴望,就不会是石头扔在地板上,没有一点浪花。另外,在运用启发式教学方法时,思想政治理论课教师还应该注意的是不能"启不透发不足",做夹生饭。每一个重要的知识原点都应该让学生在深入了解的基础上理解并掌握,而不是蜻蜓点水般浅尝辄止。

2.互动讨论式教学方法的运用与优化

互动教学法,就是通过营造多变互动的教学环境,在教学双方平等交流探讨的过程中,达到不同观点的碰撞交流,激发教学双方的主动性和探讨性,进而提高教学效果的教学方法。这种教学方法在教学过程中充分发挥了教师和学生双方的主观能动性,师

---

① 赖雄麟:《以旨趣促智,内化于意,外显于行——"思想道德修养与法律基础"课如何提升有效性的思考》,《思想理论教育导刊》2017 年第 2 期。

生之间通过平等对话进行相互探讨、相互交流,实现相互促进和提高。① 互动教学是教师进行价值传导,实现学生思想优质转化、凝聚思想共识的必要手段,是使思想政治理论课教学中与学生成长成才联系密切的知识内容真正入学生头脑入学生心里的一剂良方。在实际的教学过程中,互动式教学方法的表现形式、互动的主体、互动的内容都是十分丰富的。在这里,我们主要探讨在课堂教学中最常使用的讨论互动式教学法。

在课堂教学中,以课堂讨论作为互动的主要方式被认为可操作性强,学生接受程度高的互动式教学方法。科学运用讨论互动式教学方法,首先,需要明确的是,这类教学方法并不是一些人认为的那样:讨论互动式教学方法有学生爱参与,课堂热闹,过程趣味性强等很多优点,所以在教学过程中就应该"多多益善"的采用,甚至认为所有只要教学方法是互动的、是学生参与讨论的,就是好的,就可以在讲课的时候"节节用""章章用"。互动讨论式教学方法在运用的过程中需要教师科学选择教学内容和教学时机,并在讲课前精心地设置讨论题目和讨论形式,认真思考讨论如何与讲授的内容衔接,以及讨论效果的反馈等一些关键环节的准备。

其次,在师生讨论互动的过程中教师应该努力营造师生平等、学术氛围民主、课堂气氛和谐的良好环境,应凸显学生的主体地位。在整个讨论互动过程中,绝不是强调教师的个人秀,而是主动激发学生的主动性和参与性,学生不再是被动的信息接收者,讨论互动的前提是学生愿意参与、渴望参与、积极参与,为了解决教师预设的教学问题,学生需要独立思考、判断,通过相互切磋寻求问题的答案。如果教师不能很好地活跃课堂气氛,调动学生的积极性,讨论互动最终只能变成教师刻板地提问,学生被动机械地回答,这样的讨论互动其结果就是"强扭的瓜不甜",使学生丧失学习兴趣和热情。提升互动教学方法的教学效果,需要教师不断提升应对学生五花八门问题的能力,同时应具备辨析不同观点的能力,还要具备由一环节互动导入更深层次互动的能力。

第三,关于师生讨论和小组合作讨论。从目前的思想政治理论课教学实际来看,大班授课依然是思想政治理论课的主要授课形式。这样就使得师生互动讨论中一些学生因为时间限制无法参与其中,这时就需要以师生讨论和小组合作讨论的形式来补充。教师在确定了一个选题后,为了提高学生全员参与度、进一步提高教学实效,可以采用全班师生自由讨论互动和将学生分成若干小组来针对教师制定的选题进行互动讨论。这种形式可以在有限的时间内使每一名学生都能参与到教学活动中,激发学生的参与热情,使学生在一次次"头脑风暴"中获得知识,获得成长。需要特别注意的是,在师生讨论和小组讨论的过程中,教师不能当"甩手掌柜",只在一旁无为的等待,而应该走下讲台,对全班学生的讨论情况进行整体的把握和控制,对于不积极参加的同学进行引导和鼓励,对于表现好的同学进行记录、给予肯定。此外,教师也可以适时地参与到某个

---

① 姚小玲教学技能与方法工作室:《思想政治理论课教学方法改革的理论研究与实践探索》,航空工业出版社,2004,第 258 页。

小组的讨论中,与学生平等的进行交流,这样更有利于拉近师生间的关系,增加教师的亲和力。此外,老师在对班级讨论情况进行整体把握的过程中,还应该及时地发现学生讨论中出现的问题并及时地进行纠偏和正确地引领,确保讨论的正向进行。讨论结束后,可以在每个小组选出代表和学生推荐或者自荐的形式来进行汇总发言,分享讨论的成果。

第四,从讨论互动形式来看,除了常规使用的一些讨论互动的形式之外,讨论互动教学方法还有其他很多十分灵活、多样的形式。例如:华东政法大学"思想政治理论课讨论式教学法"按不同的教学目标分别选择采用不同的模式。有聚焦社会典型案例的案例式讨论,有聚焦大学生理想信念教育问题的嘉宾式讨论,有聚焦时事热点问题的课题研究式讨论,有聚焦大学生职业发展问题的辩论式讨论,也有充分发挥学生主体性的情景模拟式讨论。[①] 这些形式新颖、包装时尚、内容丰富的讨论互动形式,获得了学生的喜爱和好评,较好地提升了课堂教学效果。

4.实践性内容教学方法的运用与优化

马克思主义理论一个最鲜明的特征就是其实践性,通过实践教学,学生在参与实践的过程中亲身体验深刻的理性思维的重大价值,亲身感受逼真的教学情境,变被动学习为主动接受,极大地增强了思想政治理论课教学的实效性。

尽管近几年高校思想政治理论课教学方法改革呈现出了较好的发展与创新态势,但是,从目前的实际情况来看,当前的思想政治理论课实践教学过程中依然存在着一些不容忽视的问题:一是重视程度不够,实践教学难以常态化的规范开展。很多高校不够重视实践教学,实践教学并没有被当成是一种必要的、常态性的教学环节而纳入教学计划,或者虽然在教学大纲中加入了实践教学的计划却只是停留在计划上,在实际操作中并没有落实或者落实的效果差。实践教学的开展不像课堂教学有全方位的保障,缺乏统一的组织、协调,对于实践教学的实际开展情况也缺乏有效的评价和监督,以致实践教学的开展完全依赖于教师的责任心和热情。二是由于思想政治理论课覆盖面广,学生数量多,经费缺乏、安全保障制度不健全等因素,致使很多高校无法扎实开展高质量的实践教学,实践教学的覆盖面也相对有限。三是组织机构、保障机制不健全。一些学校并没有对实践教学的领导组织机构、实践学时学分、实践教学经费、教师工作量核算、考核和质量监控等方法进行制度上的保障。四是一些取得较好效果的高校如清华、北大、复旦等,由于其校情、学情和教学资源的特殊性,其成功的实践教学经验较难在一般的普通院校复制和推广。

如何改进和增强思想政治理论课实践教学实效,需要我们从以下几个方面入手:

第一,准确把握思想政治理论课实践教学的三个特征。一是鲜明的目标性。思想政治理论课实践教学的目标要服从于思想政治理论课教学的总目标:为中国特色社会

---

① 孟宪生,李忠军:《全国高校思想者政治理论课教学方法改革年度发展报告(2014)》,高等教育出版社,2014,第68页。

主义建设事业培养合格的建设者和接班人。具体而言,在认知目标上要通过实践教学活动,巩固课内教学成果,促进学生进一步认同马克思主义理论,认同马克思主义的世界观、人生观和价值观,树立正确的道德观和法治观,并逐步内化为自己的理想信念,并在行动中有所表现。在能力目标上,要通过社会调研、参与实践活动、撰写调研报告等活动不断提升学生分析问题和解决问题的能力和把认知转化为行为的能力。在政治素质目标上要使学生成为马克思主义理论、习近平新时代中国特色社会主义思想坚定的拥护者,成为中国共产党坚定的拥护和追随者,要帮助学生不断树立对实现中华民族伟大复兴事业中国梦的坚定信心。二是实践教学要充分发挥学生的主体性。在实践教学的过程中,思想政治理论课教师应充分重视学生的自主意识,发挥学生的主观能动性,激发学生的精神需要。和"一板一眼"的课堂教学不同,实践教学的环境更为宽广,教学手段更为丰富,为学生提供了更为宽松、自由发挥自身能力、发展自我个性、发扬创新精神的空间。尤其是在社会调查实践中,学生通过主动参与和亲身体验,近距离的接触和了解社会,充分参与到实践的各个环节,从设计活动方案到搜集调查资料,从执行实践过程到运用理论分析问题,从撰写实践报告到运用理论解决问题,从评价实践结果到总结实践经验,其中每一个过程都离不开学生主体性的充分发挥。三是实践教学的针对性。加强针对性要求在实践教学中要紧紧围绕课堂教学内容来设计和开展实践活动,针对不同的课程内容采用不同的实践形式,例如可以组成"模拟法庭"进行"思想道德与法治"课实践教学;可以开展"志愿活动"进行"毛泽东思想和中国特色社会主义理论体系概论"课实践教学;可以组织"知识竞赛"进行"中国近现代史纲要"课实践教学;可以举办"品读马列经典"活动开展"马克思主义基本原理概论"课实践教学等。同时,应注意的是,实践的形式和实践的方法要结合学生的专业、年级、学习的实际情况设计和制定,同时要符合本学校和所在地区的实践资源的实际情况。四是实践教学的综合性。思想政治理论课教学内容的多样性和综合性决定了无论是实践教学的内容还是实践教学的形式都应该是综合多样的。无论是课堂实践、校园实践还是社会实践,都有着十分丰富和多样的实践形式。此外,利用网络平台,还可以开展网上调查、网上论坛、微信公众号分享等多种网络教学实践。

第二,构建科学合理的、可操作性强的实践教学方法体系。科学、可操作性强的实践教学方法体系应体现为课内实践和课外社会实践相结合,线上实践和线下实践相促进,部分学生集中实践和其余学生自行实践相结合的多元形式。实践教学的方法是多种多样的:校内实践比如主题讨论实践、观看红色视频实践、研读原著实践、情景剧表演实践、拍摄 DV 或创作漫画实践等。这里我们主要讨论在教学实践中运用较多的方法:

主题讨论实践。在教学中,针对一些较为浅显又容易有争议的热点问题,可以让学生通过开展主题讨论的方法来学习。由教师确定讨论主题后,将学生分成若干个小组并进行分工,小组成员按照分工完成查阅资料、撰写发言提纲等准备工作,之后在课堂上留出专门的时间来组织学生在各自的小组讨论,讨论后有每组选出代表来汇报发言,最后由教师进行点评和总结。

观看红色视频实践。红色视频可以直观地再现历史,充分发挥寓教于史的作用。例如,在"中国近现代史纲要"这门课程中,就可根据教学内容选择一些能引发学生震撼和共鸣的影片,如《南京!南京!》《建国大业》《建党大业》《建军大业》等。在观看影片的过程中,学生全身心的投入,仿佛重新回到了那些战火纷飞的岁月,近距离地感受革命烈士崇高的精神。在"思想道德与法治"课可以播放《黄大年》《邹碧华》影片等,让学生观看后谈感受写体会,撰写感想或评论。有些课上的教学时间很有限,观看红色视频的实践可以安排在休息日组织学生统一观看,也可上传影片让学生自行在网上观看。

研读原著实践。思想政治理论课大部分内容和思想都可以溯源到经典作家或伟人的著作中,思想政治理论课教师应积极引导学生研读精品,品味经典,原汁原味地学原著。"马克思主义基本原理""毛泽东思想和中国特色社会主义理论体系概论"课程尤为适合采用研读原著的实践教学方法。"马克思主义基本原理"理论性很强,教师可以用灵活多样的形式,比如公众号推送、朋友圈分享等引导学生接触马克思主义经典原著,如《共产党宣言》《关于费尔巴哈的提纲》等。"毛泽东思想和中国特色社会主义理论体系概论"可让学生阅读毛泽东《论持久战》《新民主主义论》,学习习近平系列讲话重要内容等。研读原著后可以让学有余力的学生撰写读书笔记,或者组成学习小组分享学习心得。

情景剧表演实践。以"思想道德与法治"课程举例,可以让学生将自己对生活中的某些现象、片段的感受通过自编自演生活情景剧来表达出来,这种形式使参加的学生融入其中,观看的学生兴趣浓厚,在一表一演中不知不觉地启迪了生活的智慧,陶冶了情操。例如讲到树立正确的恋爱婚姻观时,可以组织学生将在校园中看到的或者了解的某些不文明、不理智的行为拍成情景剧,也可以编写一些剧本来反映功利性择偶观危害并搬到课堂表演,使学生主动意识到树立正确恋爱婚姻观的重要性。

拍摄微电影。教师根据教学内容和实际情况可以在小长假或者寒暑假中指定一个主题让学生分成小组拍摄电影并在课堂中播放。比如"美丽家乡""改革开放四十周年""新中国成立70周年""中国共产党成立100周年""我身边的好人好事"等主题让学生拍摄微电影。学生普遍都很喜欢参与到这样的活动,即锻炼了能力又受到了教育。①

---

① 陈梦圆:《高校思想政治理论课教学方法研究》,博士学位论文,东北师范大学,2019,第61~87页。

第七章 "互联网+"时代高校思想政治理论课的教学策略

在"互联网+"时代的迅猛发展背景下,思想政治理论课的教学改革遇到了新的契机和挑战。"互联网+"时代改变了教师传统的教授方式与学生的学习方式,在对新技术和新媒介的运用中,也促使了教学理念、教学机制等领域的变革。由于思想政治理论课的独特性质,"互联网+"时代与思想政治理论课相结合推动思想政治理论课教学改革以适应新情况、回应新问题、开拓新方法显得十分必要。

第一节 "互联网+"时代的高校思想政治理论课教学理论

习近平总书记在全国高校思政工作会议讲话中提到思想政治理论课教学的方式方法、理念手段是随着时代条件、育人环境变化而变化,必须围绕学生,服务学生。那么如何创新思想政治理论课教学并使之贴近学生也是本书的研究重点。通过阐述"互联网+"时代的特征,结合经验学习理论、活动理论、联通主义理论等,分析"互联网+"时代下,思想政治理论课教学所面临的机遇与挑战,并找出成因所在,为全文做好逻辑铺垫。

一、"互联网+"时代概述

(一)"互联网+"的内涵

易观国际董事长于扬于 2012 年 11 月首次提出"互联网+"一词,他认为"互联网+"是所有行业、所有产品、所有服务与全网跨平台用户场景结合之后产生的一种化学公式①。2015 年,国务院印发的《关于积极推进"互联网+"行动的指导意见》中对"互联网+"概念做出权威的诠释:"互联网+"是"把互联网的创新成果与经济社会各领域深度融合,推动技术进步、效率提升和组织变革,提升实体经济创新力和生产力,形成更广泛的

---

① 于扬:《所有传统和服务应该被互联网改变》,https://tech.qq.com/a/20121114/000080.htm,访问日期:2022 年 4 月 22 日。

以互联网为基础设施和创新要素的经济社会发展新形态"①。但事实上,对于"互联网+"的内涵,社会不同行业、不同人群对其有不同的界定和诠释,难以形成共识。例如,互联网+媒体、互联网+健康、互联网+教育、互联网+交通、互联网+医疗、互联网+金融、互联网+汽车、互联网+影视、互联网+文化………各行各业与"互联网+"都有不同的结合方式。互联网已不再是简单的工具,从提供方法、提高效率、建立平台到打造生态,它已经演化为人类社会重要的组成部分。随着"互联网+"行动计划上升为国家战略,我们正在快速进入将移动互联网、云计算、大数据、物联网等与现代制造业相结合的"互联网+"背景。在这个背景下,互联网正在用连接一切的方式改造传统行业,对生产要素的配置进行优化和集成,将互联网创新的成果深度融合于经济社会各个领域,提升实体经济的创新力和生产力,形成更广泛的以互联网为基础设施和实现工具的经济发展新形态,为大众创业、万众创新提供新的环境和条件。

"+"所蕴含的深刻内涵是"融合""颠覆""变革""革新""重构""再生产"等。"互联网+"的内涵就是应用以互联网为核心的一整套信息技术在经济、社会生活各部门与传统行业进行深度融合,广泛扩散和应用,促成各行各业的革命性改造和颠覆性重构,使其实现转型升级,升华为信息时代的发展新形态②。

2019年6月,工业和信息化部向中国电信、中国移动、中国联通、中国广电四家企业颁发5G牌照,标志着中国正式进入到5G商用元年③。所谓5G时代,指的就是以第五代移动通信技术为核心,以大数据、云计算、区块链、物联网、虚拟现实、人工智能等为主导的新一代技术革命时期。在5G时代,人类将进入一个把移动互联、智能感应、大数据、智能学习整合起来的"智能互联网+"时代。④ 如何利用以5G为代表的新一代信息技术,深化高校思想政治理论课改革创新,不断提升思政课的思想性、理论性和亲和力、针对性,成为亟须面对并亟待解决的重大理论和现实问题。习近平强调,要运用新媒体新技术使思想政治工作活起来,推动思政工作传统优势同信息技术高度融合,增强时代感和吸引力⑤。2019年8月,中办、国办印发的《关于深化新时代学校思想政治理论课改革创新的若干意见》提出:"大力推进思政课教学方法改革,提升思政课教师信息化能力素养,推动人工智能等现代信息技术在思政课教学中应用,建设一批国家级虚拟仿真思政课体验教学中心"⑥。这既是深入贯彻落实习近平关于高校思政工作重要论述的集

---

① 《国务院关于积极推进"互联网+"行动的指导意见》(国发〔2015〕40号),http://www.gov.cn/zhengce/content/2015-07/04/content_10002.htm。

② 陈征:《"互联网+"背景下高校思想政治理论课面临的问题及对策研究——以锦州三所高校为例》,硕士学位论文,锦州医科大学,2019,第10页。

③ 《工信部向四家企业发放5G牌照》,《光明日报》2019年6月第3版。

④ 项立刚:《5G时代:什么是5G,它将如何改变世界》,中国人民大学出版社,2019,第94页。

⑤ 《习近平在全国高校思想政治工作会议上强调 把思想政治工作贯穿教育教学全过程 开创我国高等教育事业发展新局面》,《人民日报》2016年12月9日第1版。

⑥ 《关于深化新时代学校思想政治理论课改革创新的若干意见》,人民出版社,2019,第13-14页。

中体现,也是为应对 5G 时代高校思政课改革创新所做的顶层设计和全面部署。①

（二）"互联网+"时代教育的新特征

教育是社会进步的基石。教育信息化是提升教育教学质量的重要手段,是进行教育教学创新应用的基础条件。"互联网+教育"是指运用云计算、学情分析、物联网、人工智能、网络安全等新技术,跨越学校和班级的界限,面向学习者个体提供优质、灵活、个性化教育的新型服务模式、组织模式和教学模式"②。"互联网+教育"是在"互联网+"的大背景下提出的以互联网为代表的现代信息技术与教育相联合,促进教育改革创新,推动教育产生革命性变革的新方向,是教育信息化发展的新阶段。"互联网+教育"的本质是每一个参与者或群体可以基于自己的学习目标在网络上进行多层次的教学交互,与外部网络联通,并促进自身的网络建构和发展③。因此,"互联网+教育"的最终目标是构建开放的教育服务体系,形成一种全新的教育业态。"互联网+教育"对教育的改变不仅是教育技术的革新,更是对学习模式和教学组织形式的全面冲击,并由此带来了对教育理念和体制的深层次变革④。

首先,教育资源从封闭走向开放,教育空间进一步拓展。在传统的教育模式中,教育资源主要聚集在校园这个相对封闭的物理空间内。而在"互联网+"时代,由于其强大的存储性和交互性,互联网可以在短时间内收集和存储海量的知识信息,形成巨大的"信息库"。教育资源可以借助互联网迅速传播,不再局限于某个校园、地区或国家。"互联网+教育"使得优质教育资源可以在全世界范围内平等自由共享。

其次,教学模式由灌输式变成了互动式、引导式。在传统的教学中,教师占绝对的核心地位。而在互联网时代,教师不再是知识的唯一来源,学生对教师的依赖性明显减弱。教师从教学的主导者变成了学习的辅导者、引导者和服务者,教学课堂更多的是互动式、引导式的对话或答疑解惑等。

第三,教师角色得以重塑,心态更加开放。丰富的互联网教育资源受到学习者的追捧,并在一定程度上架空了实体教育⑤。

（三）"互联网+"时代学习的理论基础

"互联网+"时代在改变世界的同时,让我们意识到了它在教育领域的应用和融合的强大创造力。教学与"互联网+"时代技术的深度融合将会成为未来教育的主流,"互联网+"时代技术将构建新的教育教学环境,新的技术应用正逐渐影响和变革着我们的教育。对于"互联网+"时代学习的理论基础主要有以下三个方面。

① 李永进:《论 5G 时代高校思想政治理论课的创新建设》,《思想理论教育导刊》2020 年第 7 期。
② 陈丽:《"互联网+教育"的创新本质与变革趋势》,《远程教育杂志》2016 年第 4 期。
③ 王志军,陈丽:《联通主义:"互联网+教育"的本体论》,《中国远程教育》2019 年第 8 期。
④ 张岩:《"互联网+教育"理念及模式探析》,《中国高教研究》2016 年第 2 期。
⑤ 丁广大,刘新玉,石磊,汪社亮:《浅谈"互联网+"时代教育的新特征和对教师的新要求》,《教育教学论坛》2020 年第 20 期。

1. 经验学习理论

经验学习理论即经验学习圈理论,由大卫·库伯提出,是指"改造经验产生知识的过程","强调经验在学习过程中所发挥的中心作用"。这个定义主要从四个方面进行强调:首先,侧重学习的过程而不是内容和结果;其次,知识是通过经验不断塑造与再塑造的改造过程,不是独立实体的获得和传递过程;再次,学习是改造主观形态领域和客观形态领域的过程;最后,要深刻领会学习内容必须理解知识的性质,理解知识的性质必须深刻领会学习内容,二者密不可分。

经验主义主张学习是一个连续、螺旋式循环反复的过程。学习是永无止境的过程。学习者要对头脑中已有的经验不断地进行整理、分析、归类、重组,构成自己所能理解的系统。在实际应用过程中,学习者将经验付诸行动,一方面是对经验知识的巩固,另一方面也会产生与原有的经验不相符的问题。此时学习者并不能利用以往的经验解释所遇到的一些问题,于是学习者又要进行思考、活动、反思和理解。

基于此,"互联网+"时代学习在实际活动时,应从问题的多方面入手,随机进入,并且有相应的辅助练习、变式练习、知识点归纳总结。经验学习理论强调学习知识内容的连续性,将经验放在重要的位置,包括直接经验和间接经验。人们通过亲自实践获得的知识直观且深刻,有利于指导人们的生产生活。而通过书本、人际交往等渠道获得的间接经验抽象晦涩,但也是人们进行正常社会活动的重要组成部分。经验主义还强调学习是主体与环境相互作用的过程,"互联网+"时代学习在板块设计时应为学习者提供经验交流共享的平台。经验主义进行"互联网+"时代学习的设计时,要注重对学习者不同经验的区分对待与分析,并且要通过多种合适的渠道对经验进行建构。

2. 活动理论基础

活动理论的先驱鲁宾斯坦认为,人类的心理活动是在实践活动中形成的,因此,必须从"活动"的基本形态中研究这种现象。活动理论的关键概念就是"活动"与"沟通",如何设计活动及如何在活动中促进沟通,则是活动理论的核心内容。具体来讲,活动理论主要包括三个观点:活动过程是活动理论的基本单位;有意识的学习和活动是双向交互的;活动是有层次的实践过程。由此可知,活动理论中不仅强调活动的系统性,也十分强调主体与客体的中介,即工具,这样就提供了以移动终端为中介的学习活动框架,能够很好地解释"互联网+"时代思想政治理论课学习方式及其目标,同时也利于从活动的视角进一步理清"互联网+"时代学习活动情境中不同要素间的关系,更好地以学习活动优化"互联网+"时代思想政治理论课的学习。

在"互联网+"时代思想政治理论课学习的这个系统中,学生应该是广义的学习者,是活动的执行者;客体是学习中的具体对象,如视频,课件;工具则是手持终端、App 以及信息检索与查询工具等软硬件的集合;共同体是完成思想政治理论课学习过程的共同参与者;劳动分工则是不同参与者在思想政治理论课教学过程中的任务分工,是活动参与、评价、互动交流规则等的集合。任何活动都要有明确的学习目标,并且整个思想政治理论课教学活动系统都要围绕这个目标展开。因此,"互联网+"时代的学习活动首先要明确该学习是以移动技术为中介的,并对其中的共同体、角色、规则及劳动分工等进行分析,从而构建一个能满足学习者需求的活动系统。

3.联通主义理论

联通主义学习理论是由加拿大学者乔治·西蒙斯教授首次提出的,其基本思想是,知识是网络化联结的,学习是联结专门节点和信息源的过程。联通主义认为,在网络环境中学习者是一个个的节点,管道把节点连接成网络,知识就在管道中流向每一个连接的节点。

在"互联网+"时代的环境中,学习是将不同节点和信息源联结起来的行为,它不再是一个人的活动,而是一种"网络联结和网络创造物"。对"互联网+"时代的学习活动进行设计,应重点关注移动学习过程中学习者自身所处的知识网络的关系,通过活动帮助学习者建立起自己的思想政治理论课知识联结,培养学习者学习的能力,通过活动帮助学习者建立起自己的知识联结,培养学习者学习的能力,使学习者能够及时、有效地检索到自己所需要的知识所在的节点,进一步实现关系的建立及知识建构,最终完成整个"互联网+"时代思想政治理论课学习活动①。

二、"互联网+"时代高校大学生思想政治教育的变化

当前各高校大学生人手一部电话,无论是食堂、寝室或在去教室的路上,大量的"低头族"都关注着通过移动终端传递的信息。显然,"互联网+"时代的便捷性、实效性远远大于固定互联网、电视、报纸等传统媒介,受到年轻人的追捧。而且通过"互联网+"时代进行信息传递其影响也远远大于校内宣传、教育和讲座报告等。

(一)"互联网+"时代改变了大学生的学习和思维方式

马克思指出:"人们的观念、观点和概念,一句话,人们的意识,随着人们的生活条件、人们的社会存在的改变而改变,这难道需要经过深思才能了解吗?"新科技的层出不穷也改变着学生的学习和思维方式。通过移动终端搭载的 App,如微信、微博、QQ 等,深受大学生的欢迎。头条新闻可以供给速览要闻,让大学生及时捕捉到时事热点;搜索引擎更是学生的掌上知识库,疑问随时可以得到答复。

"互联网+"时代已不再是生活中的一个小小的补充了,而是形成了对传统教育的一种补充发展模式。这些都是当代大学生甚至青少年的生活条件、社会关系、社会存在发生着的变化,面对这些变化,我们能做的不是抵制,而是迎接。

(二)"互联网+"时代对高校思想政治理论课教学带来的影响

互联网的发展,对高等思想政治理论课产生了深远的影响,也对思想政治理论课教

---

① 王瑜鹭:《移动互联网对高校思想政治理论课教学的影响及对策研究》,硕士学位论文,沈阳航空航天大学,2017,第 11—13 页。

师教学带来了影响。传统的思想政治理论课教学各个环节,包括教学资源收集、备课、教学过程、考核等,基本都是一个教师单独完成,教师处于各自为战的情况。有人担心"互联网+"时代会取代教师的位置,其实大可不必担心,因为通过"互联网+"时代进行教学对教师的要求会更多,更加严格。"互联网+"时代教师的教学活动已经不再是个人的行为,而是所有教师之间相互合作的过程。由于教学中相对一部分任务是在线完成的,因此,除了主讲教师外,需要配备多个教师和教学辅助人员,完成移动终端后台上的作业修改、即时答疑、讨论互动等工作。教师的角色也会由原来的"一言堂"变成"多言堂"。

由于移动终端的及时性,教师所讲授的知识点必须十分精准,因为学生可以随时通过移动终端进行知识点查询,这就对思想政治理论课教师的知识存储量和职业素养形成很大挑战,要求每位教师都具有全方位的知识结构。"互联网+"时代具有开放性,随之给思想政治理论课教师的教学方式也带来极大挑战。一方面,高校管理者和教师要越来越注重网络课程的建设;另一方面,思想政治理论课教师也注重吸收全球优质资源课程来应用到自己的课堂教学实践之中。

三、"互联网+"时代思想政治理论课教学

习近平总书记在全国高校思想政治工作会议上提出了思想政治理论课教学要"因事而化、因时而进、因势而新"。思想政治理论课是大学生进行理想信念教育、意识形态教育的主要渠道,其内容和方法也随着时代的改变发生变化,我们不能故步自封,要与时俱进,顺应时代的发展来改进思想政治理论课教学方法。尤其是近两年来"互联网+"时代对高校思想政治理论课教学产生了不可低估的影响,对大学生的思想观念学习行为也产生了诸多影响。因此,结合移动网络时代的特点开展思想政治理论课教学,是"因事而化、因时而进、因势而新"的具体体现。同时,习近平总书记还指出思想政治工作必须围绕学生、服务学生。在"互联网+"时代背景下,网络教学与思想政治理论课课堂教学有效融合,可以提升学生参与感,提高学生的主体地位,及时把课堂效果反馈给教师,这也是"互联网+"时代的优势所在。

(一) 思想政治理论课 MOOC 教学的发展

史朗于 2012 年创立了慕课平台。之后,Coursera,edX 等慕课平台在该年内相继创立并得到人们的普遍认可,发展势不可挡。这类慕课也被称为 xMOOC,其注重提高课程质量,并具有视频资料短小、测评方式新颖、支持众多选课者同时在线等特征,该模式引起了社会各领域的关注,因此 2012 年也被《纽约时报》称为"MOOC 元年"。MOOC 课程内容通常安排为 15~20 分钟,该时长被心理学研究证明为高效专注时长,也就是说超过这个时间长度,学习效果会大打折扣。因此,MOOC 按照这个时长编排视频有利于学习者利用碎片时间进行高效学习。同时若学生有疑问,可反复观看视频直到理解为止。

并且 MOOC 依托网络社区的互动交流,借助交互式练习及时反馈,从而在该平台上实现"教"与"学"和"学"与"学"的互动。可见"教学相长"是 MOOC 最大的优势。

1. MOOC 在西方的发展

慕课从北美、欧洲到亚洲的蓬勃发展,给世界各地的高等教育和基础教育都带来了很大的冲击和挑战。自以 Coursera、edX、Udacity 为代表的慕课平台建立以来,慕课迅速成为全球,特别是高等教育领域关注的热点,并迅速发展。世界上许多国家政府、教育机构、社会团体都重视并加大了对慕课开发与应用的支持,从建设和研究层面积极推动慕课的发展。

慕课打破了不同国家和不同高校之间的教育阻隔,促进了国际教育资源的共享,促使高校的职能发生转变;慕课颠覆了以往的授课模式,以往的以"授"为主的方式不能跟上网络时代下学习者日益增长的求知欲,慕课将以"学"为本的教学价值体现了出来,让高校教学达成"静态"知识内容传授向"动态"知识内容传授的转变。在积极推进慕课建设的同时,针对慕课的研究项目也在迅速展开,人们在积极探索慕课实施的实际效果,以及其对高等教育中的在线教育、课程教学、教育系统、学习支持等领域的影响。在探索如何发挥在线教学的潜力中,教学实验和基于实验的研究是一个关键因素。在近两年的发展中许多慕课平台已开设了多轮课程,积累并获得了丰富的课程数据和经验,为慕课研究的深入开展奠定了坚实的基础。

2. MOOC 在中国的发展及与思想政治理论课结合

教育部《关于加强高等学校在线开放课程建设应用与管理的意见》指出:认定一批国家精品在线开放课程,建设在线开放课程公共服务平台。慕课给我国高校教育体系带来了革命式的创新。基于慕课的混合式教学无疑将是均衡优质教育资源,实现各个学校特色化、个性化教学的重要途径之一。

在中国大学 MOOC 网站上,武汉大学的"毛泽东思想和中国特色社会主义理论体系概论"、北京科技大学的"形式与政策"、中南大学的"中国近现代史纲要"、厦门大学的"思想道德修养与法律基础"("思想道德与法治")等课程吸引了全国各大高校的学生进行学习,并开设了奖学金项目来激励参与的学生从一而终地完成课程的学习,实现了在线优质课程共享,推动了中国大学教学模式改革。

由于思想政治理论课课程主要是以教学目标为基础,并且我国高校教育教学的慕课在一开始就融合了"翻转课堂"的理念。这一方式的特点就在于它紧扣教学章程,始终围绕思想政治理论课教学标准进行。借助于系统设计,教师希望帮助学生能够深刻掌握马克思主义理论,灵活运用到实际生活中来,用思辨的态度对待学习和生活,不仅让学习变得有意义,也让生活变得有意义。"基于系统设计的碎片化学习方式"与纯粹的碎片化学习会有一些不同,因此它在结构形态上与西方基础教育的慕课也有一定的区别。

(二)在线教学向"互联网+"时代教学转移

传统思想政治理论课遇到的网络遭遇战,主要不是来自慕课等在线课堂的冲击,而是来自社会的发展,尤其是移动技术的发展影响了人们的生活和学习,慕课等网络教学手段仅仅是一种因势利导的适应而已,是果不是因。

1. 由静态学习资源向动态资源转换

传统的网络在线教学呈现出相对稳定性,所拥有资源设计完成一般更新的工作量会非常巨大,并且获取途径有限,十分不便。而动态学习资源相对于静态学习资源来说主要侧重人的资源,无论是思想政治理论课教师还是学生,在移动网络教学和学习过程中都起着不同的作用。如"互联网+"时代所承载的资源即是动态的、不断更新的,由原来的主动搜索转向主动推送,有助于学习者认知与建构的灵活变化。

2. 思想政治理论课 MOOC 教学适应新条件

移动终端的普及以及无线信号的全校园覆盖使得传统思想政治理论课 MOOC 教学不得不与时俱进。在线教学与传统教学的劣势在于授课内容承载量大,系统逻辑性强,学生要有很好的接受吸收能力。而移动终端所搭载的学习是经过众多老师精心浓缩的,具有主题突出、易于掌握、充分体现、量小而精的特点。同时,通过移动智能终端环境下的学习表现形式更加多样化、灵活且具有高效的交互性。

"互联网+"时代课程的初衷,也是旨在增加学生的体验与参与,要区分"喜欢选这个课"和"喜欢上这个课"的本质不同。"喜欢选这个课"和"喜欢上这个课"是不同的概念,如果有的课上课放羊,考试放水,学生也可能喜欢选这个课,但喜欢选的理由恰恰是不喜欢上课。我们要追求的是通过移动互联媒介"让学生真心喜爱",肯定不是在这个意义上讲的,还得以"终身受益"作为限定。形式上的迎合,即使做到学生喜欢,也要进行甄别,否则就背离了思想政治理论课的初衷。

(三)实现思想政治理论课教学内容与形式的统一

根据辩证法原理,形式对于内容的规定性只是外在的,尽管教育教学内容由于它的持存环节而得到这种外在性,但对于内容而言是主要的。辩证法认为,内容与形式是统一的,没有无内容的形式,也没有无形式的内容。"互联网+"时代教学模式只是实现了教育方式的变革,但其内容依然要依托于既有的知识,教师所讲授的内容、给学生布置的作业、在网络上进行的答疑、学生所要参与的考试内容等等,都依然是既定的知识或者对既定知识的最新研究成果,或传播知识、或答疑、或解惑、或启迪智慧,都不只是空洞的东西,"互联网+"时代教学也不可能只是一种空无实质内容的外在形式。

"互联网+"时代给传统高等教育带来了巨大震动,高校思想政治理论课作为引导大学生树立正确的世界观、人生观和价值观的主课堂,面对教育界这场革命性的风暴,应对如何迎新技术带来的机遇和挑战,以实现教育教学模式的创新。对于这个问题的研究和探索,必将有助于推进高校思想政治理论课教学改革①。

① 王瑜鹭:《移动互联网对高校思想政治理论课教学的影响及对策研究》,硕士学位论文,沈阳航空航天大学,2017,第13-19页。

第二节 "互联网+"时代对高校思想政治
理论课教学的影响

当代大学生群体由于处在社会快速发展和信息广泛传播的时代背景下,尤其是"互联网+"时代条件下,大学生通过使用移动终端使其思想更加活跃,更注重学习的参与过程。

一、"互联网+"时代对思想政治理论课教学的积极推动

随着移动宽带网络、多元智能终端、云计算等新的"互联网+"时代技术的发展和"互联网+"时代用户规模的增长与结构的变化,思想政治理论课教学在"互联网+"时代的影响下也相应地发生着变化。因此,有必要对思想政治理论课教学进行跟踪研究,进行比较系统的分析。

(一)"互联网+"推动优质思政课资源协同共享

"互联网+"时代技术可以实现不同时间、不同地点、不同形式信息资源的零时差共享,极大丰富了高校思政课的教学素材。文字、图片、影像、音频等,是思政课教学的基本元素。目前,已有很多高校建立起颇具规模的案例资源库,为丰富和完善思政课教学提供了有力保障。"互联网+"不仅可以实现优质教学资源的海量共享,而且能够做到实时同步,通过调动相关资源进行精准学习,大大提升教师与大学生的课堂体验。比如,在讲授新时代爱国主义时,可以即时将习近平总书记在纪念五四运动100周年大会上的讲话、庆祝中华人民共和国成立70周年大会、庆祝中国共产党成立100周年大会以及阅兵式、群众游行等超高清视频资源,加以调阅并选取、整合其中精彩片段在课堂上予以呈现。还可以进行各地高校跨区域同时开课,实现异地学生共同选修一堂课、共同研讨一个问题,远程共享教学资源。这种授课方式还将突破电脑或手机屏幕的间隔,以数字全息技术呈现教学现场,让身处千里之外的大学生如同面对面聆听授课一般,使优质思政课教学资源辐射更宽、影响更大。

(二)沉浸式教学增强学生学习思政课现实体验

"互联网+"时代技术将进一步推动 VR、AR 等技术与课堂教学的融合,使抽象的学习内容可视化、形象化,带来传统教学手段无法实现的沉浸式学习体验,极大提升大学生学习兴趣及对知识的快速吸收。将虚拟仿真技术和增强现实技术融入思政课教学,根据教学内容有针对性地设计制作三维虚拟场景,有助于跨越时间和空间的阻隔,体验身临其境的"在场感"。同时,大学生还可以自行设定在虚拟场景中的身份、对象、关系,以第一人称视角观察和解读现场,实现学习场景的"自定义"。沉浸式教学一方面可以带领大学生走进历史,回到过去,比如已有学校开发出"马克思演讲""重走长征路"等

VR 教辅软件,让大学生重返马克思《共产党宣言》的演说现场,体验工农红军翻越夹金山的艰辛历程;另一方面,又能带领学生跨越区域,到达远方,足不出户就能同天宫空间站遨游太空、与蛟龙潜水艇探险深海、感受大兴机场的雄伟智能、体会复兴号高铁列车的日行万里。可以想象,在不久之后的思政课教学中,就会有全息技术生成的马克思、恩格斯站在讲台上,"亲自"讲述自己的生平经历和思想理论,与大学生们进行一场跨越时空的对话。可以看出,沉浸式教学能给大学生带来更为新鲜直观的现场体验,从而提高他们对马克思主义科学性和强大生命力的感知,增强他们对中国特色社会主义的道路自信、理论自信、制度自信、文化自信。

(三)智慧教室与智慧教师共筑思政课智慧课堂

随着"互联网+"时代技术进步,高校思政课教学形式将迎来新的变革。目前高校思政课普遍使用大班阶梯教室,教师一人面向所有平行座位的大学生进行单向度教授。这种课堂教学适合于大学生集中听讲、统一领受教学内容,有其优长之处,但也存在不利于调动大学生主动性、发挥他们主体性作用等弊端。所以,高校思政课要在继续改进搞好现有课堂教学的情况下,着力运用技术打造智慧课堂,使思政课教学形式更加灵活多样。教师可以根据教学内容的需要,选取更益于达到优佳效果的课堂形式进行教学。智慧教室首要在空间格局上有所突破,其布局应为蜂巢式,即学生们以 6~8 人的小组为单位围坐,教师则深入课堂腹地、融入各小组中间,利于课堂研讨互动的展开。教室里与教学有关的所有设备,包括公共的和学生自用的都可以纳入智能教室的网络体系,实现物理空间无死角、知识体系无断档、教育活动无延迟、师生互动无间隙、虚拟现实无界限①。当然,仅仅有物理层面的智慧教室是远远不够的,"办好思想政治理论课关键在教师,关键在发挥教师的积极性、主动性、创造性。"②建设一支具有先进教学理念、熟练掌握信息技能的智慧教师队伍,在"互联网+"时代显得尤为迫切和必要。思政课教师在打造智慧课堂中,比之"满堂灌"的教学方式,其责任更重、作用也更大,要担负起对众多信息资源的加工整合、对小组讨论的正向引导和课堂状态的实时管控,做到既不缺位也不越位,更好发挥思政课教学的主导作用③。

二、"互联网+"时代对思想政治理论课教学的挑战

"互联网+"时代的学习凭借资源丰富性、沟通便捷性、工具多样性等优势,成为教学活动中不可忽视的组成部分。与此同时,"互联网+"时代的学习滥用、错用和误用等现象不断涌现,不少问题也逐步暴露出来。

---

① 苏州大学:《苏州电信 5G 校园启动暨 360 教室揭牌仪式举行[EB/OL]》,苏州大学新闻网,http://www.suda.edu.cn/suda_news/sdyw/201905/a05318f6-c41d-48ae-8a90-ec8ad556d5d5.html。

② 《习近平主持召开学校思想政治理论课教师座谈会强调 用新时代中国特色社会主义思想铸魂育人 贯彻党的教育方针落实立德树人根本任务》,《人民日报》2019 年 3 月 19 日第 2 版.

③ 李永进:《论 5G 时代高校思想政治理论课的创新建设》,《思想理论教育导刊》2020 年第 7 期。

（一）"互联网+"时代信息获取多渠道，教师主导地位受挑战

一是课堂教师主导地位受到挑战。"互联网+"时代信息内容的丰富性和资源的开放性，人与人之间交流的互动性、平等性等导致学生在学习方面对教师依赖度的减弱，学生可以自由支配时间，实现自主学习，遇到困难大多上网查找相关资料，学生对网络的依赖度越来越大，而在教学中学生与教师面对面直接交流越来越少，动摇了教师原有的主导地位。

二是外在环境变化导致学生"三观"教育受影响。由于"互联网+"时代技术飞速发展，微博、微信等全媒体传播方式已成为大学生精神生活的重要载体，他们可以超越时空限制快速接受大量信息，而这些信息内容良莠不齐、鱼龙混杂，由于大学生辨别是非能力不足，难以分析其中真伪，势必会影响大学生的学习生活和"三观"。

三是教师的权威性逐渐减弱。教学是教师"教"和学生"学"双向互动的过程，良好而和谐的师生关系是实施高效教学的保证，也是提高教学质量的必要条件。只有学生对教师心理认同，才能带着愉悦心情更好地学习，接受教师讲授的知识点和思想，才能真正发挥思政课的育人功效。但由于电脑和智能手机的普遍使用，学生从网络获取大量信息与教师授课的有限内容相比，显现教师在信息占有和知识储备上的劣势，甚至有学生拥有的信息量超过任课教师，学生对老师教学观点有时持有不同意见，并且不再把教师讲课作为获取知识的唯一途径，教师的权威性受到挑战①。

（二）虚拟场域的共时性，削弱了主流意识形态的教育引导力

"互联网+"时代思想政治教育的共时场域为多元、多样的思想提供了共存、交流、交融和交锋的空间。西方国家凭借网络的数字优势，以物化的影视作品、广告、产品为载体对资产阶级意识形态进行包装，为其披上了伪善的外衣，将其夹杂在错综复杂的难以分清的文化系统中，借助网络平台兜售给大众，旨在实现对我国主流价值体系的消解。例如，故意将"普世价值"同"共同价值"混淆，披着马克思主义的外衣，进行非马克思主义的宣传，借以主流价值观念隐蔽错误思潮，消解社会主义核心价值观的民族性、时代性和意识形态属性，给思想政治教育工作带来了前所未有的挑战。思想、观念、意识的生产最初是直接与人们的物质活动，与人们的物质交往，与现实生活的语言交织在一起的②。虚拟场域下，思想政治教育传统时空格局下的"地点"意义已经消解，网络生活和网络语言表达是人类新的交往形态。网络空间的广泛约束性和主客体的匿名存在方式，消解了主客体的责任观念和法律意识，创造出更加自由和充分的情绪表达平台，构建了虚拟空间下的网络话语体系和表达路径，但一旦突破理性的藩篱，芜杂的意见和情绪表达就会演变为一场非理性的网络狂欢。

---

① 王玉红：《新时代思想政治理论课嵌入移动互联技术实效性研究》，《安徽警官职业学院学报》2021年第2期。

② 马克思，恩格斯：《马克思恩格斯文集》（第1卷），人民出版社，2009，第524页。

(三)权利场域的失范,弱化了思想政治教育的强制规范力

思想政治教育的权利场域是国家行政权力和国家精神在思想政治教育活动中的具体反映。在传统的思想政治教育场域中,国家通过规范性法律法规和制度引导思想政治教育的方向、目标和任务。例如,《中共中央国务院关于进一步加强和改进大学生思想政治教育的意见》《中共中央国务院关于加强和改进新形势下高校思想政治工作的意见》等政策文件的颁布为思想政治教育活动提供了制度规范。

"互联网+"时代,现实场域的法规、制度对虚拟场域教育运行的规范力不足,导致了虚拟场域下教育监管、教育立法和教育政策执行等权利场域的失范。如何实现权利场域同虚拟场域的统一是掣肘网络思想政治教育活动的关键。从技术哲学的视角分析,网络执法的直接对象是各式各样涵盖技术命令的数字和编码,而执法的有效主体是隐藏于数字和编码程序之后的个人。但是,按照互联网的空间运作逻辑,编制程序的个人和其编码的程序是割裂的两个主体,可以从属于不同的国度,这为网络执法带来了前所未有的挑战。此外,互联网立法进程在一定程度上滞后于网络发展速度,国家权利场域难以全面、全方位覆盖互联网空间,网络思想政治教育的制度性、规范性监管和引导存在一定程度的缺失,互联网行为有法可依的制度构建有待完善[①]。

三、"互联网+"时代对高校思想政治理论课教学的影响分析

"互联网+"时代,现代信息技术与思政课进行融合已成为思政课教学的常态,且有向纵深化发展的趋势。但从现实境遇来看,不容否认,信息技术对思政课教学的负向作用不断显现,成为思政课教学中需要正视的问题。

1. 信息技术过度使用致使思政课课堂教学偏离主旨

在"互联网+"时代,从技术的角度视之,信息技术于思政课教学的最佳体现为更好地满足教学需求,即是说以一种重要"方式和手段"赋予思政课教学更强的课程吸引力和展示力,提高教学的针对性和有效性,从而完成思政课立德树人的重要使命。但从现有信息技术与思政课融合的情况看,显然信息技术并未彰显出其至善的价值内涵。在思政课课堂上,不时会看到过度使用信息技术而使课堂教学本末倒置的情况。思政课变成信息技术的"炫技"展示课,教师在课堂教学中扮演的是"技术员"、"放映员"角色,呈现出的课堂效果是:学生被绚烂多彩、迷人眼球的技术应用所吸引,且参与度很高,但对思政课教学内容兴趣阑珊甚至是"过眼无痕",直接影响思政课课堂教学实效。

产生这种课堂效果的原因,很大程度上源于没有真正理解和准确把握信息技术与思政课教学之间的关系,将普及运用信息技术视作课堂教学的主方向,偏离了思政课课堂教学的主旨。对于思政课教学,理想的信息技术运用状态应体现为"自然延展",即教师得心应手地运用信息技术有目的性地开展教学活动,学生在课堂教学中关注的始终

---

① 刘爱玲:《互联网视域下思想政治教育场域的转换与重构》,《思想理论教育导刊》2020 年第 6 期。

是课堂教学内容、是教师传播的知识和价值,最终在合目的性与合规律性的高度统一中提升思政课教学效果,实现立德树人的课程教学目标。过度地在课堂教学中运用信息技术不仅不能使教学目标得以实现,反而还会导致课堂技术运用喧宾夺主,因此,"一切信息化教学手段都要以思政课教学目标的实现为旨归,任何偏离思政课教学目标的教育模式和影响教育有效性与教育质量的教学方式和手段都是不可取的"①。

2.信息技术赋能引发思政课传统教学渐次式微

随着教育教学实践的不断深入和教师对教学规律的积极探索,思政课教学经历了从传统教学方式到现代教学方式的转变,这种转变遵循的是信息时代的发展需要和大学生认知心理的发展规律,体现出了应势而动、应需而为的特点。当前,以信息技术赋能的思政课信息化教学已成为课堂教学的重要方式,深刻嵌入教学过程的始终,形成了一种"无技术不成课"的发展态势,达成了思政课课堂教学信息化的普遍共识,由此也造成对传统教学方式的冲击,教师开始较少思考如何基于传统教学方式来提升自身的备课能力、课堂讲授能力和语言表达能力等,反而将更多精力投入到对信息化教学的创新和应用之中。

客观而言,信息技术的广泛运用确实可促成思政课教学方式的革命性变革,赋予课堂教学以更多的灵活性、新颖性,带来课堂教学的"新"与"趣""精"与"准"。但同时,信息技术催生的这场"课堂转型"似乎也正在逐渐消解思政课课堂教学的传统优势,一味求"技"会导致课堂教学真谛迷失方向。一堂思政课,最核心的在于教师"言传身教"的主体示范性,即以"言传"向学生传授知识、表达信仰、塑造价值,再以"身教"通过人格魅力、学识修养打动学生、吸引学生。在传统课堂教学中,通过教师的亲身示范引导,师生可以在相互不间断的信息反馈中实现教学交流,产生共鸣和认同,进而建构教学情境的共同在场。但当信息技术越来越多地被引入思政课课堂教学中时,"教师对课堂情境的组织和把握能力部分被辅助技术所削弱,教师的主观能动性陷入一种技术化的'路径依赖',其课堂情境建构的努力正被过多的信息技术嵌入所抵消"②,进而导致传统教学中的辐射性价值开始产生递减效应,教师深厚的教学积累无的放矢,丰富的授课技能无处施展,教师的情感和价值游离于教学活动之外,知识传递的现实感被现成的教学产品所代替,削弱了课堂教学的示范性、情感性和在场性。

3.信息技术"喧宾夺主"弱化了思政课教师的自我确证

在思政课的课堂教学中,教师始终是教学的主导者,集理论知识的传授者、思想观念的传导者、教学进程的设计者和组织者、学生学习的引导者于一身,是课堂教学的"主代言人"。然而,从现有思政课课堂教学实际看,信息化教学一方面不断拓展了教学的情境空间,由于信息技术赋能,教师进行着各种课堂语境的创设,最大化地实现着信息

---

① 高奇,周向军,韩文彬:《高校思想政治理论课信息化教学需把握好的若干重要关系》,《思想理论教育导刊》2018 年第 2 期。

② 林仕尧:《教学信息技术使用的伦理困境与出路探究》,《教育与教学研究》2016 年第 2 期。

化教学的"人机互动";另一方面,信息技术的"出场"带来了教师的逐渐"退场",不断消解教师在课堂教学中的主导地位,弱化教师对课堂教学主导性的自我确证。

具体而言,从知识传授看,信息化技术的发展使学生在知识获取上对教师依赖性逐渐减弱,课堂教学中的知识盲点和难点不再具有"神秘性",作为知识化身的教师权威地位逐渐被解构,使教师迷失了"做好学生大先生"的动力和方向。从教学风格看,信息技术在一定程度上可以带来课堂教学的多样化形态,但信息技术预设的潜在固定化的教学资源和模式会不自觉地导致课堂教学千人一面,由教师自身特点和经验积累起来的特色教学方式逐渐式微,影响了教师进行教学创新的热情,抹杀了教学发展的灵气和个性。从教学效果看,恰当合理地运用好信息技术确实可增强思政课课堂教学效果,但当各式各样令人眼花缭乱的技术手段运用于课堂教学,带来学生抬头率、参与率不断提升时,会不自觉地让教师产生一种自我教学能力的疑问:究竟是技术本身还是自身的教学能力带来了课堂教学的改变? 最终在不断强化的信息技术"他者代言"的教学事实面前,催生出教师自我教学能力的削弱情绪。从教学供给看,信息技术在课堂教学中的大量运用固化了学生知识学习的形式,形成要么是线上自学、要么是依托技术程序化地学的观念,于是教师在整个教学过程中也转变为要么是对着机器讲、要么是按照技术模拟程序设定讲,不仅在教师与学生之间树立起了天然屏障,同时也阻碍了教师向专业化方向的发展①。

第三节 "互联网+"时代高校思想政治
理论课教学应对的策略

随着"互联网+"时代的发展,高校思想政治理论课要主动应对,在具体策略方面要注意设计原则、创新教学方式等方面,这对于增强高校思想政治理论课堂教学的时代感和吸引力,提升高校思想政治理论课教学的亲和力和针对性,实现高校思想理论课程教学"因材施教"和"教学互长",都具有重要意义。

一、"互联网+"时代思想政治理论课教学的原则

1. 坚持高校思政课的主渠道地位

"互联网+"时代虽然为高校思想政治理论课提供了更多形式和更丰富的选择,但任何其他形式都不能取代高校思政课的主渠道作用。或者毋宁说,正是因为"互联网+"时代知识爆炸、信息频更、万物互联等特征,反而更加凸显出高校思政课教学的重要性。"互联网+"时代的信息传播和更新速度急剧加快,大学生可以较轻易地通过各种渠道获取知识信息,但一些网络资源为了吸引人们的眼球,存在故意歪曲事实、夸大负面现象、

---

① 吴宁宁:《推进信息技术与思想政治理论课深度融合的思考》,《思想理论教育》,2021 年第 8 期。

抹黑英模人物等偏向,更有甚者在所谓"民主自由""普世价值"的旗号下颠倒黑白、混淆是非,恶意攻击中国共产党和中国特色社会主义制度,图谋通过对青年学生的长期思想渗透搞和平演变与颜色革命。在这种情况下,更需要我们理直气壮地办好高校思政课,充分发挥思政课的价值引领作用。习近平在2016年12月全国高校思想政治工作会议上的讲话中就说过:做好高校思想政治工作,"要用好课堂教学这个主渠道,思想政治理论课要坚持在改进中加强"①。"改进"是必要的,但"改进"的目的在于"加强"。2019年3月18日,习近平在主持召开学校思想政治理论课教师座谈会时又着重指出:"思想政治理论课是落实立德树人根本任务的关键课程";思政课建设要"守正创新",②"守正"是前提和根本,"创新"是为"守正"服务的。所以,任何借"互联网+"时代之机或之名,轻视和削弱高校思政课的言行都是错误的、有害的,需要我们高度重视并予以端正。

2. 坚持思政课教师的主导性

习近平指出:"要坚持主导性与主体性相统一,思政课教学离不开教师的主导,同时要加大对学生的认知规律和接受特点的研究,发挥学生主体性作用。"③"互联网+"时代的高校思政课教学,对教师"主导性"和学生"主体性"两方面作用的发挥都提出了新的要求。就教师主导作用的发挥来说,目前高校思政课教师运用高新信息技术的能力参差不齐,大部分尚停留在使用电脑多媒体简单播放PPT层面,对现代信息技术了解不够、运用不善,有的甚至带有一定畏难和抵触情绪,这直接制约了思政课教师课堂主导作用的更好发挥。过去教师独占讲台的"满堂灌"教学方式,看似很能体现教师的主导作用,但在"互联网+"时代技术普遍推广运用的情况下,那种"主导"作用的实际教学效果便越来越不济了。因此,高校思政课教师必须跟上时代前进的步伐,努力增强自己运用"互联网+"时代信息技术搞好思政课教学的素质和能力。就教师"主导性"和学生"主体性"的关系而言,教师"主导性"是关键,是为学生"主体性"服务的;学生"主体性"是在教师良好的"主导性"作用发挥下实现的。因此,要发挥大学生主体性作用,思政课教师就必须深入了解大学生的代群特征、生活习性、求知意向、价值追求、交往形式和话语方式等,据此创设出学生喜闻乐见的思政课教学模式,最大限度满足大学生多样化、个性化的学习需求,真正激发起大学生提出和探究问题的兴趣,实现从"要我学"向"我要学"的转变。因此说,发挥大学生主体性作用,提倡大学生参与、师生互动式教学,并不等于弱化思政课教师的主导作用,而是在适应"互联网+"时代信息技术发展的情况下,要求思政课教师的"主导性"能更好地坚持和提升创新。

---

① 《习近平在全国高校思想政治工作会议上强调　把思想政治工作贯穿教育教学全过程　开创我国高等教育事业发展新局面》,《人民日报》2016年12月9日第1版。

② 《习近平主持召开学校思想政治理论课教师座谈会强调　用新时代中国特色社会主义思想铸魂育人　贯彻党的教育方针落实立德树人根本任务》,《人民日报》2019年3月19日第2版。

③ 同上书。

3.坚持思政课教学"内容为王"原则

"互联网+"时代带来的技术革新,不仅极大拓展了高校思政课教学的路径选择,而且也为高校思政课教学内容的丰富发展提供了有利条件。我们要重视教学条件、教学方式的更新,但更重要的还是要重视教学内容的丰富和发展,要坚持"内容为王"的原则。

思政课教学的成效如何,根本上取决于内容是否具有说服人、培育人的理论品质及魅力。马克思说过:"理论只要说服人,就能掌握群众;而理论只要彻底,就能说服人。所谓彻底,就是抓住事物的根本。而人的根本就是人本身。"[1]也就是说,理论要能说服人,就不能只是浮于问题表面泛泛而谈,而必须阐明事物的本质及其演化规律,揭示人类社会发展的历史必然性,体现人的全面而自由发展的需要。习近平也明确要求思政课要"以透彻的学理分析回应学生,以彻底的思想理论说服学生,用真理的强大力量引导学生"。[2]新时代高校思政课建设应继续在增强理论的解释力、说服力上下功夫,一味追求形式创新而忽视对理论内涵的把握,无疑是喧宾夺主、本末倒置,偏离了思政课教学的初心和使命。思政课教师要紧密联系大学生思想实际,运用马克思主义的立场、观点、方法,回答大学生对重大理论和现实问题的关切,培养其理论素养和思辨能力,特别是要推进习近平新时代中国特色社会主义思想入脑入心,增进大学生对中国特色社会主义的政治认同、思想认同、情感认同。比如,为什么说坚持和发展中国特色社会主义是当代中国发展进步的根本方向,为什么说党的领导是中国特色社会主义的本质特征,如何理解我国社会主要矛盾所发生的转化,如何理解支撑中国特色社会主义制度的根本制度、基本制度、重要制度之间的关系等等。只有用深刻的道理、翔实的数据、鲜活的案例、生动的语言把这些重大问题讲透彻、说明白,才会真正吸引学生、打动学生,使大学生对思政课的教学内容更深刻地理解认知,帮助他们奠定科学的思想基础,树立正确的世界观、人生观、价值观[3]。

二、创新"互联网+"时代思想政治理论课教学方式

在"互联网+"时代,思想政治理论课教学与现代信息技术有效融合以价值引领和培养政治认同为目标的思想政治理论课教学,要达到"配方"先进、"工艺"精湛、"包装"时尚,既要发挥信息技术辅助教学的优势,又要遵循思想政治理论课教育教学的规律。这需要从提升教师现代信息技术素养、拓展网络实践教学形式、创新混合式教学设计三个方面进行。

(一)全面提升教师现代信息技术素养

上好思想政治理论课,关键在教师。因此,提升教师现代信息技术素养是当务之

---

①　马克思,恩格斯:《马克思恩格斯选集》,第1卷,人民出版社,2012,第9-10页。

②　《习近平主持召开学校思想政治理论课教师座谈会强调　用新时代中国特色社会主义思想铸魂育人　贯彻党的教育方针落实立德树人根本任务》,《人民日报》2019年3月19日第2版。

③　李永进:《论5G时代高校思想政治理论课的创新建设》,《思想理论教育导刊》2020年第7期。

急。首先,要加强教师提升现代信息技术素养的自觉性。思想政治理论课教师要充分认识到要坚守意识形态阵地,运用马克思主义理论及时回应学生关注的社会热点问题,就必须努力提高自身"良好的现代信息素养,灵活运用互联网技术,开展网络对话沟通"的能力,只有这样才能应对快速发展的信息技术与快速变化的复杂舆论环境交织在一起形成的异常激烈的意识形态斗争。其次,需要为教师提升技能提供各级各类线上线下培训,对教师开展网络教学理论、方法和模式的培训,帮助教师提升运用现代教育技术的能力。再次,要鼓励教师积极地研究"互联网+"时代思想政治教育规律,寻找"信息技术与思政课教学融合的针对性、生长点、方式方法",更好地引导"网络山地同胞"的大学生形成正确的价值观和政治认同。

(二)拓展完善网络实践教学形式

目前中国大学 MOOC、超星等网络平台上的思想政治理论课,大都是围绕基本理论知识进行讲授,比较适合学生自主学习。但是这样的网络授课并不能改变学生对思想政治理论课说教的刻板印象,不能体现"思政课所蕴含的政治高度、历史厚度、思想深度和生活温度"[①],无法引起学生的学习兴趣。在虚拟和现实社会高度融合的时代,在网络环境中成长的一代,当代大学生的情感认同和价值认同也需要在网络虚拟现实生活的体验中得到涵育。因此,发挥网络信息技术的优势,积极开展网络实践教学,既能克服思想政治理论课线下社会实践缺乏资金和安全风险等短板,又能够用学生习惯的感知方式进行教育,降低政治教育的逆反风险。

思想政治理论课教学要解决对马克思主义理论真懂真信真用的问题,除了要求学生在思想政治教育虚拟社区中,完成一些简单的实践任务外,建设虚拟仿真实验项目是一个很好的选择。例如在课程中设计虚拟仿真项目模拟"红军长征"实践或本校特色的实践项目,如医科院校"疫情下的医德教育"实践等,能利用红色历史资源和现实教育资源的泛在性,创设历史和现实、伦理道德等情境,将主流价值观植入虚拟世界,使学生通过多种传感通道与虚拟世界进行自然交互,在沉浸式学习中领悟思想政治理论课教育教学的深刻内涵。

(三)创新线上与线下混合式教学设计

对于"互联网+"时代的思想政治理论课学习,目前已探索出很多成功的模式,与课程教育平台、网页协作的相关手机 APP 如"学习通""优慕课""蓝墨云班课""学堂云3.0""学堂在线""智慧树""知到""爱课程""中国大学慕课上线课程",借助其他手机APP 的智慧教学工具,如"雨课堂",自主开发的手机 APP,如"邮马思语""中成智慧课堂""至善网""实干网",以及由各省统一组织的普通高等学校大学生在线学习跨校修读学分工作,国内部分高校还探索思想政治理论课公众平台也及时有效地向学生分享资源并获得反馈,这些信息技术与传统课堂的高度融合增强了时代感和吸引力,打造学

---

① 赵庆寺:《现代信息技术与高校思政课深度融合的异化及其超越》,《学术论坛》2018 年第 5 期。

生喜爱的混合式教学过程。

一是,教学内容要精心设计。针对网络学习与课堂学习的差异性,线上与线下的教学内容要重新梳理、概括和凝练,要相互衔接、相得益彰。例如"马克思主义基本原理概论"课程的"翻转课堂",线上教学讲清基本理论观点,线下教学要在答疑解惑的基础上拓展深化,帮助学生理解马克思主义理论深邃的思想性和严密的逻辑性。

二是,教学方法要创新设计。作为价值引领课程,思想政治理论课不仅承担着知识的传授任务,更重要的是帮助学生形成正确的世界观、人生观、价值观。由于学生对思想政治理论课普遍兴趣不大,要增强学习的获得感。首先,要为学生提供安全、友善的学习交流环境。例如"思想道德与法治"课程,教师在与学生探讨时,尤其要注意交流氛围的营造,激发学生交流的意愿。其次,要以问题为导向选择不同的教学方法。例如"毛泽东思想和中国特色社会主义理论体系概论"课程可以针对学生关心的热点问题,创新采用不同的教学方法,如"习近平新时代中国特色社会主义思想"专题学习、"中国传统文化"研究讨论等教学法。在教学方法改革的过程中,发挥好网络课程互动优势,突破思想政治理论课教学深度交流难点,使真实高质量的互动促进马克思主义理论知识体系向信仰体系的转化。

三是,学习反馈要及时有效。线上学习中的学生非常期望即时而高质量的反馈,教师也就需要密切关注学生的学习过程和思想动态,及时肯定学生的努力、回应学生的诉求,这样更能激发学生的学习动机,促进学生的主动参与。

高校思想政治理论课承担着对大学生进行系统的马克思主义理论教育的任务,是落实立德树人根本任务的灵魂课程。虽然网络信息技术深度融入思想政治理论课,改变了教学模式、方法、工具和评价,但是思想政治理论课育人铸魂的目标始终没有变,培养社会主义建设者和接班人的任务始终没有变。思想政治理论课网络教学水平要进一步提升,既需要依靠技术进步来完善,也迫切需要思想政治理论课教师转变观念提升技能,锻造"有虚有实、有棱有角、有情有义、有滋有味、有己有人"的时代金课[1]。

---

[1] 吴任慰,康红蕾,常陌塘:《思想政治理论课与网络信息技术深度融合路径研究》,《南京医科大学学报》2021年第1期。

第八章　新时代高校思想政治理论课教学考核及评价

高校思想政治理论课的教学品质建立在学生个性发展和教师专业成长的基础上，涉及教学目标、学科发展和教学规律，是知识性、学术性和艺术性的统一。提升高校思想政治理论课教学品质是由立德树人的目标所决定，是马克思主义理论学科发展的需要所决定，也是由思想政治理论课教育教学的规律所决定的。教学考核及评价是高校思想政治理论课教学的两个重要环节，一方面可以引入绩效技术对高校思想政治理论课教学考核进行系统分析，另一方面要科学评价高校思想政治理论课的教学成效，这些既是提升高校思想政治理论课的教学品质的内容要求，也是进一步增强思想政治理论课教学针对性、实效性的重要手段。

第一节　新时代高校思想政治理论课教学考核

教学考核是高校思想政治理论课教学的一个重要环节。但是，由于思想政治理论课的特殊性，教学考核是一项很难把握的工作。绩效技术作为一种整体化、综合化、系统化提升组织工作成效的程序方法，自 20 世纪六七十年代以来在企业的生产、管理等领域得到成功运用，20 世纪 80 年代后逐步被引入教育领域。从绩效技术的视角出发，对高校思想政治理论课教学考核进行系统分析，有利于提升思想政治理论课教学实效性。

一、思想政治理论课教学绩效考核环境建设

(一)加强高校思想政治理论课教学绩效考核环境建设的重要性

开展高校思想政治理论课教学绩效考核，需要一个良好的环境。绩效考核环境的优劣，直接关系到高校思想政治理论课教学绩效考核的效果。无论是从马克思主义思想政治教育环境论和绩效考核理论来看，还是从当前研究的现状来看，深入进行绩效考核环境研究对于推动高校思想政治理论课教学绩效考核效果有着重要的意义。

1. 从马克思主义思想政治教育环境论看,环境决定人们的思想和观念

马克思主义认为,"人们的观念、观点和概念,一句话,人们的意识,随着人们的生活条件、人们的社会关系、人们的社会存在的改变而改变"①。高校思想政治理论课教学绩效考核对象不能脱离一定的社会关系和物质条件而存在,一定的社会关系和物质条件构成了高校思想政治理论课教学绩效考核所面对的不同环境。可以说,考核环境对考核对象的意识发生着重要的影响和作用,是高校思想政治理论课教学绩效考核得以进行的客观条件,在一定意义上对高校思想政治理论课教学绩效考核起着关键性的作用。因此,加强高校思想政治理论课教学绩效考核环境建设是提高高校思想政治理论课绩效不可缺少的重要途径和内容。

2. 从绩效考核理论看,绩效考核环境很大程度上决定着绩效考核的效力

高校思想政治理论课教学绩效考核的环境涉及各个方面,并且对它所涉及的各个方面都有所影响——特别是考评体系的技术以及使用这种考评体系的人。人们究竟是正面看待考核还是负面看待考核,主要决定于它的环境关系。在消极的高校思想政治理论课教学绩效考核环境中,会导致人们对考核产生负面态度,并引起随之而来的消极行为,如不顾全局的利益而利用考评系统的漏洞提升自己的考核数据,毁掉组织为改善考核体系而做出的所有努力,使绩效考核的很多潜在力量无法得以实现。而如果建设积极的高校思想政治理论课教学绩效考核环境,人们没有欺骗的动机和行为,一切考核按照程序和制度客观进行,将大大提高绩效考核的效率。所以,有西方学者甚至提出"考评的环境实际上比考评本身更为重要"②的观点。

3. 从高校思想政治理论课教学绩效研究现状看,对绩效环境研究有待于提高

近年来,我国一些学者和思想政治教育工作者将绩效考核理论与高校思想政治理论课教学相结合,对高校思想政治理论课教学绩效考核进行了有益探索,这对于加强和改进高校思想政治理论课教学起到了积极的作用。当前侧重从绩效管理理论研究思想政治理论课教学,如考核指标体系、考核方法等,而对于如何在积极的环境下更好地开展高校思想政治理论课教学绩效考核工作并没有深入探索。因此,探讨加强高校思想政治理论课教学绩效考核环境建设,是摆在广大思想政治教育工作者面前的一个新课题。

(二)高校思想政治理论课教学绩效考核环境的特点

要对高校思想政治理论课教学绩效考核环境的特点进行分析,首先,应该对高校思想政治理论课教学绩效考核环境这个概念进行界定。《辞海》对环境概念的定义为:围绕所辖的区域以及人类赖以生存和发展的社会和物质条件的综合体。由此引申出,高校思想政治理论课教学绩效考核环境是指对高校思想政治理论课教学考核活动产生影

---

① 中共中央编译局:《马克思恩格斯选集》(第1卷),人民出版社,1995,第291在页。
② 迪恩·R·斯彼德:《绩效考评革命》,东方出版社,2007,第3页。

响的一切外部因素的总和。认真分析高校思想政治理论课教学绩效考核环境的概念和内容,可以发现其四个显著特点,具体如下:

1. 复杂性

"从主观角度而言,复杂性是一种思维方式,这种思维方式表现为非线性思维、整体性思维、关系性思维、过程性思维等;从客观的角度而言,复杂性是世界存在的一种状态,这种状态既表现为事物的客观存在,也表现为客观存在对人的影响的复杂性"①。高校思想政治理论课教学绩效考核环境的复杂性主要体现在两个方面:一是,高校思想政治理论课教学绩效考核环境是一个广泛而复杂的综合体系,包括舆论环境、工作环境、组织环境等等。这些复杂因素除了对绩效考核产生显著的、直接的影响外,还通过各种渠道对绩效考核产生隐性的、潜移默化的作用。二是,高校思想政治理论课教学绩效环境的影响性质具有多重性,有良性的与恶性的、积极的与消极的、先进的与落后的,这些不同性质的因素总是混杂在一起。而处于复杂环境系统中的高校思想政治理论课教学绩效考核,总是要与这些具体要素发生联系。

2. 可控性

控制论认为,所谓控制是指一个有组织的系统根据内外部的各种变化进行调整,不断克服系统的不确定性,使系统保持某种特点的状态,是施控主体对受控主体的一种能动作用,这种作用通过信息联系使受控主体根据施控主体的预定目标而动作,并最终达到这一目标。高校思想政治理论课教学绩效环境的可控性是指在一定条件下,在人为的作用和有目的的影响下,对高校思想政治理论课教学绩效环境进行有目的的改造。高校思想政治理论课绩效考核环境具有多种发展的可能性,而且其发展方向具有可选择性,其运动状态具有可变性,都说明高校思想政治理论课教学绩效考核环境可以被控制。同时,高校思想政治理论课教学绩效考核是一种社会控制活动,高校思想政治理论课教学绩效考核环境作为高校思想政治理论课绩效考核的重要组成部分,其本身也是需要控制的。因此,高校思想政治理论课教学绩效考核主体可以根据现实和目标的需要,对不利的绩效考核环境进行改造,有计划、有步骤地去改变一定社会范围内的环境因素,使消极因素转化为积极因素,使环境因素符合高校思想政治理论课教学绩效考核活动的需要。

3. 动态性

高校思想政治理论课教学绩效考核环境的动态性是由世界运动变化的根本特征决定的。当今时代,整个世界处于不断地发展变化之中,思想观念、意识形态、价值标准更是日新月异,高校思想政治理论课教学绩效考核环境不是一成不变的,必然要随之调整。因此,高校思想政治理论课教学绩效考核环境很大程度上表现出动态性的一面,呈现出日益变化的特征,这种动态性主要体现在两点:一是高校思想政治理论课教学绩效

---

① 张耀灿,郑永廷,吴潜涛,骆郁廷:《现代思想政治教育学》,人民出版社,2006,第298页。

考核环境系统的各个要素是多样的,无论是高校内部的组织氛围、人际关系、人事关系等,还是外部的经济环境、政治环境、文化环境,它们都是处在不断变化之中的。二是,人改造世界的实践活动会导致环境的变化,为了增强高校思想政治理论课教学绩效考核的效果而对思想政治理论课环境进行的主动改造也必然会引起高校思想政治理论课绩效考核环境的变化。

4.继承性

马克思历史唯物主义观认为,人类社会意识的发展具有历史继承性,首先是前人实践活动的客观结果,而且社会意识中也保留着历史上形成的,反映过去社会存在状况的某些意识材料。高校思想政治理论课教学绩效考核环境的继承性表现在两个方面:一方面,高校思想政治理论课教学绩效考核环境的改变不是短期内就可以达到的,它应该被视作一个连续的改善过程,这种连续的改善必然是建立在继承历史环境中的某些物质要素和精神要素的基础之上的;另一方面,高校思想政治理论课教学绩效考核环境对考核对象的影响具有继承性,以往的考核经历会影响考核对象今后的行为,考核对象会根据历史环境中的某些积极因素和消极因素采取相应的行动。

(三)加强高校思想政治理论课教学绩效考核环境建设的原则

高校思想政治理论课教学绩效考核环境建设的原则,是人们在建设高校思想政治理论课教学绩效考核环境过程中必须遵循的基本准则,是思想政治理论课教学绩效环境建设应遵循的规律,是避免主观性和片面性,使高校思想政治理论课绩效考核环境建设收到实效的前提。一般来说,在进行高校思想政治理论课教学绩效考核环境建设时应遵循以下四个原则:

1.目的性原则

目的性原则是指构建高校思想政治理论课教学绩效考核的环境,必须与高校思想政治理论课教学绩效考核的目的相一致,而高校思想政治理论课教学绩效考核的目的又必须与高校思想政治理论课的根本目的相一致。2016年12月,习近平总书记在全国高校思想政治工作会议上强调,提高学生思想政治素质,要教育引导学生正确认识世界和中国发展大势,正确认识中国特色和国际比较,正确认识时代责任和历史使命,正确认识远大抱负和脚踏实地①。"四个正确认识"是习近平总书记立足办好中国特色社会主义大学这一核心要求、立足"四个坚持"这一办学治校的行动纲领、立足"四个服务"这一高等教育的历史使命,对新形势下提高大学生思想政治素质,加强大学生思想政治工作提出的总目标、总原则、总要求。作为大学生思想政治教育的主渠道,高校思想政治理论课教学应以实现"四个正确认识"为根本目标,并不断在改进中加强②。

---

① 习近平在全国高校思想政治工作会议上强调:《把思想政治工作贯穿教育教学全过程 开创我国高等教育事业发展新局面》,载《人民日报》2016年12月9日第1版。
② 李忠军:《高校思想政治理论课教学应以实现"四个正确认识"为根本目标》,《思想理论教育导刊》2017年第2期。

要让被考核对象真正感到考核目的是改进而非处罚或责备,并能自觉按照考核要求和指标进行,绩效考核的真正效力才会得以实现。

2. 整体性原则

系统整体性原则认为一切事物都具有系统的属性,而一切系统都具有整体性。高校思想政治理论课绩效考核环境是一个整体,其整体性表现在组成高校思想政治理论课绩效考核环境系统的各要素以合理的组合,形成一定的结构,在系统内部既保持着相互之间的有机联系,又可通过自我调节发挥整体功能。整体性原则要求把高校思想政治理论课教学绩效考核环境作为一个系统来建设,重视各要素之间的关系,注意各要素之间的有机统一。如果各要素之间互相矛盾、不统一,绩效考核的作用就会抵消,甚至产生混乱和不良行为。因此,必须从系统整体出发,加强高校思想政治理论课教学绩效考核环境建设,只看局部,不注重全局,不能从根本上解决问题。

3. 公正性原则

公正性原则主要是从组织公正的角度,提升考核对象的公平感,从而调动考核对象的工作积极性,进而提高高校思想政治理论课教学绩效。公正性是贯彻执行绩效评价体系的前提。公正性原则要求高校思想政治理论课教学绩效考核环境建设特别要注意两个方面的公平:一方面,考核过程公平,考核者根据被考核者在一定时间内所承担工作的态度、责任、时效、质量等方面的表现,作出实事求是、客观的综合性评价,如果考核不能实事求是地对考核对象作出公正的评价,而是凭印象、关系、本位主义、个人喜好等因素进行评价,就会引起考核对象的不满;另一方面,结果公正,又称分配公平,考核对象只有当自己的付出和所得收入相比的结果与比较对象付出和收入相比的结果相等时才认为是公平的。

4. 以人为本原则

以人为本原则是以马克思主义以人为本的思想为指导,建立在现实的人、社会的人基础上,强调人是目的,人是根本,人是关键,人是动力的原则,主张通过充分发挥人的主动性、能动性、创造性,最终实现人的潜能的充分开发,实现人的全面发展。人在高校思想政治理论课教学绩效考核过程中占有特殊的地位和作用。人是最活跃的因素,人的积极性发挥得如何,直接影响到高校思想政治理论课教学绩效考核的效果。高校思想政治理论课教学绩效考核环境建设要把人作为最重要的资源,以人为中心进行建设,充分发挥人的能动性,真正地尊重人,充分地依靠人,完美地塑造人,热情地服务人,建立人与其他高校思想政治理论课教学绩效考核环境因素之间的有机联系,最大限度地提高高校思想政治理论课教学绩效考核的整体实效[1]。

---

① 杨非,张敏:《试论高校思想政治教育绩效考核的环境建设》,《世纪桥》2010年第21期。

二、思想政治理论课教学绩效指标

(一)高校思想政治理论课教学绩效指标的内涵

"绩效"一词源于英文中的"performance",原意是"性能、能力、成绩、工作成果等"。汉语中"绩效"是指业绩和成效。"绩效指标"就是按照计划规定目标所达到的业绩和成效。近年来,绩效指标这一概念被广泛用于经济、管理等领域。高校思想政治理论课教学绩效指标,是指思想政治理论课教学活动要达到的成绩与效果。

(二)高校思想政治理论课教学绩效指标建立的原则

1. 科学性原则

建立绩效指标时,首先,要有科学的理论作为指导,使绩效指标能够在基本概念和逻辑结构上严谨、合理,抓住评价对象的实质。同时,绩效指标是理论与实际相结合的产物,无论采用什么样的定性、定量方法,都必须是客观的抽象的描述,抓住最重要的、最本质的和最有代表性的东西。对绩效指标描述得越清楚、越简练、越符合实际,科学性就越强。

2. 少而精原则

绩效指标要通过一些关键绩效指标反映评价的目的,不需要做到面面俱到。建立支持绩效目标实现的关键绩效指标,不但可以帮助实施者把有限的资源集中在关键业务领域,还可以有效地缩短绩效信息的处理过程,乃至整个评价过程。同时,少而精的评价指标易于被实施者所理解和接受,也可以使评价者迅速了解绩效评价系统。

3. 可测性原则

评价指标本身的特征和该指标在评价过程中的现实可行性决定了评价指标的可测性。因为评价指标代表的对象也是不断变化的,所以在选择绩效指标时,要考虑获取相关绩效信息的难易程度,很难收集绩效信息的指标一般不应当作为绩效考核指标。

4. 针对性原则

绩效指标根植在学校这一"土壤"中,非常具有个性化特征。不同发展阶段、不同战略背景下的学校,绩效考核的目的、手段、结果运用是不相同的。绩效考核指标要收到绩效,关键不在于考核方案多么高深精准,而在于是否具有较强的针对性。思想政治理论课教学绩效指标必须针对高校的发展和学生思想实际,才能有效提高思想政治理论课效果。

(三)高校思想政治理论课教学绩效指标的内容

高校思想政治理论课教学绩效指标应是一个较为完整和系统的体系。可从宏观层面借鉴管理学中较为成熟的"4E指标",即经济指标(Economic)、效率指标(Efficiency)、效果指标(Effectiveness)、公平指标(Equity)等,尝试建立高校思想政治理论课教学绩效指标体系。

1. 经济指标

经济指标一般指组织投入到管理项目中的资源水准。所谓高校思想政治理论课教学资源，是指在思想政治理论课教学活动中，能够被教育者开发利用的、有利于实现思想政治理论课教学目的的各种要素的总和。从经济指标来说，思想政治理论课教学绩效评价须重点考核以下三个方面：

（1）量化投入到思想政治理论课教学中资源的数量

量变是质变的准备，投入到思想政治理论课教学中的资源的数量，将直接影响到思想政治理论课教学的效果。一方面要量化学校和当地已有自然资源和社会资源，将其纳入思想政治理论课教学中，如校园环境、地域文化、博物馆等等。要避免对思想政治理论课教学资源的认识只局限于一个极小的范围内，看不到人民群众和现代社会中蕴藏着的丰富而实际的思想政治理论课教学资源，只停留在资源的表面或部分功能上，没有使一些思想政治理论课教学资源发挥其应有的作用。另一方面要量化投入的新的资源，各项投入应该是逐年增加的。

（2）考核投入到思想政治理论课教学中资源的质量

要克服长期以来思想政治理论课教学存在的重形式、轻质量的错误倾向。例如，对思想政治理论课教师的培训，不能仅仅停留在会议培训模式上，应该结合思想政治理论课教学的需要，加强思想政治理论课教师的社会实践。

（3）思想政治理论课教学资源配置情况是否合理

合理的思想政治理论课教学资源应形成一个有助于各种资源发挥效能的有机环境，每种资源在整个资源结构中处于最恰当的位置，使各类资源间相互促进、相互支撑。思想政治理论课教学资源配置的目的是将教学资源配置到最恰当、最重要、效益性最好的地方，使其得到充分合理的使用，以保障思想政治理论课教学资源供给，节约思想政治理论课教学资源，提高思想政治理论课教学资源利用率，最终实现思想政治理论课教学效益最大化。

2. 效率指标

效率是指在既定时间内，预算投入究竟产生了什么样的结果。从效率指标来说，思想政治理论课教学绩效评价须重点考核以下两个方面：

（1）思想政治理论课课堂效率

课堂教学是一种精神活动，不同于物质生产，难以统计核算出精确的效率数值，但毫无疑问，它也有一个课堂教学效率高低的问题。在实际教学过程中，思想政治理论课相对于其他专业课来说，学生对其重视程度不够，常常是老师主动灌输，学生被动接受，致使教学效果不太理想。高校要充分认识到思想政治理论课作为大学生思想政治教育的主渠道和主阵地作用，千方百计提高课堂效率。

（2）社会实践效率

课堂永远只是教育的一部分，成功的教育应该延伸到生活中。社会实践正是课堂的生活延伸,它的形式是丰富多彩的。一般高校开展的社会实践主要以参观、社会调查等为主要形式,在考核社会实践效率时应该重点考核学生在社会实践中取得了怎样的成果。因此,高校首先要把大学生的社会实践活动提高到培养中国特色社会主义建设者和接班人的高度来认识。其次,要把社会实践活动与课程教学放在同等重要的地位来看待,社会实践活动应成为学校教学计划不可分割的一部分,要充分认识到社会实践活动与课程教学一样,是对大学生进行思想政治教育的重要载体,要积极探索和建立社会实践的保障体系、评价机制和长效机制。再次,通过社会实践活动,大学生可以把理论的学习与实践结合起来,在实践中提高自己的技能,更进一步地坚定自己的思想政治信念。

3. 效果指标

效果通常用产出与结果之间的关系加以衡量,效果关心的是目标或结果。要比较客观地反映思想政治理论课教学目标的执行效果,其评价应综合体现以下四个方面的内容:第一,看思想政治理论课教学的教育者是否坚强有力,是否发挥了思想政治理论课教学的保证作用,从而促进思想政治理论课教学目标实施计划的顺利进行和健康发展。第二,看思想政治理论课教学本身是否充满活力、富有吸引力,能否解决受教育者中出现的各种思想问题。第三,看思想政治理论课教学的实际效果是否得到加强,思想政治理论课教学是否具有开拓精神和战斗力。第四,看受教育者思想情绪是否理顺,学风是否端正,事业心、责任心有无增强,思想觉悟是否提高。这几个方面,既包括了思想政治理论课教学的物质效果,也包括了思想政治理论课教学的精神效果。两者相辅相成,缺一不可。在评价时,不能只偏重对某一种效果的检查,而忽略了另一种效果,否则将会影响到思想政治理论课教学目标的实施,甚至无法实现既定目标。

4. 公平指标

公平关心的主要问题在于“接受服务的团体或个人能否都受到公平的待遇,需要特别照顾的弱势团体能否享受到更多的服务”。对思想政治理论课教学而言,公平性是贯彻执行绩效评价体系的前提,是衡量绩效评价有效性的重要指标。“公平”是指处理事情合情合理,不偏袒任何一方。公平具有相对性、主观性、扩散性和行为倾向性等特点。从个体角度看,公平涉及每个人的当前、长远的物质和精神利益;从人际互动的角度看,公平涉及人的尊严、地位及相互关系;从组织管理的角度看,公平涉及上下级关系、群体氛围、团队凝聚力、组织绩效以及可持续发展等问题;从社会发展的角度看,公平与社会稳定和进步有着密切的联系。而“弱势群体”这一概念出现于近些年我国高校实行收费上学制度以后。高校扩招后,弱势学生数量更是直线上升。目前,高校“弱势群体”有以下两个鲜明的特点:

1. 多样化

有些学生家庭经济困难,有些学生学习成绩欠佳,还有些因思想、心理、生理、情感等诸多问题形成的数量庞大的隐性弱势学生群体。

2. 极端化

有些学生家庭经济状况较差,不仅交不了学费,连基本生活费都无着落;有的学生存在严重的心理问题,最终做出极端行为。

因此,从公平指标来说,思想政治理论课教学绩效评价须重点考核两个方面:一方面,考核思想政治理论课教学的服务意识。思想政治理论课教学要强化服务,认识到"教育即服务",要以人为本,服务于弱势学生群体的成长成才。另一方面,考核思想政治理论课教学在弱势学生群体转化中所发挥的作用。思想政治理论课教学要激活"弱势群体"学生自身的精神动力,充分发挥他们的主观能动性,强化他们的自我发展意识,并结合外部的支持、关心来克服其"弱势"状态,充分发挥思想政治工作教、管结合的优势,"对症下药"争取事半功倍①。

三、加强高校思想政治理论课教学绩效考核的途径

(一)建设积极的组织氛围

高校思想政治理论课教学绩效考核的组织氛围是组织内部一种普遍的"气氛",会对每位思想政治理论课教师的工作态度、工作效率产生潜移默化的影响,是深刻影响各种行为的社会心理环境。高校思想政治理论课教学绩效考核的组织氛围应处理好以下两点:

1. 管理者要善于调节组织内的气氛

思想政治理论课教学绩效考核的管理者应通过组织形式多样的集体活动,使整个组织充满轻松的气氛,造就一个学校关心思想政治理论课教师,思想政治理论课教师热爱学生,学生尊敬思想政治理论课教师,思想政治理论课教师支持学校的融洽环境。

2. 明确工作岗位的分工

通过对思想政治理论课教师岗位工作的分析,把每个岗位的工作职责、任务、工作流程、完成工作标准、任职资格等进行描述,形成思想政治理论课教师工作岗位职责。让管理者明白每一个岗位都在做什么、怎样做,让思想政治理论课教师明白自己应该努力的工作方向,从而形成一种良性工作互动关系。只有明确的分工才能有良好的合作,才能避免互相推诿、推卸责任等影响组织氛围的情况发生。

(二)确定合理的考核期望值

期望值理论的基础是:人之所以能够从事某项工作并达成目标,是因为这些工作和组织目标会帮助他们达成自己的目标,满足自己某方面的需要。在高校思想政治理论课绩效考核中,学校关心的是思想政治理论课教学绩效,思想政治理论课教师关心的是自身利益,两者之间往往是有差距甚至是有鸿沟的,这就需要努力找到一个使双方都满

① 杨非:《工学结合人才培养模式下的高职学生思想政治教育绩效指标初探》,《湖南大众传媒职业技术学院学报》2009年第6期。

意的结合点,确定一个双方都认可的期望值。确定合理的高校思想政治理论课教学绩效考核期望值,应处理好以下三种关系:

1. 努力与目标的关系

让思想政治理论课教师主观认识到工作目标是可以实现的,从而激发出其内在潜能,使其有强烈的信心,相信通过一定的努力能够达到预期的工作目标。

2. 绩效与奖励的关系

使思想政治理论课教师取得成绩后能够得到奖励,这个奖励是综合的,既包括物质上的,也包括精神上的。

3. 奖励与满足个人需要的关系

由于人们在年龄、性别、资历、社会地位和经济条件等方面都存在差异,他们对各种要求得到满足的程度也不同,所以要使思想政治理论课教师所获得的奖励能满足个人不同的需要。

(三)形成有效的考核领导力

高校思想政治理论课教学绩效考核领导力,就是绩效考核领导者激励思想政治理论课教师自愿地在组织中做出卓越成就的能力,是考核领导者与组织为了思想政治理论课教学绩效考核目标而形成良性互动的合力,是考核领导者在其领导思想政治理论课教学绩效考核过程中形成、发展并服务于其领导过程的能力的总称。形成有效的高校思想政治理论课教学绩效考核领导力应注意以下三个方面:

1. 明确思想政治理论课教学绩效考核的目的

思想政治理论课教学绩效考核目标是通过评估思想政治理论课教师的绩效及团队、组织的绩效,并通过对考核结果的反馈和分析绩效差距来实现思想政治理论课教师工作绩效的提升,进而改善思想政治理论课教学绩效。考核领导要帮助思想政治理论课教师认识到考核不是简单的奖励或惩罚,而是帮助组织和思想政治理论课教师进步。

2. 强化思想政治理论课教学绩效考核领导的职责

考核领导不能仅仅将思想政治理论课教学绩效考核工作交给"考核专家"或组织人事部门去做,而要把考核看作是自己职责以内的事情。

3. 充分发扬组织民主

正确规范个人与组织、下级与上级、领导与群众、纪律与自由、权力与监督的关系,保持并不断增强组织的活力。

(四)建立有效考核沟通

高校思想政治理论课教学绩效考核沟通是指考核者与思想政治理论课教师就绩效考评反映出的问题以及考核机制本身存在的问题展开实质性的面谈,并着力于寻求应对之策,服务于后一阶段组织与思想政治理论课教师绩效改善和提高的一种管理方法。建立有效思想政治理论课教师绩效考核沟通,应做到以下三点:

1. 双向互动

在设定思想政治理论课教学绩效目标的过程中,通过双向互动的绩效沟通形成的思想政治理论课教学绩效目标能使思想政治理论课教师对目标有更加全面的了解和认可,并最大限度增加思想政治理论课教师的工作热情。

2. 多向沟通

在执行思想政治理论课教学绩效目标过程中,通过思想政治理论课教师与管理者,以及思想政治理论课教师之间的多向沟通,使管理者掌握思想政治理论课教师的目标完成状况,协助思想政治理论课教师解决工作中存在的问题,避免一些问题的产生和扩大。

3. 深度沟通

在得到思想政治理论课教学绩效考核结果后,通过深度沟通能使思想政治理论课教师认识到其对提升组织整体业绩及个人职业生涯发展的作用,消除对绩效考核的错误认识和抵触心理,让思想政治理论课教师对考核结果有个更加客观理性的认识,从而找出自己的差距和不足,以在今后的工作中得到改进和提高①。

第二节　新时代高校思想政治理论课教学评价

高校思想政治理论课的教学质量与效果,直接影响着大学生的思想政治素质及其健康成长。科学评价高校思想政治理论课的教学成效,是党和国家、社会以及高等学校共同关注的重要课题。深入探讨和研究思想政治理论课教学评价的有关问题,不仅是思想政治理论课教学过程和课程建设的一项重要内容,也是促进马克思主义理论学科建设和进一步增强思想政治理论课教学针对性、实效性的重要手段。

一、高校思想政治理论课教学评价的理论阐释

高校思想政治理论课教学评价,是指根据党和国家的教育方针及思想政治理论课教学目标,依据一定的标准、程序和技术手段,对思想政治理论课教学的实施过程及其实际效果作出价值判断,并为思想政治理论课教学改革与创新提供依据和决策服务的活动。

(一)思想政治理论课教学评价的本质特征

思想政治理论课作为我国高校课程体系中特有的一组课程,是对大学生进行思想政治教育的主渠道和主阵地,体现着高等教育的社会主义办学方向。这一课程性质的特殊性,决定了思想政治理论课教学评价具有不同于一般文化课程或专业技术课程教

---

① 杨非,张敏:《试论高校思想政治教育绩效考核的环境建设》,《世纪桥》2010 年第 21 期。

学评价的特殊性。

1.思想政治理论课教学评价是知识性与思想性的统一

任何课程的教学都具有一定的知识性,亦即都是以知识体系为基点来进行的。高校思想政治理论课教学也是如此。没有一定的理论、知识灌输,大学生头脑中的认识、观念就会模糊不清甚至背道而驰。因此,对思想政治理论课教学实效的评价,首先即是对教师传播理论知识有效性的评价,以及学生对理论知识掌握程度的评价。同时,高校思想政治理论课教学的目的与价值,并不仅仅在于引导学生单纯地掌握知识、发展知识,更重要的在于通过对相关理论知识的学习和掌握,启发和引导学生将知识体系内化为自身的信仰体系,塑造健康向上的精神世界,树立崇高的理想、信念和正确的世界观、人生观、价值观,提高思想政治素质。由此,思想政治理论课教学评价更要着眼于教学目标的实现,注重体现思想政治理论课的思想性、政治性,从培养中国特色社会主义事业合格建设者和接班人的高度进行价值评价。

2.思想政治理论课教学评价是内化与外化的统一

高校思想政治理论课的教学过程,就是将党和国家对大学生健康成长成才的殷切期望与内容要求内化为大学生自身的思想意识和行为动机,然后由大学生将这些意识和动机外化为行为实践并产生良好的行为结果。因此,内化与外化是思想政治理论课教学过程的重要环节,也是考察思想政治理论课教学活动有效性的主要因素。

所谓内化,是指大学生接受马克思主义理论教育及社会主义道德教育和法制教育,并将其转化为自己的思想认识、理想信念、道德情操、法制观念等内在品质的过程。这是一个由外向内的发展过程,即由社会要求的思想体系、政治观点、道德规范、法律规范向个人精神世界转化的进程,也是大学生树立正确世界观、人生观、价值观、道德观、法制观,不断发展和完善自身思想政治素质的过程。而所谓外化,是指大学生将自己的思想道德意识和行为动机转化为行为实践,形成行为习惯,并在实践中把内在品质体现出来的过程。这是一个由内向外的发展过程,即大学生把正确的世界观、人生观、价值观、道德观、法制观自觉付诸实践的过程。内化与外化贯穿于思想政治理论课教学整个过程之中。二者相互联系、相互依存。内化是外化的前提和基础,外化是内化的目的和归宿。思想政治理论课教学是内化与外化的统一。思想政治理论课教学评价必须把"内化"效果的评价与"外化"效果的评价有机结合起来。

3.思想政治理论课教学评价是现实性与潜在性的统一

一方面,高校思想政治理论课教学具有现实性。这种现实性具体体现在:其一,它是在一定现实环境中对大学生实施的理论教育活动,回答和解决大学生成长成才过程中遇到的思想困惑和现实问题。其二,思想政治理论课教学过程是现实的,体现为教育者和受教育者及其在教学过程中的相互关系是现实的,思想政治理论课教学的内容、方法和手段也是随着现实环境及形势的变化而不断调整和完善的。其三,思想政治理论课教学效果是现实的。它既体现在大学生对马克思主义基本原理及思想道德修养与法律基础知识的学习态度及掌握程度上,也体现在大学生在校期间的思想及行为的现实变化上。思想政治理论课教学的现实性,决定了要注重结合思想政治理论课教学的客观现实环境,对其教学过程的科学实施及其各个要素的优化组合,以及现实教学效果的评价。

另一方面,高校思想政治理论课教学的根本任务和最终目的是着眼于培养德智体美劳全面发展的中国特色社会主义事业合格建设者和可靠接班人,通过对大学生进行系统的思想政治理论教育,引导学生树立科学的世界观和方法论,提高他们的思想政治素质。而思想政治素质的作用是潜在的和巨大的。它的形成和发展不是一蹴而就和立竿见影的,而是由认知到认同,再到内化的渐进过程。因此,思想政治理论课教学不仅要关注现实,更要着眼未来、实现超越,因而对于思想政治理论课教学的评价应当既包括现实性评价,也包括潜在性评价,两者缺一不可。

(二)思想政治理论课教学评价的主要功能

思想政治理论课教学评价按照不同的需求和标准,可分为多种类型,如诊断性评价、过程性评价和总结性评价,自我评价与他人评价,教师评价与学生评价,学校评价、政府评价和社会评价,单项评价与综合评价、定量评价与定性评价等。无论哪种标准或类型的评价,其主要功能可概括为导向与强化功能、诊断与反馈功能、研究与预测功能等。

1. 导向与强化功能

教学评价是依据一定的标准和目标,对教学活动所进行的价值判断。一门课程的教学目标是否明确、教学过程是否得当、教学效果如何等,都需要借助科学的教学评价。教学评价犹如指挥棒一样,对教学活动起着重要的导向和强化作用。对于高校思想政治理论课来说,其教学评价的目标指向要体现党和国家的教育方针、反映作为社会主义大学本质特征的课程性质,以及帮助大学生树立正确的政治方向和科学世界观、人生观、价值观的教学目的和任务。正是这种政治导向和价值导向,保证了高校思想政治理论课教学活动的正确方向,使教师开展教学改革的思路得以明晰、学生对科学理论的理解和践行得到强化,进而有力地促进了教学目的的实现。

2. 诊断与反馈功能

诊断与反馈是教学过程中的重要环节,也是深化教学改革、提高教学质量的重要举措。思想政治理论课教学的评价过程,就是对其教学实践活动及其目标实现程度进行全面考察、分析的过程。一方面,通过教学评价,可以了解课程设置、教育理念、教学管理、教学保障、教学过程、教学改革、教学质量等是否达到思想政治理论课教学的目标要求,从而诊断出各个教学环节及相关要素存在的优点和不足、矛盾与问题。另一方面,教学评价可以为教师和学生提供反馈信息,帮助他们分析、判断思想政治理论课教学目标实现的情况,发现教与学中各自的优势与亮点,弄清教学过程及其结果与目标之间的差距及症结所在。无论是诊断还是反馈,其目的都是以评促教、以评促学、以评促管,发挥教学评价对思想政治理论课教学的调节作用。

3. 研究与咨询功能

教学评价不仅是对教学活动的价值判断,也是一项教育科学研究活动。高校思想政治理论课教学评价作为比一般文化课程或专业技术课程教学评价更具综合性和复杂性的活动过程,含有丰富的研究因素。研究所形成的评价体系和取得的科学结论,对于促进思想政治理论课教师反思、分析自己的教学理念及教学行为,提升教学能力和水平,深化教学改革,有着十分重要的意义。与此同时,要保证高校思想政治理论课教学活动的组织实施与顺利运行,有关教育行政部门及高等学校的科学决策和有效管理甚为重要。而科学决策和有效管理是建立在对教学工作全面了解和准确把握基础之上的。思想政治理论课教学评价能够提供客观、翔实和具有说服力的数据和事实材料,作为有关部门进行正确决策和有效管理的咨询信息。由此可见,科学的教学评价是教学工作咨询、决策的基础。

（三）思想政治理论课教学评价的基本原则

高校思想政治理论课教学评价的原则是思想政治理论课教学要求和理念在评价环节上的具体体现,是评价主体在思想政治理论课教学评价过程中必须遵循的思想方法和操作行为的基本规范。根据思想政治理论课教学的目标任务及总体要求,其教学评价应坚持以下基本原则:

1. 方向性原则

方向性原则包括两个方面的含义:一是,高校思想政治理论课教学评价必须坚持正确的政治方向,评价的目的、指标要与党和国家关于加强和改进高校思想政治理论课的要求相一致,能够体现社会主义大学的本质特征和课程的国家意志;二是,高校思想政治理论课教学评价必须遵循明确的价值取向,评价的内容、标准要与思想政治理论课教学改革和课程建设的要求相一致,服务于思想政治理论课作为大学生思想政治教育主渠道的价值实现。

2. 科学性原则

科学性原则,是指在进行思想政治理论课教学评价时,要以科学的教学理论为指导,以思想政治理论课教学目标为依据,使教学评价反映教学规律和思想政治理论课建设的实际状况。如果其科学性、客观性缺失,教学评价也就失去了意义,就会对教学活动和教学决策产生误导。科学性的要求具体体现在:评价指标的编制要与课程教学目标相一致;评价标准的描述要与教学改革要求相适应;评价内容的设计要全面、完备;评价方法的选择要恰当、易行;评价过程的实施要开放、简捷;评价主体的态度要科学、严谨;评价结论的形成要客观、公正。

3. 全面性原则

思想政治理论课教学评价的全面性主要体现在三个方面:一是,评价主体的全面性,即对思想政治理论课教学的评价,要综合有关领导、专家及思想政治理论课教师和学生的意见,做出符合实际情况的评价结论。二是,评价内容的全面性,即要对思想政治理论课教学诸要素做多角度、全方位的评价,而不能以点代面、以偏概全;同时,把定性评价和定量评价综合起来,使其相互参照,以求全面、准确地判断评价客体的实际效果。三是,评价结论的全面性,即教学评价的结论要完整、立体地反映思想政治理论课改革与建设的情况,将终结性评价与形成性评价结合起来,既要看建设的基础又要看发展的水平,既要看教学效果又要看主观努力的程度,既要突出取得的成绩又要指出存在的不足。

4. 发展性原则

坚持发展性原则,就是要正视思想政治理论课教学面临的新形势、新挑战,把脉和分析思想政治理论课改革与建设的经验和问题,把教学评价作为进一步深化思想政治理论课教学改革与建设的动力资源。因此,思想政治理论课教学评价应着眼于规范思想政治理论课教学管理,着眼于提升教师的教学能力和教学效果,着眼于调动学生学习的积极性和主动性。与此同时,思想政治理论课教学评价不能简单地就事论事,而是要把评价和指导结合起来,通过对评价的结果进行认真分析,从不同角度找出因果关系,通过及时、具体、启发性的信息反馈,使被评价者明确今后的努力方向[1]。

二、高校思想政治理论课教学评价的具体实施

高校思想政治理论课教学评价是一个涉及多环节、多要素的复杂系统,其具体实施就是根据思想政治理论课教学评价的特征、原则、类型等,开展思想政治理论课教学评价的具体活动过程。它不仅要求明确教学评价的目的和任务,还要明确教学评价的主体和客体、构建教学评价的指标体系,以及选择教学评价的具体方法等。

(一)思想政治理论课教学评价的主体客体

教学评价的主体和客体是思想政治理论课教学评价结构中的重要因素。它决定了由"谁"来对教育教学进行价值判断、具体评价教育教学的"什么"内容。因此,高校思想政治理论课教学评价的实施,首先要明确评价的主体、客体。

1. 思想政治理论课教学评价的主体

思想政治理论课教学评价主体是指参与思想政治理论课教学评价活动,并按照一定的标准运用科学可行的方法对评价客体进行价值判断的组织和个人。它是思想政治理论课教学评价结构的首要因素,在思想政治理论课教学评价过程中居于主导和支配地位。根据思想政治理论课教学评价的特点以及评价的可操作性,思想政治理论课教学评价的主体主要包括思想政治理论课教学的管理者、思想政治理论课教师、思想政治理论课教学对象等。

思想政治理论课教学的管理者是主管高校思想政治理论课的教育行政部门、高等

---

① 边和平:《高校思想政治理论课教育教学论》,中国矿业大学出版社,2014,第254-261页,第271-282页。

学校和思想政治理论课教学指导委员会。他们通过制定课程评价方案,组织有关领导、专家通过实地考察、查阅档案、听取汇报、深入课堂、调查问卷、师生座谈等形式,对思想政治理论课教学的领导体制、工作机制、机构设置、课程设置、教学环境、教学管理、学科建设、师资建设、教材使用、教学条件、课堂教学、实践教学、教学成果等进行全面的综合评价。

思想政治理论课教师作为思想政治理论课教学活动的具体实施者,既是教学评价的对象,也是教学评价的主体之一。其评价包括对思想政治理论课教学管理状况的评价、学生学习情况的评价和对教师教学效果的评价。思想政治理论课的教学效果及价值体现在大学生身上。大学生作为思想政治理论课教学对象,不仅是思想政治理论课的学习主体,也是课程教学评价的主体。目前,由学生参与评价教学已成为国内外高校普遍采用的一种评价方式。

2.思想政治理论课教学评价的客体

思想政治理论课教学评价的客体,即思想政治理论课教学评价的对象。它与思想政治理论课教学评价主体相对应,也是教学评价结构不可或缺的重要因素。思想政治理论课教学评价的客体主要包括:教师、学生、教学目标、教学管理、教学内容、教学方法、教学条件、教学环境等①。

由以上可以看出,教师和学生既是教学评价的主体,又是教学评价的对象。其中,对于教师个体的评价一般包括师德风范、专业素质、教学能力、教学过程、教学效果和教研成果等内容,评价的方法有教师自评、同行评价、专家评价、领导评价、学生评价、社会评价等,而对于思想政治理论课教师队伍整体状况的评价,还应包括教师选配、培养培训、年龄结构、学历结构、学缘结构、职称结构等;对于学生的评价,主要是对学生思想政治品德素质的评价,它是通过考查学生对思想政治理论课基本知识、基本原理的理解、掌握及其在实践中的运用程度和行为的积极变化来体现的。对教师和学生的评价是思想政治理论课教学评价的重点。

教学目标是思想政治理论课教学活动实施的方向和预期达成的结果,是思想政治理论课教学的出发点和最终归宿。高校思想政治理论课教学的根本目标,教育引导学生深化对马克思主义历史必然性、科学真理性、理论意义和现实意义的认识,坚定对马克思主义的信仰,坚定对社会主义和共产主义的信念,坚定对实现中华民族伟大复兴中国梦的信心,形成正确的世界观、人生观、价值观,增强中国特色社会主义道路自信、理论自信、制度自信、文化自信,不断提升大学生对思政课的获得感,努力培养担当民族复兴大任的时代新人,培养德智体美劳全面发展的社会主义建设者和接班人。这是高校社会主义办学方向的重要体现,也是思想政治理论教学评价的重要依据和重点内容。

教学管理是管理者通过一定的组织机构、管理手段,使思想政治理论课教学活动达

---

① 房玫,汤俪瑾,黄金满:《思想政治理论课教学过程的优化》,安徽师范大学出版社,2018,第208页。

到既定的教学目标的过程,是思想政治理论课教学有序和有效开展的重要保证。对思想政治理论课教学管理工作的评价,主要内容包括:思想政治理论课的领导体制和工作机制、思想政治理论课教学科研二级机构建设、师资队伍建设情况、有关加强和改进思想政治理论课教学的规章制度等。

教学内容是依据思想政治理论课教学目标而确立的课程体系、教材体系及其所体现的知识体系。为此,对思想政治理论课教学内容的评价应当包括:按照思想政治理论课新方案,落实课程设置和学分、学时;使用马克思主义理论研究和建设工程重点教材——思想政治理论课统编教材;课程教学大纲、教案及配套教材;思想政治理论课教材体系向教学体系的转化;思想政治理论课相关选修课的开设等。

思想政治理论课教学评价,还包括对其教学方法的评价。评价的标准,即是要看是否充分发挥学生学习的主体作用,激发学生学习的积极性和主动性。中共中央办公厅、国务院办公厅《关于深化新时代学校思想政治理论课改革创新的若干意见》和中央宣传部、教育部《新时代学校思想政治理论课改革创新实施方案》指出:教学方式和方法要努力贴近学生实际,符合教育教学规律和学生学习特点,提倡启发式、参与式、研究式教学;要精心设计和组织教学活动,认真探索专题讲授、案例教学等多种教学方法;要改进和完善考试方法,采取多种方式,综合考核学生对所学内容的理解和实际表现,力求全面、客观反映大学生的马克思主义理论素养和道德品质。

教学条件和环境是思想政治理论课教学活动顺畅运行的"硬件"基础和"软件"保障。评价内容包括师资队伍、学科建设、教学经费、办公场所、图书资料、教学设施、实践基地、网络资源,以及校园文化氛围、校风、教风和学风等。

(二)思想政治理论课教学评价的指标体系

思想政治理论课教学评价是依据一定的标准来进行的。这个标准即是检查思想政治理论课教学目标实现程度的一种尺度。有了这一标准和尺度,思想政治理论课教学评价才会有依据和参照。因此,评价指标体系的构建是思想政治理论课教学评价工作的关键环节,也是构成思想政治理论课教学评价结构的重要因素。

一般来说,评价指标体系是指由表征评价对象各方面特性及其相互联系的多个指标所构成的具有内在结构的有机整体。构建高校思想政治理论课教学的评价指标体系,应遵循以下原则和要求:一是,方向性,即指标体系的建立必须以社会主义核心价值体系为基本价值导向,反映高校思想政治理论课建设与改革的目标和要求。二是,系统性,即指标体系的构建要具有层次性,各指标之间相互独立,又彼此联系,从宏观到微观层层深入,形成一个不可分割的有机整体。三是,科学性,即评价指标与评价目标应当一致;评价指标具有典型代表性,能客观、真实地反映思想政治理论课建设与改革的实际状况;各项指标应具有较强的现实操作性、可比性和定量处理;评价指标的权重设置应当合理等。四是简明性,即指标的内涵描述应当直接、明了、清晰;指标的设置不宜烦琐和相互重叠;指标数据易获且计算方法简明易懂。

思想政治理论课教学评价指标体系的构建,一般包括提出评价项目、分解项目指标、明确指标要求、确定指标权重、设计指标等级,以及指标体系的编写、测试和验证等环节。对于思想政治理论课教师的教学状况评价,可分为教学态度、教学内容、教学水平、教学过程、教学效果、教学文件、教研活动、教学成果、教书育人等若干评价项目,组成对教师个体教学评价的指标体系,并对每一指标进行分级和设置权重比例。

(三)思想政治理论课教学评价的实施方法

思想政治理论课教学评价方法就是为了完成思想政治理论课教学评价任务、达到教学评价目的所采用的方法。只有运用正确、可行的评价方法,才能得出科学、客观的结论,达到教学评价的预期目的。

目前,高校思想政治理论课教学评价采用的方法主要有目标对照法、实地观察法、抽样调查法、课程测验法等。

1. 目标对照法

目标对照法,就是根据思想政治理论课建设的预定目标,对高校思想政治理论课教学的实际状况加以总结,从而找出成绩和不足的评价方法。它是目标管理法在高校思想政治教育课教学评价中的具体运用,即以目标作为课程评价的依据和出发点,通过测量目标的达成程度判断实际教学效果。因此,目标对照法是高校思想政治理论课教学管理系统化、科学化的重要内容。实施目标对照法应落实以下三个基本环节:

(1)确立预期目标

这一目标是评价主体在一定时期内对高校思想政治理论课建设所要达到的预期结果。比如,《新时代高等学校思想政治理论课教师队伍建设规定》(中华人民共和国教育部令第46号)提出,各高校应建立独立的、直属学校领导的思想政治理论课教学科研二级机构;本专科思想政治理论课专任教师总体上按不低于师生1:350的比例配备;要以中班教学(每班100名学生左右)为主体,组织开展教学活动;各高校要建立思想政治理论课教学专项经费,列入预算,并随着学校经费的增长逐年增加;要从本科思想政治理论课现有学分中划出2个学分、从专科思想政治理论课现有学分中划出1个学分开展本专科思想政治理论课实践教学等。这些要求成为高校思想政治理论课建设的预期目标和课程评价的重要指标。

(2)考察实际效果

思想政治理论课建设的预期目标确立后,需要通过一定的方案和方式来对预期目标成果进行鉴定和评价。这里"一定的方案"是指对目标进行分解和描述,并设置合理的评价权重和评价等级;"一定的方式"包括听取总结汇报、查阅文件档案、实地考察评估、师生访谈座谈等。

(3)纵向横向比较

所谓纵向比较,是指依据思想政治理论课建设的预期目标,比较同一评价对象在不同时期内的发展变化,以考察其对目标的达成程度,肯定所取得的成绩,找到存在的差距。所谓横向比较，是指根据思想政治理论课的预期目标，将某一评价对象的情况与其他评价对象进行比较，以考察其自身特色与创新。只有通过纵向和横向比较，才能更加客观、准确地把握某一评价对象在思想政治理论课整体建设中的实际情况及其评价。

2. 实地观察法

实地观察法是指评价主体根据思想政治理论课教学评价的指标体系及相关要求，深入思想政治理论课教学第一线，有目的、有步骤地对思想政治理论课教学过程和效果的各个要素、各个环节进行实地察看和调查研究，从而获得教学的第一手评价信息和直观的感性认识。根据是否有意设置情景，可将实地观察分为自然观察和控制观察。前者是指评价者在对评价对象不做任何干预的自然情景中进行观察的方法，如在不告知教师的前提下，对教师的授课教案、课堂教学、作业批改、实践报告、试卷评阅等进行观察；后者是指在预先设置的情景中进行观察的方法。根据观察的内容，可将实地观察分为全面观察和单项观察。全面观察是在一定时间内对思想政治理论课教学的多个方面进行观察，如既观察教学科研机构的设置，又观察教学改革及其实际效果；单项观察是在一定时间内只对思想政治理论课教学的某一方面进行观察，如思想政治理论课教师队伍建设、思想政治理论课实践教学等。

实地观察是一种较为直观、较重感受性的评价方法，其突出特点是实地接近思想政治理论课教学的评价对象，通过"听""看""问"等形式从不同侧面了解评价对象，直接获取不易量化的评价信息，如教学理念、教学态度、教学素养等。这一方法的优点是简单易行，所获得的材料和信息比较真实，而其不足主要表现在对自变量难以控制，不易对观察到的材料和信息作出精确的分析和判断。

为充分发挥实地观察法的优势，在具体运用这一方法时，评价主体要根据评价目的和指标体系，做好充分的准备，包括制定观察计划，明确观察内容，选择观察的方法和手段等；在观察过程中，要做好观察记录，客观、全面地记录所获得的第一手材料和评价信息；在观察结束后，要对所获得的材料和信息进行科学的分析，作出客观的评价。

3. 抽样调查法

抽样调查法是从思想政治理论课教学评价对象的总体中抽取一部分作为样本进行考察和分析，并用样本部分的数量特征去推论总体状况的一种调查方法。抽样调查是一种非全面调查，具有效率高的优点，可在短时间内获取大量的评价数据和信息。在抽样调查中，样本数的确定是一个关键问题。抽样的方式，有随机抽样和非随机抽样两大类。抽样调查法的具体实施一般包括谈话法、问卷法等。

（1）谈话法

是评价主体根据思想政治理论课教学的评价目的和评价指标，通过与评价对象或有关人员直接交谈的方式获取评价数据、信息的方法。比如，为了解思想政治理论课教师队伍建设情况，或者教师的教学过程及其效果，评价主体可以直接与教师代表或思想政治理论课教学管理部门领导交流，也可以与作为授课对象的学生座谈。谈话的方式可分为个别访谈和集体座谈、结构式访谈和非结构式访谈等。

（2）问卷法

是评价主体根据思想政治理论课评价目的和要求，通过问卷的形式向被选取的调查对象了解情况、获取评价数据、信息的方法。比如，为了解思想政治理论课教师的课堂教学情况，可设计包括教师的教学态度、教学内容、教学手段、教学方法、教学互动、教学效果等问题的问卷，分别由学生、教师本人、同行作答，这样可从不同角度获取教师的课堂教学情况。为使问卷调查收到应有的效果，评价主体要精心设计调查问卷，设计的题目内容必须与评价的目标一致，抽取的样本要有足够的数量且具有代表性；调查结束后，要采用科学的统计方法处理调查结果，以获取客观、可靠的数据和信息。

4. 课程测验法

课程测验法是指通过考核、测定学生对思想政治理论课基本原理和基本知识的掌握，以及运用所学基本原理和基本知识分析问题、解决问题的能力，来了解思想政治理论课的课程设置、组织实施、教学改革和教学质量。课程测验一般以笔试的方式进行，其优点是简便易行、运用广泛，能在同一时间内用统一的试卷测验众多的评价对象，收集大量可供比较的数据资料，而且结果比较客观、可靠。它既可以用来检验学生的学习情况，也可以用来评价教师的教学情况。

为保证课程测验的质量，在编制测验试卷时，既要考虑课程知识的覆盖面，又要突出对重点内容的测验；题目表述要简明扼要、含义单一明确，不应引起学生对题目的不同理解；同时，测验题要难易适中，具有一定的区分度，能够检测学生的真实成绩和不同水平。借助于测验成绩，可用不同角度去分析教学效果。对于整体的水平和分布状态，可用统计分析法；对于整体的达标程度，可采用综合评判方法分析[1]。

---

① 边和平：《高校思想政治理论课教育教学论》，中国矿业大学出版社，2014，第271-282页。

后　记

　　本书是在前贤研究的基础上,对新时代高校思想政治理论课教学问题开展较为全面的研究。第一,对新时代高校思想政治理论课进行科学定位,性质上是政治性和学理性相统一,地位上是大学生思想政治教育主渠道和高校素质教育的灵魂,任务上是服务于大学生的健康成长、服务于党和国家的中心工作。第二,由课程标准、教学计划、教案撰写、课件制作论述了新时代高校思想政治理论课的教学设计。第三,高校思想政治理论课的教学过程本质上是一种特殊的认识复合活动,教师教学过程起主导作用,学生则具有主体地位。教学方法是实现高校思想政治理论课教学过程的重要内容和关键环节。第四,具有正确的思想政治方向、良好的职业道德修养、先进的教育教学理念、深厚的业务理论功底、较强的教学科研能力和健康的身体心理素质是对思想政治理论课教师教学素质的应然条件和基本要求。同时仪容仪表、教姿教态和情绪情感等教学仪态也要引起思想政治理论课教师的必要重视和认真对待。第五,介绍了新时代高校思想政治理论课的教学调控的三种手段,包括教学语言的优美表达、教学节奏的张弛有致和教学氛围的用心营造。第六,当前,国际国内新的形势对高校思想政治理论课教育教学提出了新的任务和要求,因此要开展教学方法体系改革。由于高校思想政治理论课教学方法具有特殊性,按照"八个相统一"的原则进行改革,作为一种体系的改革要从内容出发,围绕思想政治理论课教学内容的性质、理论原理性内容、与学生个人成长成才联系密切的内容选择教学方法的运用与优化。第七,在"互联网+"时代,"互联网+思想政治教育"推动着思想政治理论课教学改革要适应新情况、回应新问题、开拓新方法,在守正创新中主动应对,在具体策略方面要注意设计原则、创新教学方式。第八,教学考核及评价是高校思想政治理论课教学的两个重要环节,一方面可以引入绩效技术对高校思想政治理论课教学考核进行系统分析,另一方面要科学评价高校思想政治理论课的教学成效,这些既是提升高校思想政治理论课的教学品质的内容要求,也是进一步增强思想政治理论课教学针对性、实效性的重要手段。

　　2005 年 6 月笔者从吉林大学历史系硕士毕业后,应聘到辽宁石油化工大学工作,先后从事辅导员和思想政治理论课教师工作,从 2005 年兼职讲授《中国近现代史纲要》《思想道德修养与法治》到 2015 年专职讲授《中国近现代史纲要》《民族理论与民族政策》《形势与政策》《马克思主义中国化基本问题研究》,从讲师到副教授,从"青椒"到教学骨干,一直奋斗在思政课教育教学与科学研究的一线,从初登讲台的战战兢兢到课堂之上的侃侃而谈,从磨课到撰写 10 余万字的教学反思,最终有了这本《新时代高校思想政治理论课教学研究》一书的出版。书中的若干内容已经有 2 篇作为单篇论文发表,如《大一学生对思想政治理论课翻转课堂教学改革的适应》《推进〈中国近现代史纲要〉实践教学小组汇报路径探析》,此外还有多篇学术会议论文如《大一新生在思想政治理论课应用翻转课堂中角色转换》《"四百"人物嵌入〈中国近现代史纲要〉课模式研究》《"00"后少数民族预科生特点与〈民族理论与民族政策〉教学策略》《以大历史观学习和认识中国共产党史》,这些论文在收入本书时,虽然在内容、格式等方面都做了修改和调整,但肯定挂一漏万,难免存在不足和缺陷。

在构思创作本书的过程中,笔者通过广泛阅读思想政治理论课教学领域前辈的学术著作,聆听专家讲座等,受益无穷,前辈学者的课堂讲授、著书为文,皆重治学之道,字里行间遍插着"治学金针",研读他们的著作,常常为他们的治学精神所感动。如果这本书能够为思想政治理论课教育教学研究及实践提供一点参考与帮助,笔者将感到荣幸之至。

在本书的写作过程中,国内外许多专家、学者的研究成果开阔了我的研究视野,丰富了研究内容,尽管已尽量表明出处,但亦难免有所疏漏,在奉上谢意的同时还请各位专家学者见谅!

由于本人理论研究水平有限,书中难免存在瑕疵和不足之处,恳请读者朋友提出宝贵意见,以便在今后的研究和实践探索中加以改进和完善。

王旭东

2022 年 10 月